世界史×日本史
講座:わたしたちの歴史総合 1

さまざまな歴史世界

一七世紀以前の世界史Ⅰ

渡辺 信一郎
歴史総合研究会編

かもがわ出版

講座：わたしたちの歴史総合 世界史×日本史 刊行にあたって

「講座：わたしたちの歴史総合」は、「歴史総合」からの問いかけに対するひとつの応答である。

二〇〇六年に起きた世界史未履修問題に端を発して、歴史教育の見直しがはじまった。日本学術会議による高校地理歴史科についての「歴史基礎」「地理基礎」科目設置の提言（最初の提言は二〇一一年）、高大連携歴史教育研究会による入試と教科書の歴史用語精選の提案、中央教育審議会での議論など、さまざまな意見が出てきた。

これらの提言・意見をふまえて、二〇一八年三月に「高等学校学習指導要領」が告示された。歴史教育については、「歴史総合」（必修科目二単位）と「日本史探求」「世界史探求」（選択科目各三単位）が設置された。「歴史総合」は二〇二二年度、「日本史探求」「世界史探求」は二〇二三年度から授業を開始することになった。

新しい三科目、とくに「歴史総合」は、これまでの指導要領と抜本的に異なる性格をもっている。大きく分けてふたつある。

ひとつは、現代的な諸課題の直接的な淵源である一八世紀以後、今日にいたるまでの近現代史を必修とし、これまでのように日本史と世界史とに分けず、日本を完全に含む世界史とすることである。

もうひとつは、知識つめこみ型の「覚える歴史」から思考力育成型の「考える歴史」への転換である。その方法として、史資料をもちいた問いかけと応答による対話のつみかさねのなかから、学習者自身が自ら問い、応答しうるような思考力・判断力・表現力を身につけていくようになることをめざしている点である。

前者については、昨今の動きのもとで多くの教員が取り上げている感染症や戦争の歴史をみても明らかなように、近代をあつかう「歴史総合」だけでは応答できない問いや課題も多い。そこで、人類発生以来の歴史をあつかう「探求」科目が日本史・世界史に分けてもうけられた。ここでは、「歴史総合」の問いかけをふまえて、世界史の中の「日本史探求」、日本史を含む「世界史探求」からの応答が必要である。

後者は、歴史研究者が、史資料を前にして机の上やフィールドでおこなっているような作業である。これにつうじる学習を高校の教室で展開するためにさまざまな努力がつみかさねられている。歴史学の方法を大学の中にとどめず、市民社会の共有物とするための、歴史研究者からの応答と協力が課題になるであろう。

「歴史総合」の提案に対し、新しい提言をふくむ解説書、実践事例、世界史シリーズなど、さまざまなかたちで「世界史」の刊行があいついでいる。「講座：わたしたちの歴史総合」のめざすところは、解説書や参考書の域にとどまらない。高校生や教師を含め、一般読者が現代的な諸課題を歴史的に考えるときの、教養としての世界史である。

わたしたちの講座は、新しい歴史科目に対応して、全六巻で編成する。「歴史総合」に応答するのは、一八世紀・一九世紀の近代を中心とする第三巻・第四巻、二〇世紀の世界を対象とする第五巻である。第一巻・第二巻は、「世界史探求」に対応して、有史以来、一七世紀にいたるまでの世界を対象とする。第六巻は、「日本史探求」に応答して、あえて日本通史を配することにした。

わたしたちの世界はどこにむかっているのだろうか。人類はどのような歴史的経験をへて、いまここにあるさまざまな課題に直面しているのだろうか。人類がたどってきた道筋の全体を考え、理解しうる教養がいまこそ必要ではないか。わたしたちの講座は、歴史教育からの問いかけによせて、それに応答しようとするひとつの試みである。

二〇二二年一二月二三日　歴史総合研究会

執筆者を代表して　渡辺信一郎

井上浩一
井野瀬久美恵
久保亨
小路田泰直
桃木至朗
（50音順）

〈目　次〉さまざまな歴史世界——一七世紀以前の世界史Ⅰ

まえがき――世界史の見方

わたしたちの歴史総合は、近現代の世界史に重点をおきながら、人類の歴史を全体史として叙述することをめざしている。では、その前提となる世界とは何だろう。

日本語の世界は、漢語仏教経典の「世界」に由来する。「世界」は、梵語(ぼんご)(サンスクリット語)の路迦駄覩(loka-dhātu)の翻訳である。梵語の漢語翻訳集である法雲著『翻訳名義集』(一一四三年撰)には、『楞厳経(りょうごんきょう)』を引いて「世とは遷流を言い、界とは方位を言う。なんじ今まさに東西南北、東南・西南・東北・西北、上下を界とし、過去・未来・現在を世とするを知るべし」と、その典拠を挙げている。

世は過去・現在・未来にわたる時間的遷移、界は四方八方、上下の空間を言う。わたしたちの「世界」は、時間と空間の区分によって成立する。

仏典漢語にみるように世界は、空間と時間の変化の中で運動し、生成する。原子から一三八億年の大宇宙まで、空間と時間のあるところ、これすべて世界である。変化する時間と空間とを一挙に認識することはできない。そこで空間については地域区分、時間については時代区分が問題になる。そもそも世界は、過去・現在・未来の時期区分と東西南北上下の空間区分によってなりたつ。歴史の叙述が時代区分論と地域区分論とを必須の前提とするのは、この世界を対象とするからである。

本巻は、一六世紀までのアジアを対象とする。「世界」の本義にたちかえり、第一章において世界史の空間をいくつかまとまりのある特定の地域世界にわける。地域世界の区分は、ひとつの補助線である。しかし、単なる補助線にとどまらず、一七世紀以前の世界をその当時の人びとが思いえがいていた地域世界と地

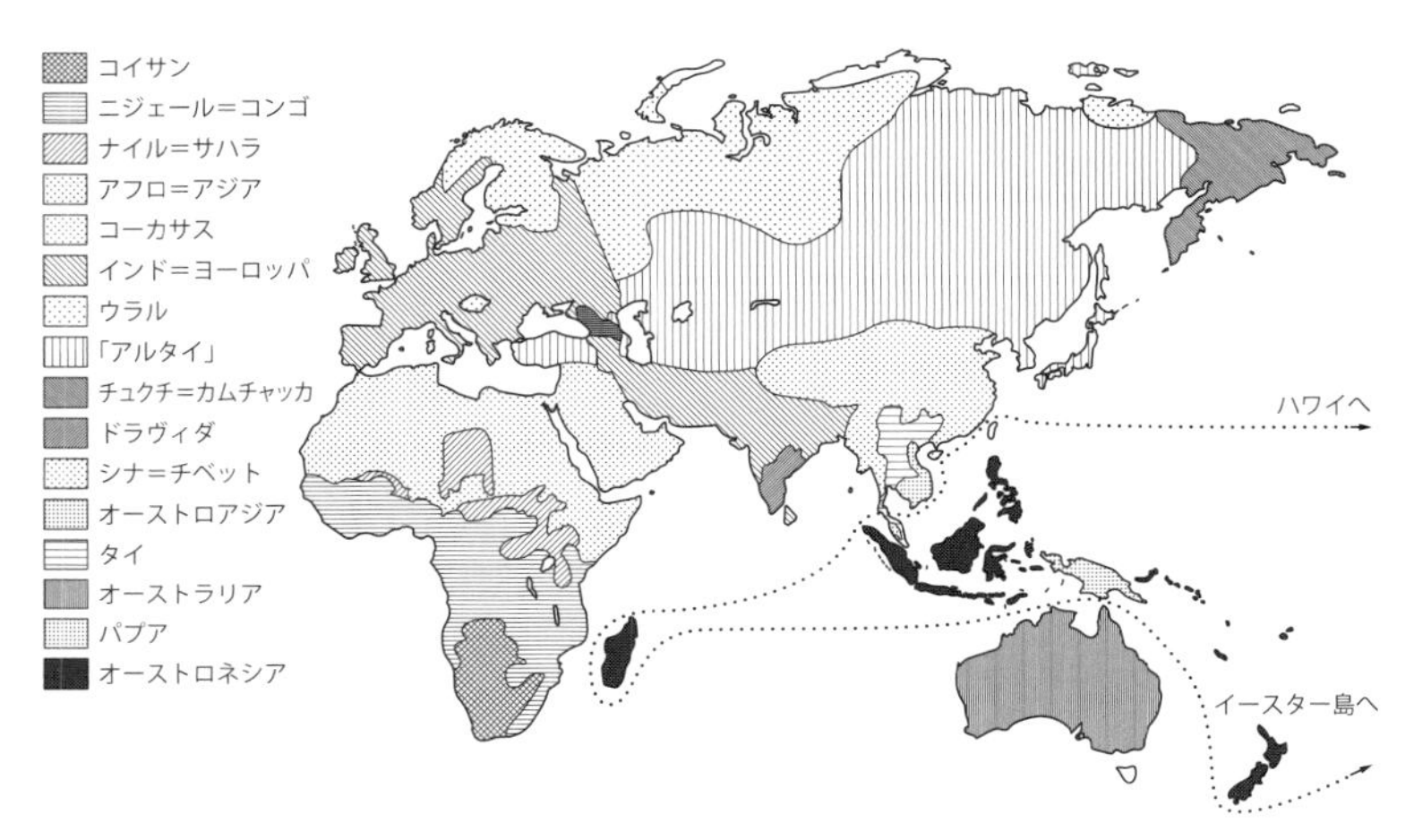

図0-1　旧世界における主要語族および大語族の分布図（ベルウッド2008）

球世界のありかたを構造的に把握するための手がかりでもある。

ついで第二章・第三章では、時間を追って生業を中心に各地域世界の成り立ち、人間集団・社会統合の特性を考えてみる。そのあと第四章以下において、一六世紀の世界の一体化のはじまりまで、時系列に即して諸段階に区分し、アジアにおける地域世界の形成過程と地域世界の相互関係、相互交流の特質を叙述していくことにしよう。

地域区分、時代区分は人によってまちまちである。地域区分、時代区分を前提にする歴史叙述にとって、大切なのは、その人の世界をみる眼、視点あるいは観点である。

どのような観点から本書を叙述するのか、世界史を総合的にみるための、本巻の視点を定めておきたい。わたしたちの日本列島からもっとも遠くはなれた島の世界史からはじめよう。

一、モアイ像をみる眼

ラパヌイ島をご存じだろうか。イースター島と言いかえれば、南太平洋を背にして立ちならぶ巨大なモアイ像を思い出し、天国にとどくほど青く深くすみわたる海洋の絶景を想像するひとも多いだろう。でも英語の島名のほうが想起しやすいのはなぜだろう。

ラパヌイ島は、ハワイ諸島・ニュージーランドとともに大三角形を構成するポリネシアの東端に位置する。日本からは、地球の中心をとおりぬけてほぼ正反対の「裏側」の位置にある。日本の対極にあるもっとも遠い島だ。

ラパヌイ島を発見したのは、ポリネシア人である。ラパヌイは、いうまでもなくポリネシア語である。一〇世紀ころにマルケサス諸島方面から、栽培植物のヤムイモ・サツマイモ・サトウキビ・バナナ、家畜のニワトリなどとともに大型カヌー船に乗って人びとが移住してきた。そのときネズミもまぎれこんだらしい。チリ沖三七〇〇㎞に位置するラパヌイは、周回約六〇㎞の島で、周囲二〇〇〇キロ圏内にひとの住む島がない孤立島である。人びとはほぼ孤立した独自の歴史をはぐくんできた。根菜類の栽培農業と漁撈生活にささえられて、一八二二年ころ、ラパヌイには五、六〇〇〇人の島民が住んでいたといわれる。

ラパヌイの島民の背景には、五千年以上にわたる農業と言語をともなう人類の壮大な移動の歴史がある。この移動は、紀元前三五〇〇年ころに台湾島からはじまり、一〇〇〇年ほどそこに滞留したのち、東南アジア島嶼（とうしょ）部をへて太平洋諸島に到達し、紀元後一二五〇年ころ、マオリ人によるニュージーランドへの移住によって一段落を告げる。

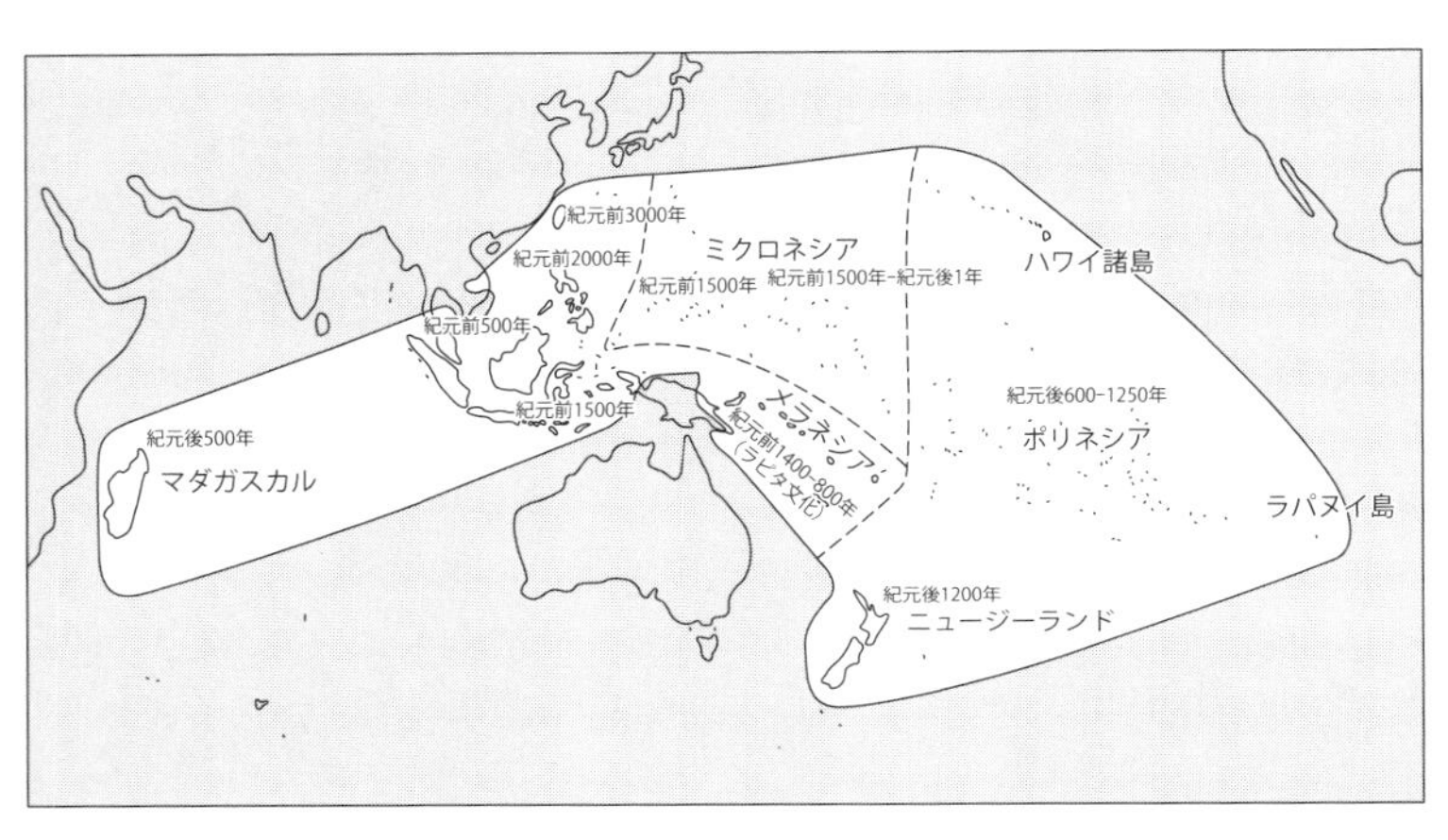

図 0-2　オーストロネシア語族の分布と到達年代（ベルウッド 2008 に加筆）

リモートオセアニアへの人類の移動は、台湾島を起点とするオーストロネシア諸語や栽培農耕の拡散と手をたずさえてすすんだ。近年の考古学・人類学・DNA解析による研究によれば、この移動には三つの波があった。第一はラピタ文化と呼ぶ波動で、紀元前一三五〇年から紀元前八〇〇年までのあいだに、メラネシアの中部と東部、さらにポリネシア西部のサモアへと急速にすすんだ。第二は、西部のマリアナ諸島とパラオ諸島をのぞく、中核ミクロネシアの諸島に、メラネシア方面から紀元前二五〇〇年から紀元前二〇〇〇年ころにかけて移住の波がおよんだ。第三の波は、ニュージーランドを含むポリネシア東部への移住で、紀元後六〇〇年から一二五〇年のあいだにすすんだ(図0−2参照)。ラパヌイへの移住はこの第三の波に乗っておこなわれた。

オーストロネシア諸語は、現在マダガスカル、台湾、ベトナム南部諸地域、マレーシア、フィリピン、ニューギニアとその周辺のパプア語地域を除くインドネシア、さらにさきにみたとおり太平洋をよこぎってラパヌイ島にいたる地域まで話されている。東南アジア島嶼部をはじめ、この海域が祖語を共通にする言語と根菜農業とを基盤にし、カヌーを用いた長距離にわたる特殊な交易ネットワークでゆるやかにむすばれていたことに注意しておきたい。

このラパヌイに最初に到達したヨーロッパ人は、オランダ人A・ロッヘフェーンたちであった。一七二二年のイースター（復活祭）の期間であったため、ラパヌイはイースター島と名づけられた。ロッヘフェーンは、島民について「人々は体型もよく、大きく強い筋肉をしている。背も高く、肌は黒いと言うよりも薄い黄色か青白い感じであった。…これらの人々は雪のように白い歯をもっていて、老人も歯が丈夫そうであった。…土地はよく耕されており畑には囲いがあり、…宗教のことは短期滞在ではわからなかったが石像の崇拝がそれを示唆した。大きな石像の前で火をたいて、人々がひざまずいて手を合わせて上げ下げしていた。こんな石像をどうやって造って運び、立てたのかは不思議だった」と記述している（後藤明二〇一六）。

ぼくは、日本で活躍するフィジーやトンガ出身のラガーマンをはからずも想起した。モアイ像をながめるラパヌイ人は、根菜類の栽培農業と漁撈生活にささえられた健康な人間集団であった。おおくの現代人の眼も、ロッヘフェーンの感想とおなじく、不可思議なモアイ像の光景を映しているだろう。重機のないむかしに、なん一〇トンもある石をどこから切りだして運び、彫刻をほどこして立ちあげることができたのか。ときに宇宙人が飛来して造ったものだと空想したりもする。しかし、火をたいて祈りをささげるその当時のラパヌイの人びとにとっては、その社会生活にねざしたごく現実的な造作物だったにちがいない。

一七七四年、キャップテン・クックで知られるイギリス人ジェームズ・クック（一七二八〜一七七九）がラパヌイ島を訪れた。そのときかれは、モアイ像がたおされはじめたようすをまのあたりにし、記述している。その後九〇〇体はゆうにあったすべてのモアイ像は倒壊し、現在立っているモアイ像は、日本人有志などの支援をえて修復されたものである。

クック以後も、多くのヨーロッパ人、アメリカ人が訪れ、さまざまな記述をのこした。ときに戦争や森林破壊などの記述もあるが、一九世紀はじめまで、ラパヌイの人びとは、ロッヘフェーンの記述にあるように豊かな生活をおくり、飢餓や激しい戦争の記述はみられなかった。

しかし一九世紀はじめから、ラパヌイの人びとは、西ヨーロッパ人から島民拉致などの抑圧をうけはじめるようになる。もちろん島民による反撃もおこなわれた。最高潮は、一八六二年におきた奴隷商人による島民の拉致である。南米から来た奴隷商人が一〇〇〇人余りの島民を拉致し、肥料になる海鳥の糞を採集するための奴隷としてチリの会社に売った。タヒチの司教がチリ政府に働きかけ、一〇〇人が帰ることになったが、八五人が天然痘と結核で死亡し、生還した一五人から天然痘と結核が島にもちこまれた。一八六六年には、島民が六〇〇人まで減少した。

一八六八年に訪れたフランス人冒険家ジャン・バティスト・デュトル・ボルニエが島民の対立をあおり、暴力沙汰になった。一八七〇年には、島民は一二五人になっている。

一八八八年、チリ政府がタヒチの農園経営者から土地を購入し、島全体がチリ共和国領となり、今日にいたった。現在ラパヌイは、正式にはスペイン語でイースターをあらわすパスクワ島と呼び、六、七〇〇〇人の人びとが暮らしている。

モアイ像がすべてたおれ、島民が絶滅寸前におちいったラパヌイの危機について、ヨーロッパ人はさまざまな言説(かたり)をのこしてきた。部族間戦争中の野蛮な手段による殺害、処罰。「短耳族」による「長耳族」の殲滅。飢餓、人食いの風習。モアイ製造競争による森林破壊、などなど。これら島民自身によるジェノサイド・環境破壊をめぐる言説（かたり）について、確たる根拠はなく、反論が出されている。

　ラパヌイの危機の確実な原因は、かれらが知らなかった疫病の外からの蔓延であり、ヨーロッパ人による拉致・横暴である（後藤明二〇一六）。さまざまな言説は、ラパヌイの人びとを野蛮と未開におとしめ、被害者を加害者にし、かれらを支配するための語りである。事実を見きわめるためには、視点の転換が必要である。ヨーロッパ人がラパヌイをみる眼から、モアイ像を見つめて祈る、ラパヌイの人びとの眼をとりもどさなければならない。

　ラパヌイの言説には、ヨーロッパ人宣教師が深くかかわっている。視点の転換にかかわって、もうひとつ近代ヨーロッパ人の事例を紹介しよう。

二、ヘーゲルの世界史をみる眼

　近代に入って最初に世界史の枠組み、近代社会の法的構成を歴史的・全体的に考察した人は、F・ヘーゲル（一七七〇〜一八三一）である（『歴史哲学』・『法の哲学』など）。

　ヘーゲルは、『歴史哲学（歴史哲学講義）』の中で、「要するに、世界史とは自由の意識の進歩を意味するのであって、——この進歩をその必然性において認識するのが、われわれの任務なのである」と述べ、自由の精神の発展を参照点として人間社会の歴史を四段階に区別した。

　その発展段階は①歴史の幼年期にある東洋世界（中国・インド等）、②青年期にあるギリシア世界、③成年期にあるローマ世界、④老年期にあるキリスト教的原理＝ゲルマン世界である。かれは、自由の精神の拡大を根柢にして、東洋世界―ギリシア世界―ローマ世界―キリスト教ゲルマン世界を段階的にとらえる。そうして、アジアの歴史を歴史の前段階におくことにより、地中海・西ヨーロッパの歴史展開を基準とする世界史を記述した。

万人の自由の実現を世界史の必然的なありかたとみる思考の世界は、わたしたちが現代と未来をみるために、なお有効な眼となりうる。問題は、ヨーロッパを中心とし、そこを歴史の帰結とする叙述である。

ヘーゲルは、一人の専制君主だけが自由であり、歴史以前の状態にあるインド・中国に対し、すべての人間が自由を享受する近代ドイツを世界史の到達点として区別した。

かれは、中国には「……変化というものは一切なく、いつまでも同一のものが繰り返して現れるという停滞性（シュタターリッシエ）が、われわれが歴史的なものと呼ぶものに取って代わっているからである。だから、シナとインドとは本当の意味では、まだ世界史の圏外にある」と述べ、中国をインドとともに歴史以前に停滞する世界に位置づけた。

このような見方は、第一次世界大戦後の「西洋の没落」意識の広がりとともに、変化していく。しかし今日でも払拭されたわけではない。それはオリエンタリズムと言いかえられ[1]、西洋人のオリエント・アジア観の底流をなしている。ラパヌイの言説も、その底流を共有している。

オリエンタリズムの見方は、ヨーロッパから近代諸科学をいち早くとりいれた近代日本人のアジア・中国観とも無縁ではない。福沢諭吉「脱亜論」（一八八五年三月一六日『時事新報』無署名社説）の言説に呼応するかのように、日本がアジアに位置することを認識しない日本人が多くいることを申し添える。ただし、アジアという領域は、ヨーロッパ人が自らに対比して設定した東方領域であることも知っておきたい。

三、「あった歴史」と「考える歴史」——世界史をみる眼

歴史の中で起こる出来事はすべて一回かぎりで、なんどもくりかえすことはない。起きてしまえば、あとからその出来事を修正することも撤回することもできない。かつて存在した厳然たる事実があるだけである。わかりやすく「出来事の歴史」「あった歴史」とよぼう。

しかし、「出来事の歴史」の意味を考えたり、考えた結果を叙述したりすることは、「あった歴史」を見つめる人の時間的空間的社会的な立ち位置によって変わってくる。

よく使われる出来事の例をあげよう。進行する電車の上で、あるひとがボールを上に向かって投げたとしよう。ボールは垂直にあがりやがて垂直に落下して手にもどる。あるひとはボールのうごきを垂直運動として見るはずである。

しかし、これを電車の外から、たとえば踏切に立ちどまって見ている別のひとがいれば、ボールは山なりの放物線を描いて落下し、手にもどったと見るにちがいない。ボールのうごきはひとつであるのに見るひとの位置が変われば見え方が異なるのである。

立ち位置をうつしたり見方をかえたりしながら、「あった歴史」の意味を考えたり叙述したりすることは、わかりやすくいえば「考える歴史」「考えた歴史」である。「あった歴史」と「考える歴史」とは、きりはなせない関係にある。

「出来事の歴史」の代表は、歴史年表である。出来事が時間にしたがって記述される。単純だから、おもしろくはないが、わかりやすい。しかし、そこに古今東西すべての出来事が記されているわけではない。歴

アジア Asía　オリエント Orient
オクシデント Occident」

アジアは、アッシリア語アスー assu に由来し、「日の出」を意味する。ギリシア語 Asía は、これをうけて「日が昇る国」、東方を意味する。ギリシア・ローマ人は、ヨーロッパ・リビア（アフリカ）以外の東方地域をさすひろい領域の意味で用いた（第一章参照）。

オリエントは、ラテン語 orior「起る、生ずる、現れる」等の動詞に由来する名詞 oriens に起源する。ここから転じて「日が昇る地方」を意味するようになった。アジアの原義に近いといってよい。ただオリエントは、オクシデントと対になるところに大きなちがいがある。

オクシデントは、ラテン語 occido「落ちる、倒れる、日が没する」の動詞に由来し、その名詞 occidens「日没、西方」に起源する。

オリエントとオクシデントは表裏一体、緊密な相互関係にある地域名称で、ローマ人はイタリア半島を中心として、その西方をオクシデンスといい、東方を漠然とオリエンスと呼んだ。ローマが前二世紀ころからイタリア東方のオリエンス地方を属領化すると、この地域は後世の史家によってローマ領オリエント（ローマン・オリエント）とよばれ、帝国内の西方世界ローマン・ウエストと対比されるようになる（杉勇一九九一）。

ローマ人のオリエンスは、このローマン・オリエントをこえて、北アフリカ・バルカン半島および西南アジアの広大な領域を含む。しかし、ユーラシア大陸の東半分はふくまない。七世紀のイスラームの勃興とともに、オリエントはイスラーム圏にほぼ同定されるようになる。

西方の民主主義と東方オリエントの専制主義の対比は、オクシデントとオリエントの対比、具体的にはギリシアとアケメネス朝ペルシアとの相互関係から生じてきた言説（かたり）である。その意味を問うことは、現代世界を理解することにもつながる。

史年表の編纂者の考え、その主体的な取捨選択をへて書かれた「考えた歴史」でもある。

世界史は、年表のような時系列だけでなく、それを含む複雑・重層的な社会空間の中で起こるさまざまな「出来事の歴史」の複雑な相互作用を解明し、記述する「考える歴史」の総体である。ぼくは、「出来事の歴史」と「考える歴史」との相互不可分の関係を自覚し、なるべく多様な立脚点を用意し、様ざまの観点、視点を用いて「考える歴史」を記述してみようと思う。これから叙述する一六世紀までの世界史も、「あった歴史」と「考える歴史」との相互関係からうまれてくるはずである。

さまざまな観点のうち、とくに重視したいのは、一九六〇年代以来、世界史の叙述が西洋中心になっていることを批判するひとが多くなってきたことである。欧米の研究者のなかにも、この批判をうけいれる人びとがいる。ただ、この西洋中心史観批判は、オリエンタリズム批判と手をたずさえて、現在も多くの研究者によって唱えられている。

半世紀以上たつのに、それがいまだに絶えないのは、西洋中心史観の批判が今日まで十分な成果を獲得していないことをあらわしている。西洋中心史観批判の観点や論点も時代によって変わってきているので、半世紀以上の歴史をもつ西洋中心史観批判自体の歴史的研究が必要である。

一概に西洋中心史観といってもふたつの側面がある。ひとつは、ヘーゲルが『歴史哲学』で展開したように、西欧を歴史の帰結点として世界史を記述することである。ここには、発展と停滞、先進と後進の対比があるので、オリエンタリズムの表象につながっていく。

もうひとつは、西欧の歴史を基準とし、さまざまな地域の歴史の中に西欧と同じあゆみを見つけだし、叙述することである。西欧を帰結点とすることと西欧を基準とすること、この両側面を克服することが課題になる。そのためには、多様な観点を用いて「考える歴史」を記述する必要がある。

それ以上にぼくが重視するのは、西洋中心史観の前提になる歴史的な出来事である。ヨーロッパとアジア、あるいはオクシデントとオリエントとの歴史的相互関係のなかで、おたがいの世界をどのように認識してきたのか、そのなかでヨーロッパ・オクシデントの優位性がいつ、どこでどのように生じてきたのか、である。それは、一挙にではなくさまざまの歴史的な出来事の相互作用とつみかさねのなかでうまれてきたとみるほかない。

ヨーロッパとアジアとがどのようなかたちで出会い、おたがいをどのように認識しあうようになったのか、それが世界史上のどのような出来事のつみかさねとして生れてきたのか、この観点からの叙述を本巻の課題のひとつとしたい。ぼくが考えた「出来事の歴史」を提示して、わたしたちが「考える歴史」となるよう、その橋わたしをこころみる。

〈注記〉

1、オリエンタリズムということばは、本来ジャポニスム、シノワズリー（シナ趣味）など、藝術・学術・文藝にかかわるヨーロッパ人の東方趣味、東方研究を意味した。エドワード・サイード『オリエンタリズム』（一九七八年）は、オリエントやオリエンタリズムは、ヨーロッパ人がつくりあげた表象であり、「オリエンタリズムは西洋の東洋に対する文化的支配の様式であり、したがってそれはヨーロッパ人の自民族中心主義（エスノセントリズム）の所産にほかならない」と主張した。

サイードがいうオリエントとは、主としてヨーロッパに直接対峙する中近東、北アフリカのイスラーム圏をいう。ヨーロッパ人は、オリエントがつねに、後進的、停滞的、非合理的であると表象し、ヨーロッパ・オクシデントによるオリエント・アジアの植民地化の根拠の一つとしてきたことを批判したのである（サイード一九九三）。

第一章

世界史のなかの諸世界と相互作用圏

一、地域世界の区分

世界は東西南北天地の空間と過去現在未来の時間的遷移によってなりたっている。ここではまず、世界の空間区分からはじめよう。

地域世界をどのように区分するか

世界史の地域区分については、これまで多くの研究者がそれぞれの観点から区分を試みてきた。方法としての地域は、歴史家の課題意識におうじて設定され、可変的で多様な性格をもつ。観点の立てかたによって、大小さまざまな地域・地域世界が区分できる。地域区分の重層的な構造を検討する必要がある（古田元夫一九九八）。

現在の世界は約二〇〇の国家とそれに準じる地域に分かれている。国際連合の加盟国数は一九三か国である。二〇二一年に開催された東京オリンピック大会には、二〇六の国と地域が参加した。そこで国家単位で世界を区分することも可能である。ただこれだと世界史は、各国史のよせあつめ、万国史になりかねない。また現在の各国家・地域が有史以来存続してきたわけでもない。さまざまな歴史的経緯のうえにできあがった世界の政治単位である。

そこでぼくは、国家と地球世界のあいだに介在する地域世界に着目して、世界の空間区分をこころみることにする。空間区分の基本観点は、①気候・風土の共通性、②生業・経済の共通性、③宗教を含む文化の共通性、④政治的統合形態および交通関係である。この四つの観点によって重層的に区別できる領域・人間集団を地域世界と呼ぶことにしたい。

気候・風土→生業・経済→文化→交通関係へと上向する層次のなかで、重視したいのは交通関係である。交通は、移動・交流をともなう人間諸集団間の相互関係である。交通には、政治的交通である外交・戦争、あるいは移民・徙民（しみん）（強制的な移住）、経済的交通である局地市場・遠隔地交易・世界市場、宗教的交通としての巡礼・伝道など、さまざまな局面がある。

交通は、国家をこえる広域の政治的経済的圏域をつくりだす。交通関係が諸社会の比較的並列的な共存構造を形成したり、従属関係をともなう中心周辺構造をつくりだしたりして、独自の地域世界を形成する。さらには地域世界相互間に相互作用圏をつくりだす。

これらの観点から、どのような地域世界が区分できるであろうか。そこでまず、このような観点を用いてすぐれた区分をおこなっている松田壽男、家島彦一の地域世界論を紹介しよう。ついで、過去の時代・地域に生きた人びとが、どのように地域世界、全世界を認識していたのか、あらためて考察を加える。最後に現代の二人の研究者の区分と各時代を生きた人びとの区分とを参照して、本巻の世界史の舞台となる各地域世界の空間区分をこころみることにしよう。

松田壽男のアジア世界区分

松田壽男（一九〇三〜一九八二　松田一九九二）は、地理（地域）性と歴史性との総合である風土の観点を重視する。松田は、この風土帯説に基づき、アジア大陸を湿潤地帯、亜湿潤地帯および乾燥地帯に三分し、これを湿潤アジア、亜湿潤アジア、乾燥アジアと呼ぶ。さらにこの三つの風土帯を基礎に生成する五つの主要な生活様式（生活型）を区分する。

湿潤アジアは、モンスーンアジアと呼ばれるように湿りが多く、農耕に最適の条件をもつ。ここでは農耕生活型が圧倒的であるが、沿海部や島嶼（とうしょ）部には稲作農耕にうらづけられつつ海上活動を展開する海洋生活型（南海型）も区別できる。湿潤アジアには、農耕生活型・海洋生活型のふたつの生活様式が認められる。

乾燥アジアは、別に砂漠アジアと呼ばれるように、雨がほとんど降らない寡雨地帯である。ここにも二つの生活型が認められる。砂漠のなかにいくらかの草が疎生するステップ（草原）地帯に移動性の牧畜を営む遊牧生活型と河川灌漑・地下水灌漑を利用してオアシス（砂漠島）を作り、農耕を営むオアシス生活型である。

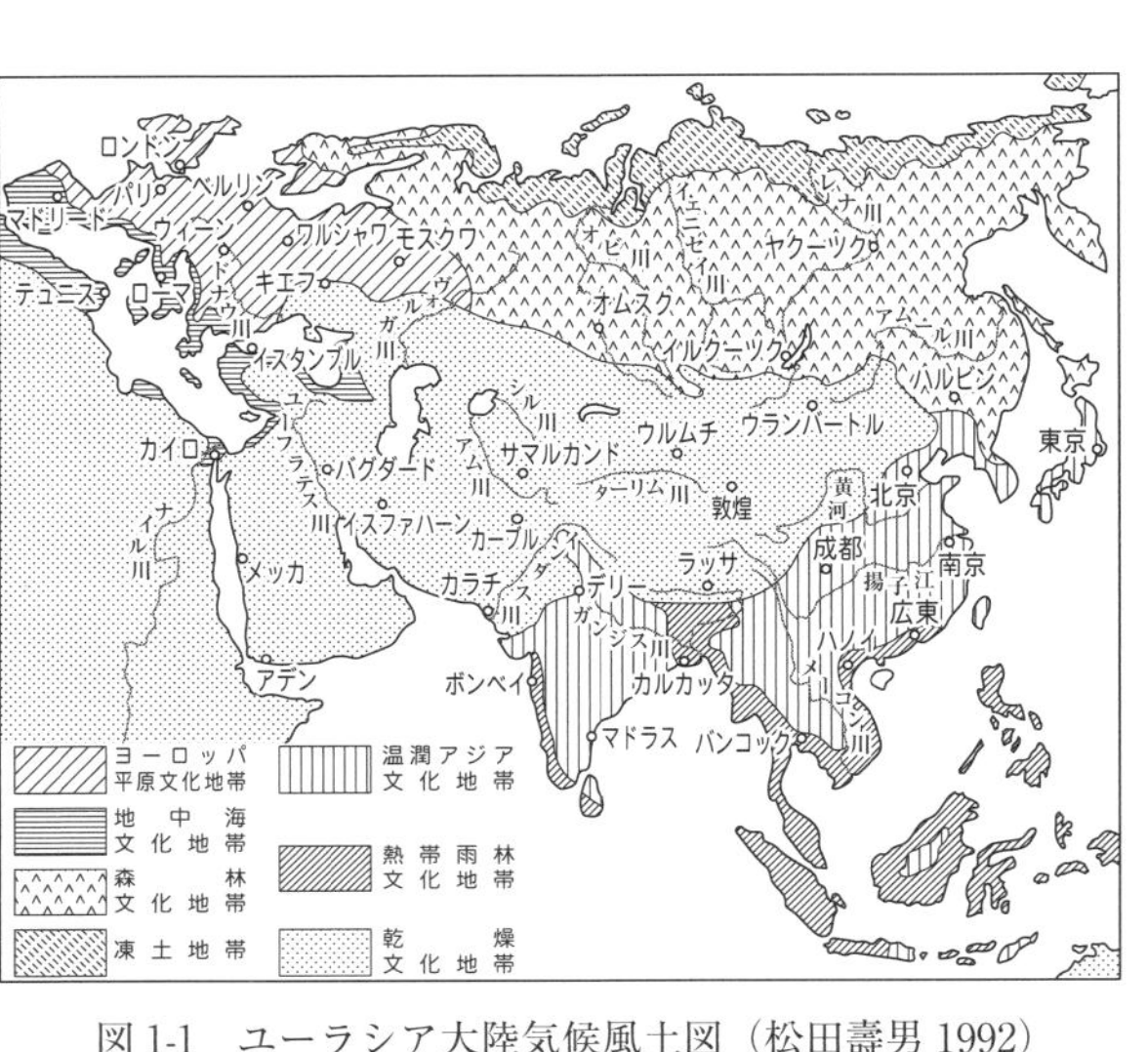

図 1-1　ユーラシア大陸気候風土図（松田壽男 1992）

亜湿潤アジアは、寒冷アジア・森林アジアとも呼ばれ、端的にいえばシベリアに相当する。寒冷な気候とある程度のうるおいが針葉樹林地帯を育てあげ、タイガと呼ばれる樹海がひろがる。北極海に面する地域は、凍土（ツンドラ）となっている。住民は主として樹海地帯で暮らし、狩猟採集の生活様式を営んでいる。

松田は、三つのアジア風土帯から五つの主要な生活型をとりだしたのち、唐の玄奘（六〇二〜六六四）の『大

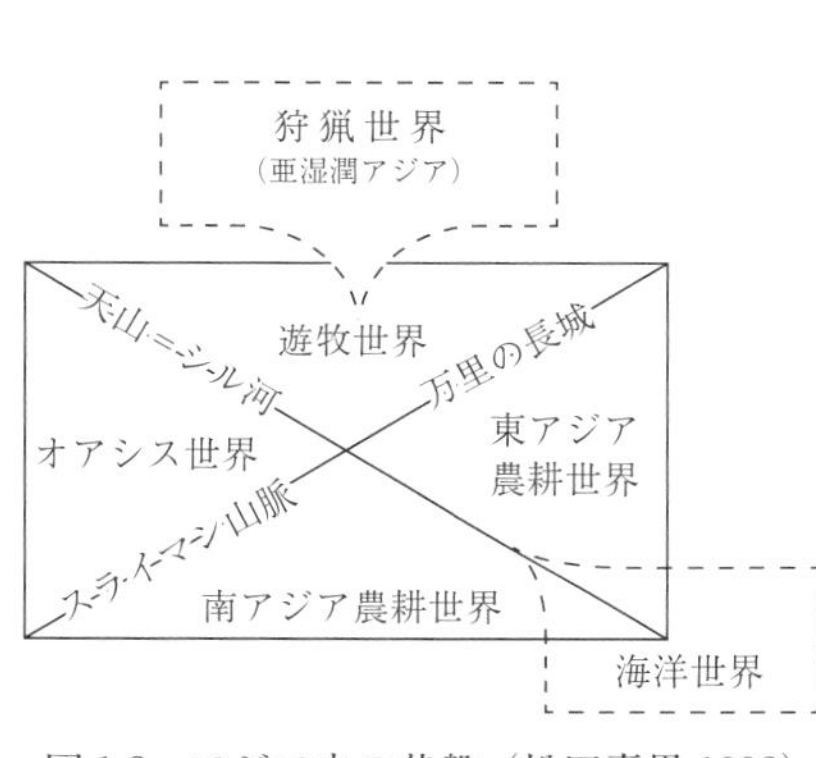

図1-2　アジア史の基盤（松田壽男 1992）

唐西域記』に記す人間世界（贍部洲、ジャンブ・ディーバ）の四区分を参照して（後述）、アジアを東アジア農耕文化圏、南アジア農耕文化圏（以上湿潤アジア）、西アジアオアシス文化圏、北アジア遊牧文化圏（以上乾燥アジア）の四大文化圏（世界）にわける。

四大文化圏に亜湿潤アジアの狩猟世界と南海の海洋世界をくわえ、それらを区分する地理的境界線を示して、松田は、図1―2のようなアジア史の舞台であるアジア世界の構造を描きだしている。

家島彦一の世界区分

家島彦一（二〇〇六）は、そのアジア海域史研究を基礎に、全世界をまず陸域世界と海域世界とに二大区分する。ついで、①自然生態系（風土気候）、②生産物・人口密度（生業）、③社会・文化（文化・社会統合）の三つの観点から、陸域・海域世界を区分する。陸域については、高緯度帯の内陸世界と中緯度帯の陸世界に区分し、内陸世界を①ユーラシア大ステップ世界とよび、中緯度帯の定住農業地域である陸世界をさらに②西アジア、③インド、④中国に三区分する。海域は、中緯度帯の⑤地中海世界とアラビア海から東シナ海にいたる⑥インド洋海域世界とに区分する。インド洋海域世界は、交流ネットワークによってさらに五海域に小区分される（図1―3参照）。

陸域四世界の区分は、松田の四世界区分にほぼ合致し、インド洋海域世界は、松田の南海海洋世界を拡充した区分である。海域研究の深化がそこに反映している。かくして家島は、ユーラシア大陸を六つの地域世

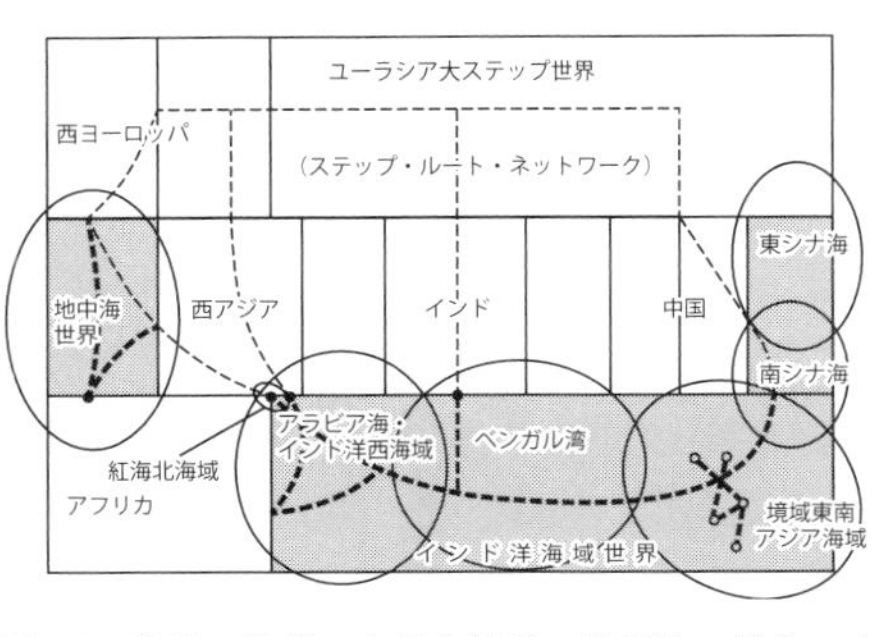

内陸世界 森林（北） 乾燥ステップ	牧畜 移動（定着） 人口疎	・家畜管理、首長父系血統 ・遊牧騎馬統括イデオロギー
陸世界 中緯度 温帯 大河川	定住農耕 都市・市場 消費地 情報・文化の発信 人口稠密	・定住農業地域支配、父系統合 ・国家による統括イデオロギー
海域世界 海・島 熱（亜熱）帯 モンスーン 多雨森林 多島海・珊瑚礁	多様で豊かな植生 森林資源 海底資源 海・移動 漁業・海運 人口疎	・母系・双系社会 ・移動人間を受け入れる緩やかな社会構造

※南シナ海とベンガル湾の両海域の接点

図 1-3　陸域・海域の自然生態系・生産物・社会・文化の差異と交流ネットワーク模式図（家島彦一 2006）

界に区分し、陸域のステップルート・ネットワークや海域ネットワークをはじめとする交流ネットワーク＝交通によって世界を結びつける。

七つの地域世界と海域アジア

松田壽男・家島彦一の地域世界区分を参照すると、七つの地域世界と海域アジアとが区別できる。

それは、日本から見て、日が沈む西から①ヨーロッパ世界、②地中海世界、③サハラ以南アフリカ世界、④西アジア世界、⑤南アジア世界、⑥東アジア世界、⑦ユーラシアステップ世界（森林地帯を含む）の七つの地域世界、および海域アジア・オセアニアである。

節をあらため、七つの地域世界区分のなりたちについて、それぞれの地域にすむ人びとが自らの世界を歴史的にどのように認識してきたのかを明らかにして、より具体的に地域世界を概念化しよう。

二、歴史のなかの諸世界
——世界はどのように認識されてきたか

より具体的な歴史のなかで、人びとはどのように地域世界の区分をおこなってきたのか、代表的な事例をとりあげて、あとづけてみよう。その認識をふまえて、ふたたびわれわれの地域世界区分の詳細にたちもどることにする。

前五世紀　西方へロドトスの世界

前五世紀、ギリシアの歴史家ヘロドトス（前四八四？～前四三〇以後）は、リビア（北部アフリカ）・アジア（ドン川、紅海以東）・ヨーロッパの三大陸（世界）区分を記し、河川・山脈などの地理、リビア人・エジプト人・ペルシア人・インド人・スキタイ人・ギリシア人・トラキア人などの住民、農耕・遊牧などの生業・風俗を記述している（『歴史』巻四（メルポメネの巻））。ここにはまだ、タナイス（ドン）川、インダス川以東のアジアは、未知の境域である。

二世紀　プトレマイオスのオイクーメネー（既知の世界）

紀元後一世紀に前後して、東方西方の双方から世界の領域認識が拡大する。二世紀前半、ローマ帝国治下のアレキサンドリアでクラウディオス・プトレマイオスが『地理学』八巻を著わした。かれは、オイクーメネー（既知の世界）の詳細を記述し、その地図を描いた。『地理学』には、約八一〇〇地点の経度・緯度が示され、諸国・地域の境界、山脈や河川、そこに居住する種族、都市が順次記されている（中務哲郎・織田武雄一九八六）。

プトレマイオスの地理学は、のち一〇〇〇年以上も忘れられていた。一四〇六年になって、イタリア

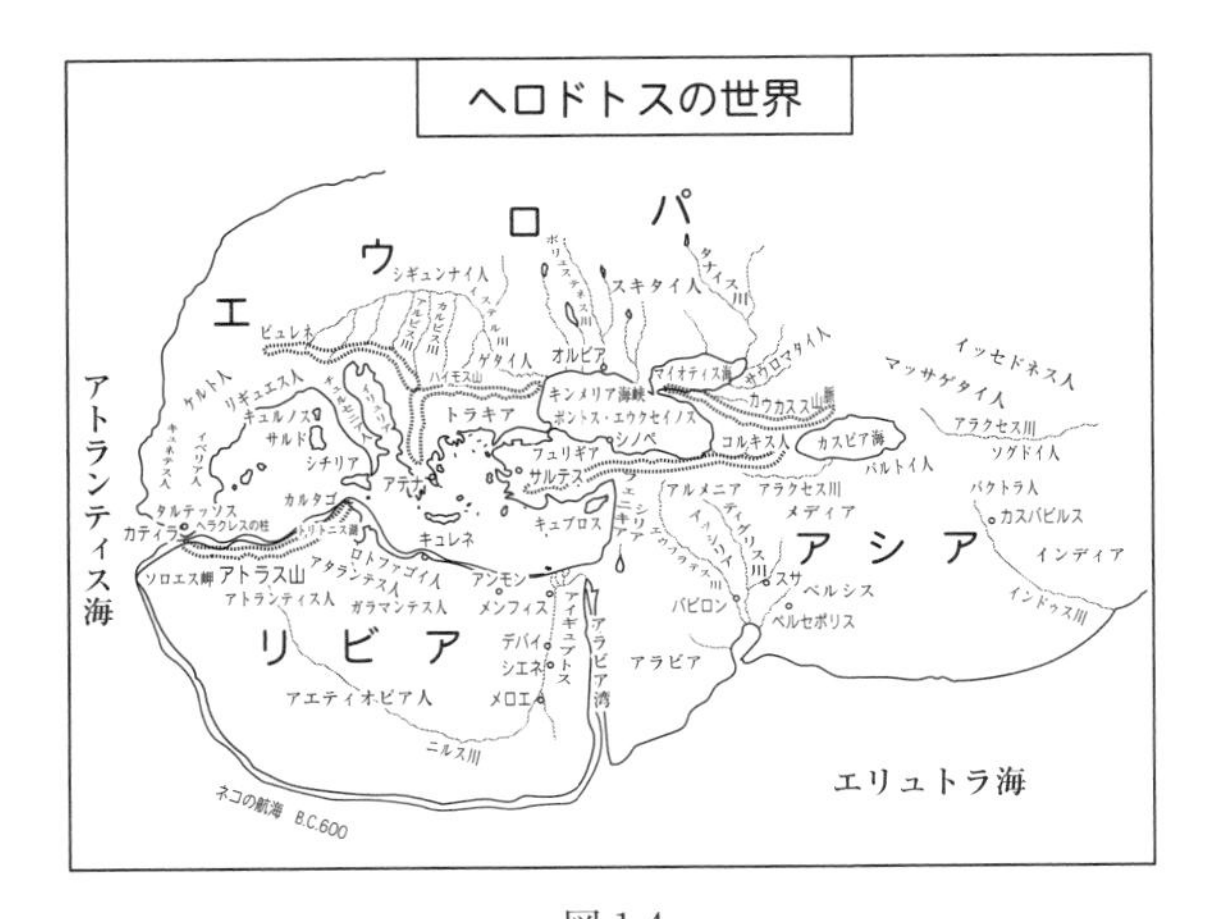

図 1-4
ヘロドトスの世界（松田壽男・森鹿三編 1966 により、加筆）

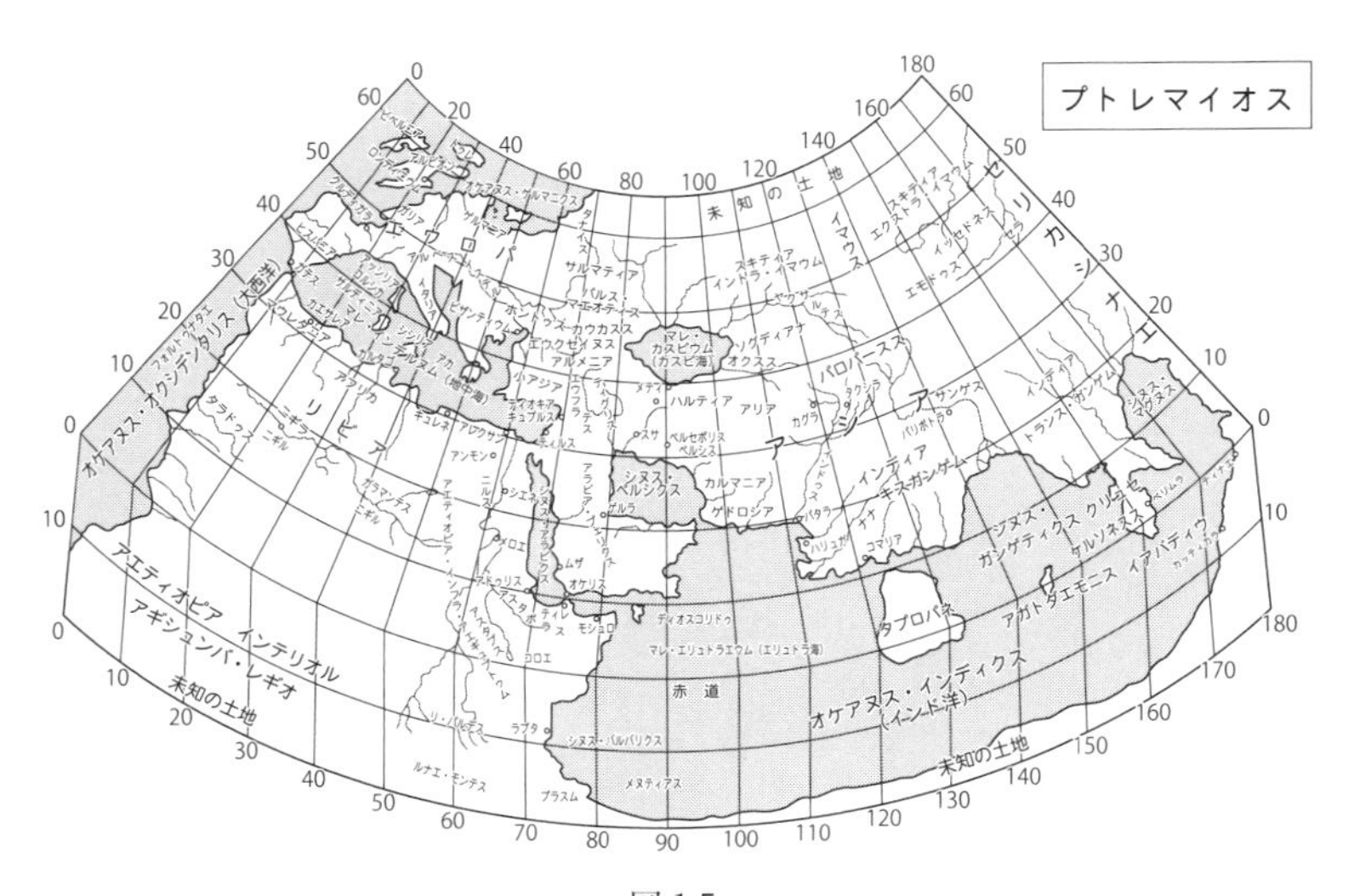

図 1-5
プトレマイオスのオイクーメネー（松田壽男・森鹿三編 1966 により、加筆）

でギリシア写本からラテン語に翻訳され、地図とともに日の目を見ることとなった。ここにあげるのは、一四〇九年にローマで刊行されたプトレマイオス世界図二七図のうちの世界全図とそれを日本語で示しなおした地図である。

プトレマイオスも、ヘロドトスと同様に、オイクーメネー（既知の世界）をヨーロッパ、リビア（アフリカ）、アジアの三大世界に区分する。ただ各世界の知識が増加し、とりわけステップルート交通の発達や季節風を利用するインド洋海上交通、南海貿易の発達にともなって、アジアの認識は質・量ともに拡大している。

プトレマイオスは、ヨーロッパに近い最初のアジア地域を除いて、のこる大アジアを四つの地域に区分する。まずヘロドトスとともに、タナイス（ドン）川・紅海をヨーロッパとアジアの境界とする。さらに北緯三六度から四〇度の緯線にそって東西に連続するタウロス、パロパニソス、エモドゥスの大山脈群によってアジアを北部と南部に分かつ。

さらにアジア北部は、イマオン山脈を境界とする「内側のスキュティア」と「外側のスキュティア」に分け、アジア南部でもガンジス（ベンガル）湾にそそぐ「ガンジス川の内側のインド」と「外側のインド」とに区分している。アジア北部の東端には、セリカ（北部中国）、アジア南部の東端にはシナエ（南部中国）が位置する。アジアの認識は、飛躍的に拡大した。ただ、東にいくにしたがって知識はあいまいになり、当時後漢（後二五〜二二〇）が支配していた中国は南北に二分されている。

前四世紀　東方中国の天下世界

東方中国では、前四世紀なかばころから天下的世界観が形成されはじめる。天下は、天はドーム状のかた

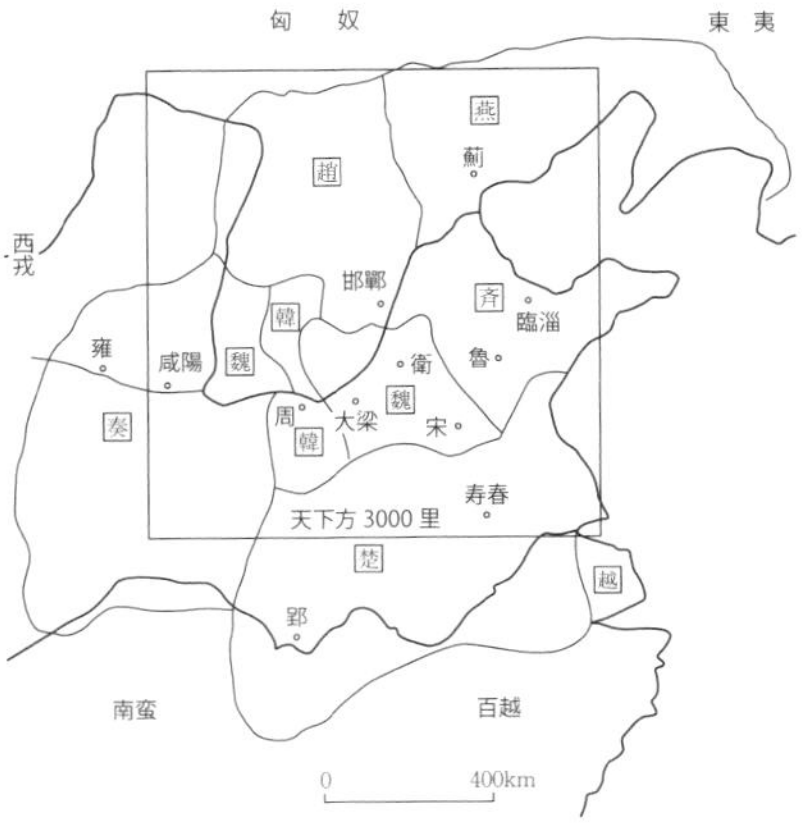

ちをなし、方形の大地を覆うという天円地方の考えにもとづく世界観である。この天下は、国土創造神である禹が大洪水を治めて創りあげた九州（九つの地域）からなる。前三世紀後葉には、当時の人びとは、これを禹蹟あるいは中国とも呼び、言語と交通が通じあい、服装風俗を共有する方三千里（約一五〇〇km四方）の領域であり、その四周に北狄・東夷・南蛮・西戎の諸種族がとりまいていると考えた（『礼記』王制篇等）。

方三千里の天下世界は、中国世界の拡大とともに、やがて方五千里、方一万里（約五〇〇〇km四方）に展開した。前二二一年に始皇帝（在位前二二一～前二一〇）が天下を統一すると「天下を分かちて三十六郡に分」（『史記』始皇本紀）け、周辺の諸種族に向かって領土拡大にのりだした。おなじころモンゴル高原では北狄の遊牧民匈奴が強大になり、中国と対峙するようになった。

図1-6　中国戦国時代天下図

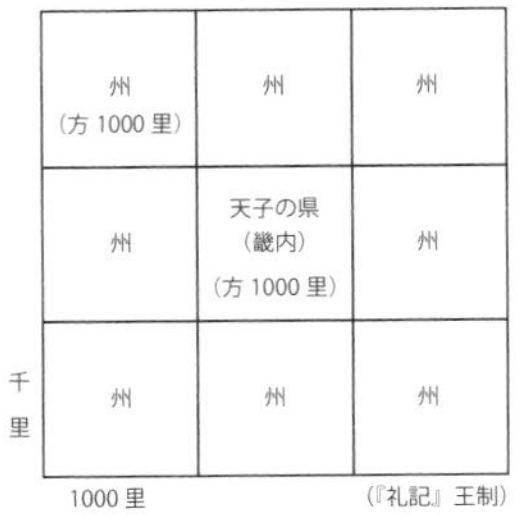

図1-7　天下・九州（方3000里）

三世紀の天下世界と西域世界

秦（前二二一～前二〇六）は、短期間で滅び、前漢（前二〇二～後五）がそのあとをひきついだ。漢の武帝（在位前一四一～前八七）は、積極的に対匈奴戦争をすすめ、匈奴を打つ目的で、中央アジアの大月氏国と同盟を結ぶために張

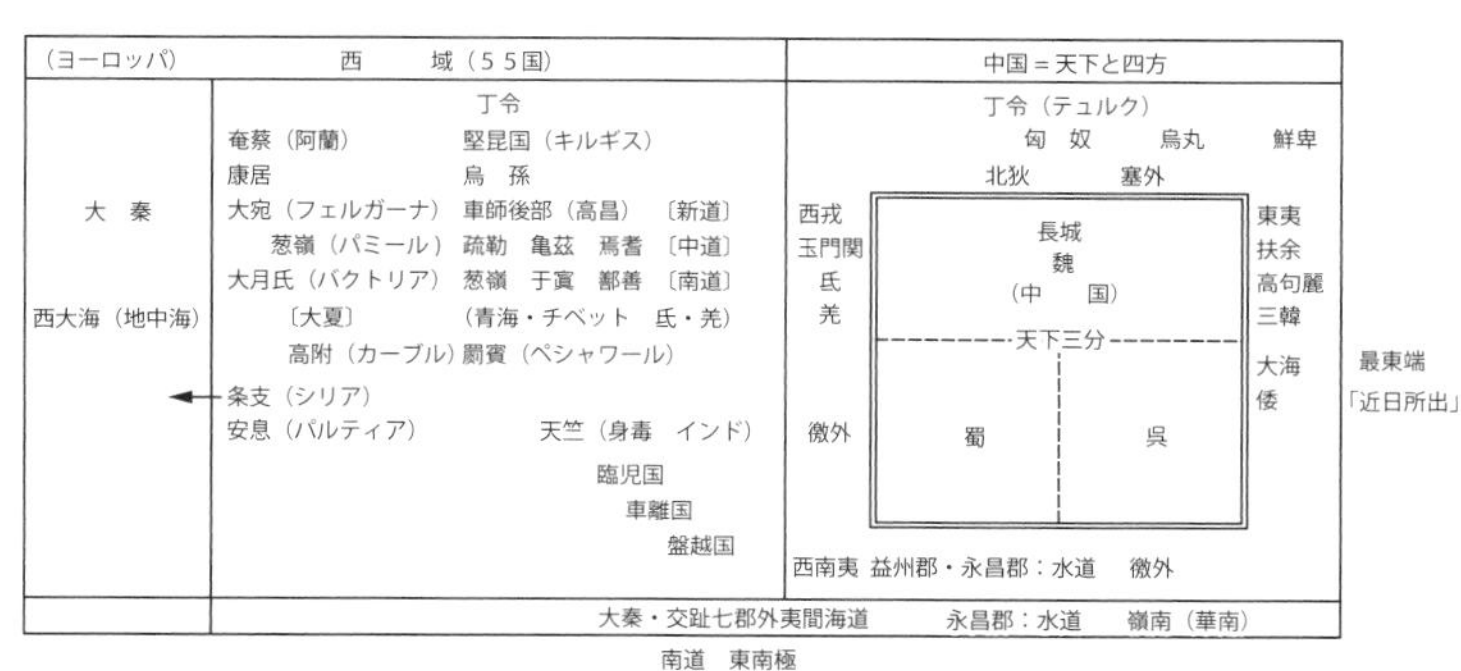

図 1-8　三世紀後半の魚豢撰『魏略』西戎伝の世界概念図

騫を派遣した。その結果、天下的世界の外側に、のちに西域とよばれる広大な領域が広がっていることを認識するようになった。

ここにあげた世界概念図は、三世紀後半の魚豢撰『魏略』西戎伝に記載する世界の概念である。『魏略』の世界認識は、前一世紀初頭の司馬遷撰『史記』大宛列伝、後一世紀の班固撰『漢書』西域伝、二世紀前葉の班勇（班超の子、班固の甥）の記述をもとにした范曄撰『後漢書』西域伝を集大成したもので、実質は後漢（二五～二二〇）中期の世界認識であるといってよい。

この世界概念は、陽関（中国甘粛省敦煌県南西七〇キロ）・玉門関（敦煌県北西八〇キロ）を境界点として、「日の出づる所に近い」極東から「日の入る所に近い」極西までの世界を中国・天下世界と西域世界に二大区分する。天下は、魏（二二〇～二六五）・呉（二二二～二八〇）・蜀（二二一～二六三）に三分され、中原（現河南省にあたる中国の核心領域）を支配する魏が中国と呼ばれた。『魏略』は、記述のなかで『西域旧図』を参照している。おそらくは、後漢時代の地図を参照したのであろう。大秦までの五五国を三つの陸路と海道・水道による交通によってむすびつける。

『後漢書』は、西域をさらに葱嶺（パミール）以東の「内屬諸国（現新疆ウイグル自治区に相当）」とパミール以西の「出西諸国」に二分し、極西は大秦国（ローマ帝国）・西大海（地中海、大西洋）にまでいたる。ローマ帝国を大秦国と呼ぶのは、胡服は着ているけれども、組織された広大な国土に住む人びとの背が高く立派で性格は穏やかであり、中国に似ているからであると、『後漢書』『魏略』は説明している。

北魏は、大秦国にいたるまでの西域を四地域に分割した。華北を統一した第三代太武帝（在位四二四〜四五二）は、太延年間（四三五〜四三九）に、西域へ三度、総計四〇隊の使節を派遣して交通をつうじている。使節は破洛那、者舌まで到達し、両地を根拠地としてその周辺諸国にはたらきかけた。その結果、破洛那、悉万斤・者舌などソグディアナ七国、アム川南部の吐火羅、嚈噠、大月氏、罽賓、南天竺、波斯等一六国が貢納（貢献）し[1]、政治的交通関係をむすぶようになった。

北魏は使節の報告にもとづき、西域一六国を四地域と四つの陸道に分割している。第一地域は葱嶺以東、タクラマカン砂漠以西の地域（東トルキスタン）、第二地域は葱嶺以西、海曲（ペルシア湾?）以東の地域（西アジア・南アジア）、第三地域は者舌以南、月氏（アム川）以北の地域（西トルキスタン）、第四地域は両海（カスピ海・地中海?）の間、水沢（不明）以南の地域であり、その間には数百の小国があるという（『魏書』西域伝）。

世界を天下（中国）世界と西域世界に二分する東方の世界認識は、一九世紀にいたるまで継承された。ぼくは、これにならい、東方世界と西方世界の二区分をときに用いることとする。

一世紀中葉、アレキサンドリアの一商人が紅海からインド洋にいたる海上交易の諸事情を記した冊子をつくった。この冊子は、今日『エリュトゥラー海案内記』として知られる。エリュトゥラー海は、直接には紅海を意味するが、インド洋、ペルシア湾、紅海の総称である（村川堅太郎一九九三）。

ギリシア人ヒッパロスが季節風を利用してアラビア半島西南（アデン）の港からインド西南海岸へ直行する航海法を発見した。これにより、紅海からインド西南岸にいたる海洋交易がいちじるしく発展した。『案内記』は、エジプトの港ミュオス・ホルモスを起点に、紅海西岸、アフリカ東岸、アラビア南岸、ペルシア湾内部、インド洋北岸、インドの諸港、商業地、交易物品を詳述し、最後に伝聞したクリューセー（黄金、マレー半島）、内陸の大都ティーナイ（秦、中国）に言及する。

西方からは、一世紀中葉には、紅海からインド洋にいたる海域世界が存在し、東方マレー半島から中国にいたるまでの海域を望見したのである。

転じて東方では、紀元後五年、前漢の権力を奪おうとしていた王莽は、インド東南海岸の黄支（カーンチ）王が三万里をこえて生犀（サイ）を貢献し、東夷の（倭）王が大海を渡って国の宝を貢納してきた政治的交通の成果を自賛している（『漢書』王莽伝）。その背景には、南海交易の展開があった。

『漢書』地理志は、武帝期後半の前一世紀以後、南海との海上交通が盛んになり、前一世紀後葉には、番禺（ばんぐう）（広東省広州市）・合浦（広東省海康県）から都元国（スマトラ島東北）、邑盧没（ゆうろぼつ）国（サルウィン川河口）、諶離（しんり）国（エーヤワディー川河口）、夫甘都盧（ふかんとろ）国（エーヤワディー川河口付近）をへて都合一二か月でインド東南海岸の黄支（カーンチ）国に至る商業航路、また黄支から皮宗（シンガポール海峡西、ピサン島）をへて日南・象林郡（ベトナム北部）の境界にいたる航路の存在したことを述べる。東方でも、日本列島をふくめて、インド東南海岸にいたる海域交通が開けていたのである。

もとにもどって、『魏略』には、陸路三道の経路と諸国を記述するとともに、両世界をむすぶ海道と水道のネットワークを記述する。大秦（ローマ）から海道によって交趾（コーチ）七郡（ベトナム北部）以南の諸国と交易路をつうじること、エーヤワディー川の水道によって蜀の永昌郡（雲南省保山県北）からミャンマーに通じる交易路の存在を明記する。

のちに樊綽（はんしゃく）撰『蛮書（雲南志）』は、九世紀中葉、この水道によって、南詔国（中国雲南省）から驃国（ピュー）（ミャンマー）をつうじて、婆羅門（インド）・波斯（ペルシア）・闍婆（じゃば）（ジャワ島中部）・勃泥（ブルネイ）・大小崑崙諸国（海域東南アジアの総称）等に黄金・麝香（じゃこう）をはじめ銀・琥珀・香木等を交易品とする遠隔地交易が展開したことを記す。

プトレマイオスは、「ガンジスの外側のインド」に今日のミャンマーに相当する「金の国」「銀の国」があり、そこから南に向かって「黄金半島（クリュセ・ケルソネソス）（マレー半島）」がのびていることを記述する。『漢書』地理志は、ベンガル湾に臨む邑盧没国、諶離国、夫甘都盧国の存在を記す。それは、三世紀以前の昔から、永昌水道によって雲南からベンガル湾に金銀が交易されたことを推測させる。

前一世紀後葉から三世紀にかけて、陸域の交易ルートのみならず、海道・水道をつうじて海域アジアの交通関係が成立しており、地中海世界ともつながっていた。これについては、第四章でまた述べることにしよう。ここでは水道をともなう海域アジアの交通関係が三世紀までには成立していたことを確認するにとどめよう。

三世紀以前〜九世紀　インド仏教徒、ムスリム商人の世界

七世紀半ば、玄奘（六〇二～六六四）は、仏法をもとめてインドを旅行した。その公的報告書『大唐西域記』（六四六年、弁機撰述）は、第一巻巻頭で人間世界（贍部洲、ジャンブ・ディーバ）を四つの世界に区分した。七世紀中葉の中国人仏教徒の世界認識がわかる注目すべき記述である。以下にあらためて訳出しておこう。

　贍部洲の土地には四人の君主がいる。南方は「象主」で、暑熱・湿潤の気候は象の生育に適している。西方は「宝主」で、西海（ペルシア湾）に臨み財宝が満ちている。北方は「馬主」で、寒さがきびしく馬の飼育に適している。東方は「人主」で、気候は温和で人が多い。

　それゆえ「象主」の国（印度）は、あわただしく烈しい気性で学問に熱心であり、とりわけ技芸に習熟している。服装は幅のあるきれを横から巻きつけて右肩を露わにし、髪を頭上に束ねて余髪を四方に垂らしている。同一の種族が聚落をつくり、数階建ての家屋に居住している。

　「宝主」の郷（波斯）は、礼儀がなく財貨を重んじる。上着は短く仕立てて左衽に着用し、髪はきりそろえて髭をのばしている。城郭に居住し、商業利益の獲得にはげんでいる。

　「馬主」（獫狁　北方遊牧民）の習俗は、生まれつき荒あらしく、殺戮を意に介しない。毛織物で作ったドーム状のテント（穹盧）で生活し、鳥のように集団で移動しながら牧畜している。

　「人主」の土地（脂那　中国本土）の風俗は、人びとが叡智をはたらかせ、仁義道徳がはっきりしている。礼儀にかなった冠をかぶり、帯をしめ、右衽に服を着用し、車や衣服の制度には序列がある。定住して移住をはばかり、節度のある蓄積につとめる（四主のあとのカッコ書きは、唐僧・釈道宣（五九六～六六七）撰『続高僧伝』玄奘伝の記述により補った）。

唐代の中国にひきつけた記述ではあるが、『大唐西域記』は、さきに見た湿潤アジアと乾燥アジアをあわせた地域を人間世界（瞻部洲）とし、これを風土・生業の特性、人びとの気質の相違によって東の人主の国（脂那）、南の象主の国（印度）、西の宝主の国（波斯）、北の馬主の国（玁狁、テュルク族）の四地域に区分している。

玄奘（『西域記』）の四主世界認識には、その先例がある。

二世紀前葉、江南に建国した呉の孫権（大帝、在位二二二〜二五二）が大秦・天竺と交通するために、朱応・康泰を海道から南海に派遣した。康泰は、帰国後、孫権に「扶南（メコンデルタ（ベトナム領）・カンボジア）の土俗」を報告している。扶南まで航行したかどうか確実ではない。かれは、その行程で経験したり、伝聞したりした百数十国について、これを『外国伝』にまとめた。

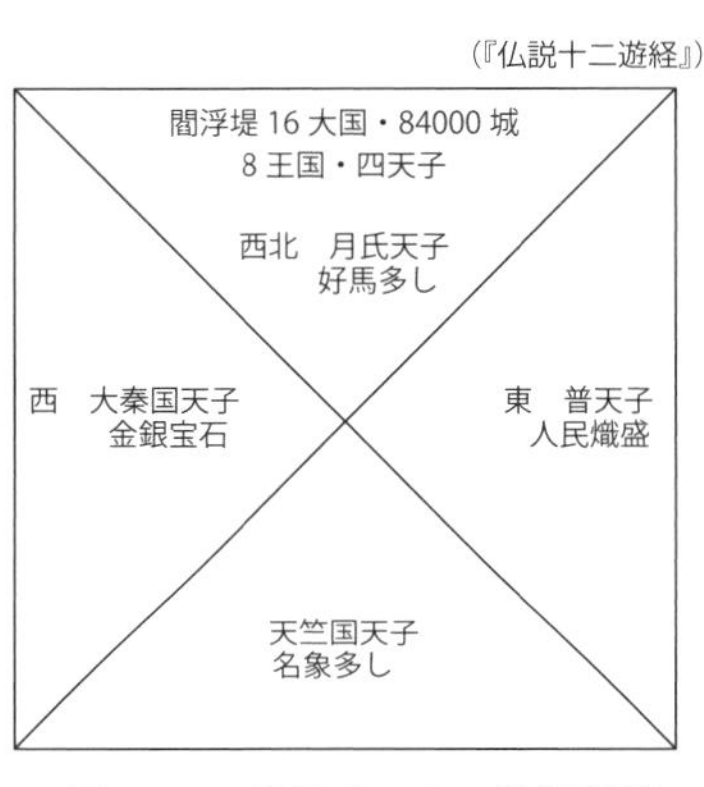

図 1-9　4 世紀インドの世界認識

惜しいことにその全文はのこっていない。『史記』大宛伝の注釈に引用する『外国伝』の佚文には、「外国では、天下に三衆がある、中国は人衆、大秦は宝衆、月氏は馬衆であると言う」とある。天竺の記述がないことから、外国インドからみた三衆を伝えたとわかる。

三九二年に中国江南の東晋で翻訳された外国僧伽留陀伽訳『仏説十二游経』に、閻浮提（瞻部洲）には一六大国・八万四〇〇〇城があり、四人の天子が統治している。四天子とは、象の多い天竺国（インド）の天子からみて、西に金銀宝石の多い大秦国（ここではサーサーン朝ペルシア）の天子、西北に良馬の多い大月氏国の天子、東に人が多い晋朝の天子である。この四天子は、四世紀の世界の現状によくあっている。

『西域記』の四主世界認識は、インドの世界認識に由来することが明らかである。

この世界認識は、一〇世紀前半のスィラーフ出身のアブー・ザイド・アルハサンが伝える中国皇帝との対話にも反映している。家島彦一の名訳を引用しよう。

……（中国の大）王は通訳に向かって、「そ奴に言ってやれ。そもそもわれらは、［世を代表する大］王たちは五人であることを数えておる。王権において、彼らのなかで最も広く影響を及ぼす偉大なる王は、他ならぬイラクを統治せらるる御方だ。なぜならば、その王はこの世の中央におられ、［他の］王たちがその王のまわりを囲んでいるからだ。われらにしても、その王の名を〈王中の王〉であると認めておる。それに次ぐのがこのわれらの王であり、われらは、〈人類の王〉と自ら認めておる。なぜならば、諸王のなかで他に誰一人として、われらほど統治力を備えた王は他におらぬからだ。……さてわれらに続くのが〈獅子の王〉であり、その王は他ならぬわれらに隣接するテュルクの王のことだ。彼らに続くのが〈象の王〉、つまりインドの王のことであり、われらは彼を〈知恵の王〉として認めておる。なぜならば、知恵の本源が［すべて］彼から出ているからだ。彼に続くのは、〈ルームの王〉であり、われらは彼を〈男たちの王〉として認めておる。なぜならば、地上において、そこの男たちほど体格が完璧で、容姿の美しい者は他にいないからだ。以上が［この世の］諸王のなかの傑出した人たちであり、あと残りの者たちは［すべて］彼らの下にある」。（『中国とインドの諸情報』2、第二の書）

九世紀半ばのアラブ系・イラン系のムスリム海上商人が記した『第一の書』では、この世で数えるにあたいする代表的な大王は四人であり、イスラームを信奉するアラブ人の王が第一、ついで中国人の王、つぎにルーム人の王、つぎにインドの王がつづくと述べる。

イスラーム圏では、イラク・アラブ人の統治する世界を中心に、中国・人類の王の世界、テュルク（突厥(とっくつ)・ウイグル）の王の世界、インドの知恵の王の世界、ルーム（ビザンツ）の男たちの王の世界がとりまくという、イラク中心の世界観がみられる。ルーム・東ローマを地中海世界にかぞえて除くと、アジアは四つの世界に区分されていたといってよい。

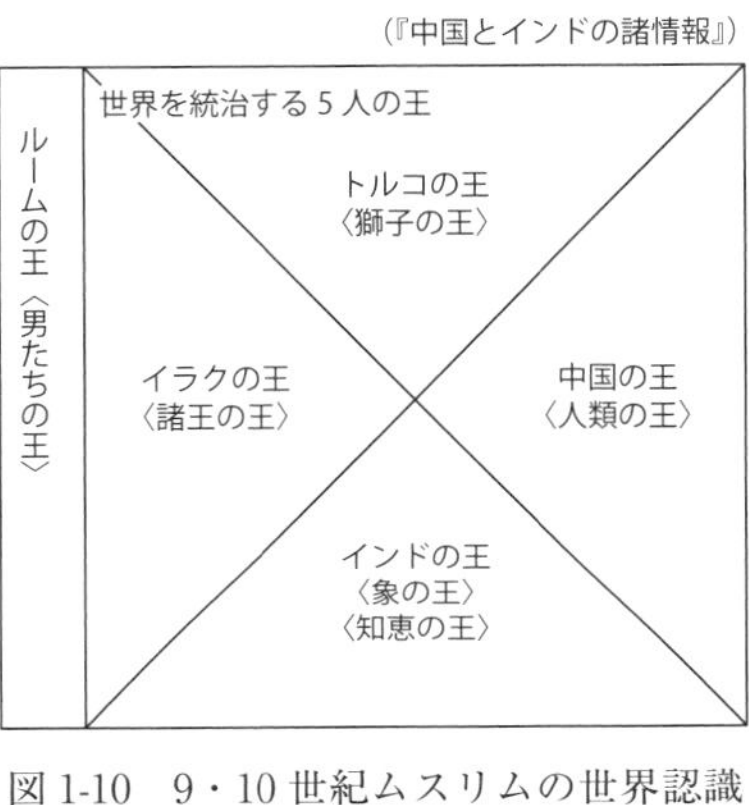

図1-10　9・10世紀ムスリムの世界認識

七・八世紀　中央アジア・ソグド人の世界

アラル海にそそぎこむアム川上流の支流ザラフシャーン川ぞいの地域は、この時期ソグディアナとよばれた。紀元前七・六世紀ころから、イラン系のソグド人が多くのオアシス都市国家を建設し、一世紀以降、ビザンティウムから中国にいたるまでの交易路を開拓して活発な遠隔地交易を展開していた。

そのオアシス都市のひとつにクシャーニヤがある。唐代の中国人は、この都市を何国と呼んだ。九世紀初頭、杜佑は、「その国城に高層の建物があり、その北壁には華夏（中国）の天子を描き、西壁に波斯(ペルシア)・拂菻(ビザンツ)諸国の王を描き、東壁には突厥(とっくつ)（突屈）・婆羅門(インド)諸国の王を描いた。（その君主は、毎朝そこにでかけて礼拝した）」（『通典』一九三、カッコ書きは『新唐書』西域伝下）と記している。わたしたちの眼から見て東の中国、西のペルシア・ビザンツ諸国、北の突厥(テュルク)諸国、南のインド諸国からなる世界の構成は、さきに見た九・一〇世紀ムスリムの世界認識とまったく同じである。

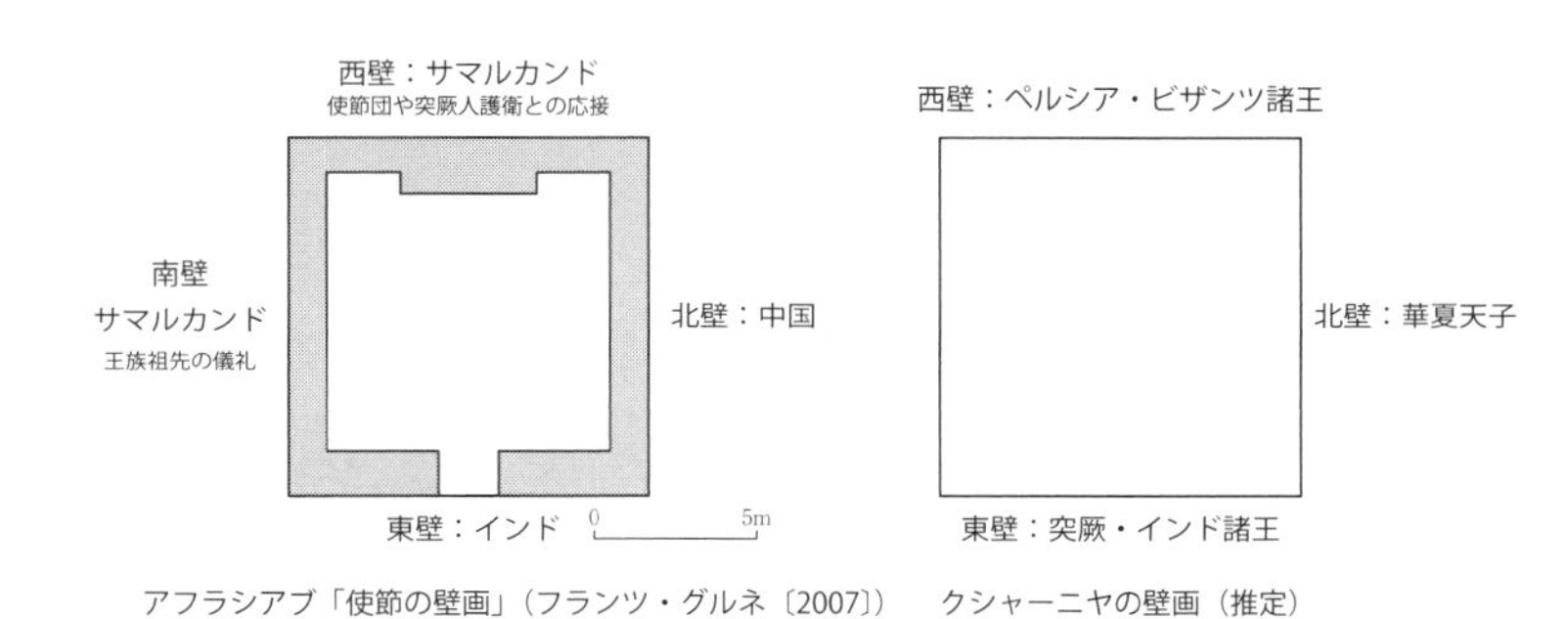

図 1-11　サマルカンド・クシャーニヤの壁画

現在のサマルカンド市街地の北にアフラシアブの台地がある。その地には一三世紀初頭にモンゴル軍に破壊されるまで、さきにソグド人が居住し、のち八世紀中葉以後イスラーム勢力が支配した古サマルカンド城があった。サマルカンド城の東門は「中国の門」と呼ばれた。このアフラシアブの遺跡から、一九六五年、偶然に日干しレンガで造られ、長さ一一m四方の壁で囲まれた広間が発見された。四方の壁には壁画がのこされていた。

西壁の主題は、西壁にのこされた長い銘文によって、七世紀中葉にサマルカンドを統治していたワルフマーン王が世界各国の使節団からの貢献物を受けとり、使節を謁見する様子を描いたものであるとわかった。

サマルカンドの王は、アフシンの称号でサマルカンド都市国家を統治し、イフシード（王中の王）の称号で、盟主として都市国家連盟、さらには全ソグディアナを支配した。唐は、ワルフマーン王を「拂呼縵」と表現した。ソグディアナ諸国に影響力をおよぼしていた西突厥勢力を破ったのち、六五八年、唐は、サマルカンドの地に康居都督府を置き、ワルフマーンを都督に任命して羈縻（きび）支配をおこなった（『唐会要』九九康国）。羈縻とは、ウシやウマをつなぎとめるという意味で、

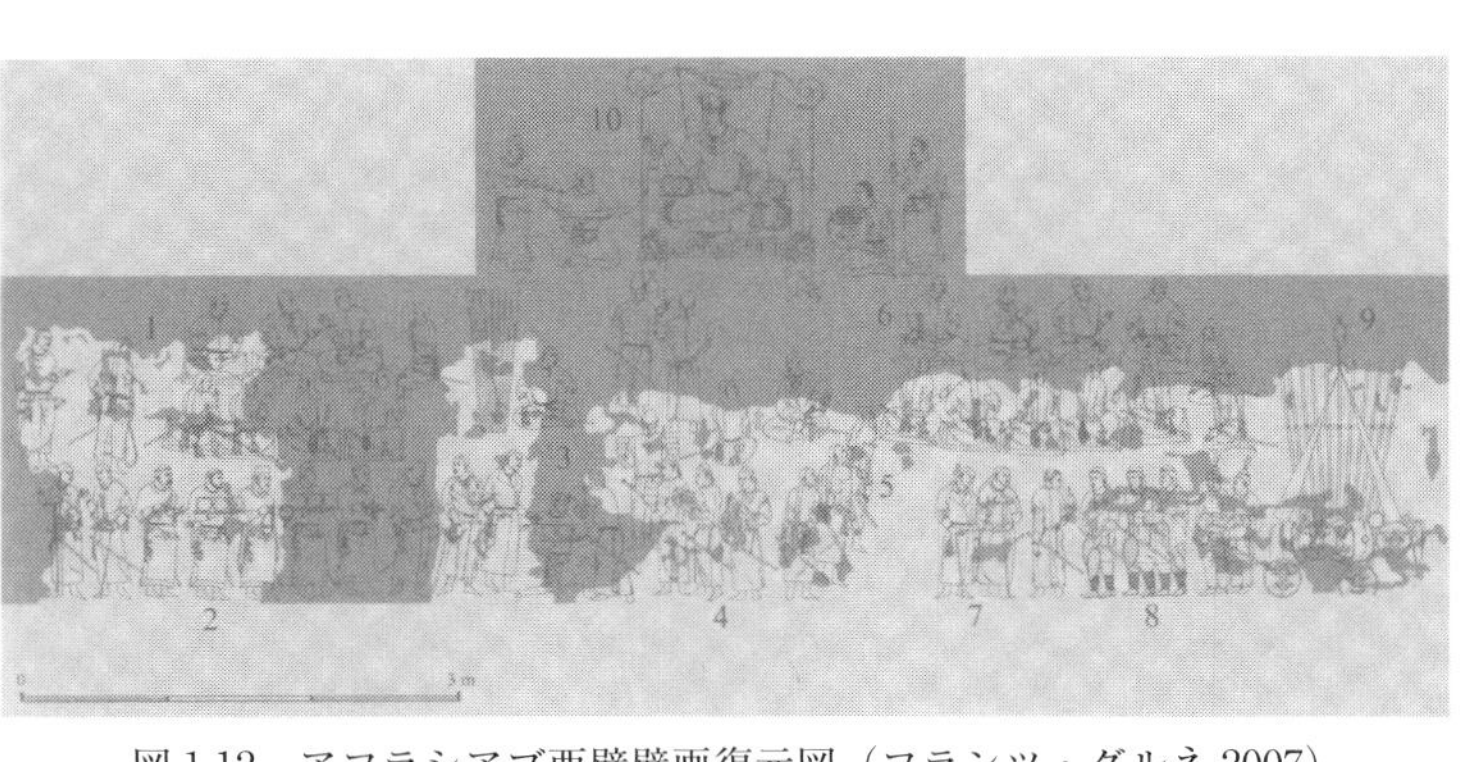

図 1-12 アフラシアブ西壁壁画復元図（フランツ・グルネ 2007）

自治を認める間接統治をいう（後述第四章）。

西壁には、ワルフマーン王のほか、弁髪する突厥人護衛、二人のカラシャール人使節（焉耆（えんぎ）、中国新疆ウイグル自治区亀茲東）と近隣ソグド人諸国からの使節、絹をささげ、幞頭（ぼくとう）（皇帝を含む唐代男子の一般的かぶり物）をかぶる唐の使節、吐蕃人?、かぶり物に鳥の羽を二本飾る高句麗官人が描かれている。西壁の画題は、イフシードとしてのワルフマーン王を描いたものであろう。

南壁には、正月（中国暦六月）におこなわれる霊廟への王の行列が描かれる。北壁には馬に乗って狩猟をする唐の皇帝（高宗）と舳先に皇后の象徴である鳳凰の頭をしつらえた鳳凰船に乗る皇后（則天武后）が従者とともに描かれる。東壁の壁画の保存状態は良くないが、登場人物の服装・頭髪のかたちからインド諸王を描いたと考えられている。

アフラシアブの壁画に描かれるソグド人の世界観は、西方諸国が抜けおちているものの、クシャーニヤのソグド人の壁画と同一の構成をもつ。あらためて確認すれば、七世紀ソグド人の世界は、サマルカンドのイフシード（王中の王）を中心に、東に中国皇帝、西にサーサーン朝ペルシアおよびビザンツ、北に突厥、南にインド諸国を配置する構造であった。

一四世紀　日本人の世界

六〇七年、中国隋に第二回目の使節団を派遣したとき、倭国王の、姓は阿毎、字は多利思比孤が国書を奉呈し「日出づる処の天子、日没する処の天子に書を致す、つつが無きや」と書きだした。煬帝（在位六〇四～六一七）は不快感をあらわにし、「無礼な蛮夷の書を二度と上申するな」と命じたという（『隋書』東夷伝）。

倭国の国書の無礼さについては、いろいろな解釈がある。そのひとつには、極東（日出処）と極西（日没処）に二人の天子がいると認識していることがある。当時の中国人は、自らの天下的世界の周辺にある諸蛮夷のさらにその西には西域世界があり、その「日の入る所」には中国同様の大国東ローマ帝国（拂菻）が存在することを知っている。煬帝は、世界を倭・隋二人の天子で代表させるナイーブな認識に不快感を示したのであろう。

一三六四年に重懐という人物が書写した「五天竺図（南贍部州図）」（法隆寺北室院蔵）がある。原図がどこで誰によって描かれたのか、わからない。しかし、一四世紀中葉の日本の世界観を知るうえで重要な世界図である。五天竺図は、大海のなかに、倒立した形で卵型の南贍部州を描き、その四至にちいさな長方形の枠型を付し、南天竺（南）、波剌斯国（西）、胡国（北）、晨旦国（東）を示す。晨旦国（秦国の音訳＝中国）の左上には「大唐国」・「長安」「玉門関」が記されている。時代は唐代中国、サーサーン朝ペルシアに対応し、七世紀インドを中心とする世界図であることがわかる。

応地利明によれば、また右上方の玉子色の枠型のなかに四至を説明して、「南は五天竺・象主、西は波斯国・宝主、北は胡国・馬主、東は晨旦国・人主（原漢文）」とある。さきにみた玄奘三蔵の認識に等しい。

五天竺図は、また東北海中の島嶼に「四国」・「九州」を記して日本を表示する。朝鮮半島の記述はなく、「大

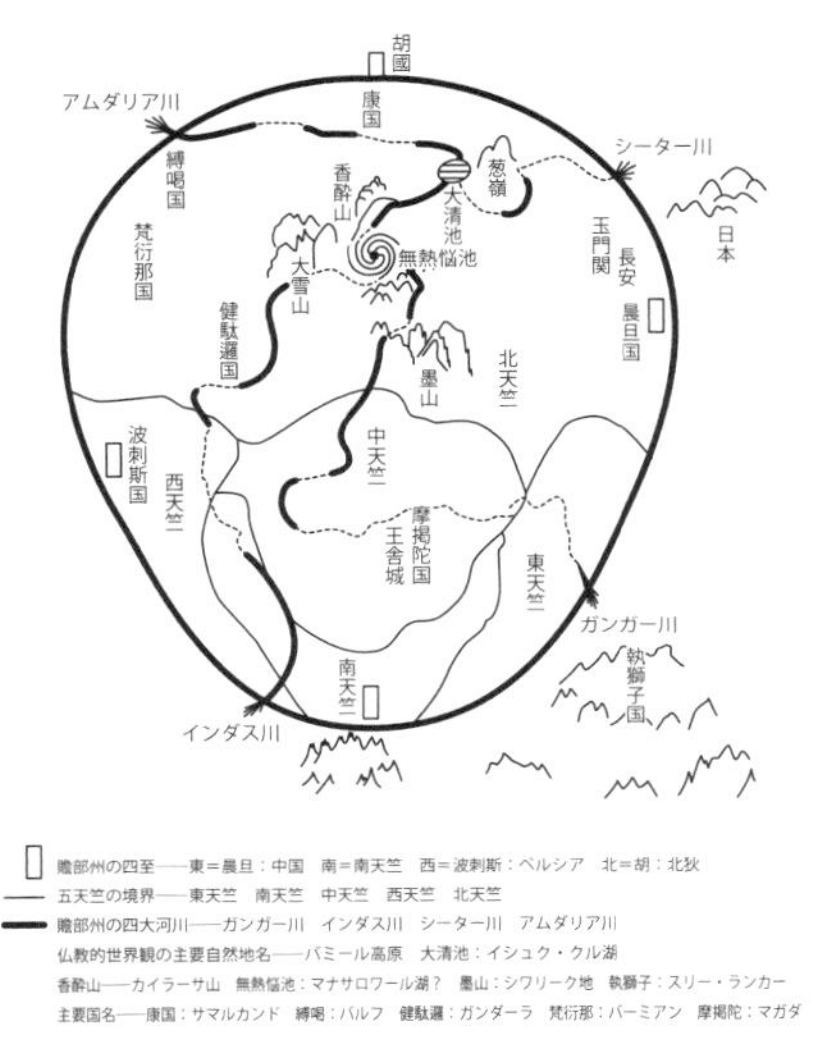

図 1-13　法隆寺蔵五天竺図（解説図　応地利明 2007）

唐国」は瞻部州北東端にちいさく書かれ、インドは瞻部州の南半分をしめる。応地利明によれば、仏国土たる天竺を大きく、中国を小さく描くことが、五天竺図の意図するところで、中国のほかに、もうひとつの文明中心があるという事実発見の結果であった。それは、中国への従属的な劣等意識からの脱却を図る可能性をあたえるものであった、と（応地二〇〇七）。

五天竺図は、四天下世界観のなかで、一四世紀日本人の感性を映して、偉大なる五天竺、小さな晨旦国（大唐国）、日本の三国世界観を描きだしたものといえる。

一二世紀初に著述された『今昔物語』には、本朝日本・震旦（しんたん）・天竺の三国世界認識がたびたび登場する。北畠親房（一二九三〜一三五四）の『神皇正統記』には、「震旦広しと言へども、五天竺に並ぶれば一辺の小国なり」と述べて、三国世界認識をさらに発展させ、中国をインド世界の周辺に位置づけ、神国日本を仏国土五天竺に相対させる。ここには、中華・中国の矮小化と同時に、中華の周辺に位置する日本の自尊の心性があらわれている。五天竺図は、まさに『神皇正統記』の心象風景そのものである。

三、地域世界の構造

以上の考察をもとに、ぼくは、より具体的に考えた歴史世界として、つぎの図のように世界を七つの地域世界に区分し、その歴史を叙述する。

それは、日本から見て、日が沈む西から①ヨーロッパ世界（東西に細分可能）、②地中海世界（イタリア半島を中心に東西に細分、黒海周辺、北アフリカを含む）、③サハラ以南アフリカ世界、④西アジア世界（現在のイラン・イラク・サウジアラビア一帯）、⑤南アジア世界（インド亜大陸（中国古典にいう五天竺、北はヒマラヤから南はケープ・コモリンまで、東はブラマプトラ川流域から西はインダス川流域におよび、一部東南アジア大陸部を含む）、⑥東アジア世界（北東アジア、ならびに一部東南アジアを含む）[2]、⑦ユーラシア中央世界（大興安嶺山脈以西、ドン川以東、南はコーカサス、アムダリア以北、北は森林・シベリア地帯を含む。六世紀中葉に、突厥が統合した全領域に相当する）の七つの地域世界である。これに、港市・港市国家がネットワークでつながる海域アジア（西部紅海・ペルシア湾と東部東南アジア島嶼部・中国大陸沿岸部）、オセアニア海域をくわえることができよう。[3]

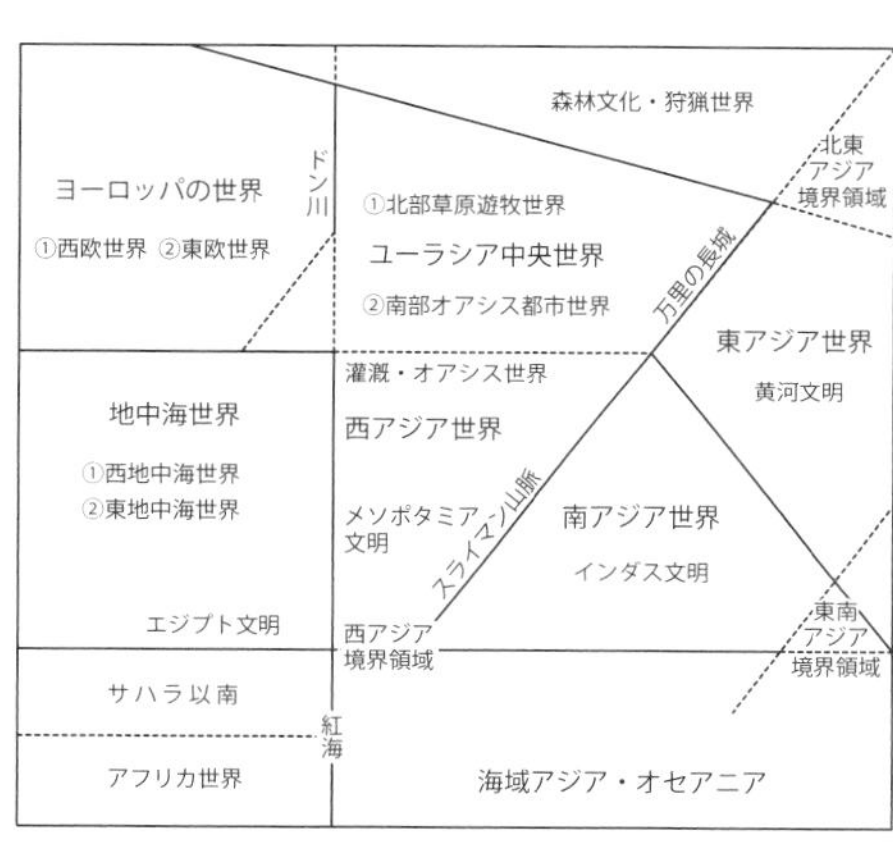

図 1-14　世界の地域概念図（16 世紀まで）

地域世界の境界線と相互作用圏

七つの地域世界は、山脈・河川などの境界線と境界領域をもっている。[4]境界は地域世界を区切るだけでなく、さまざま

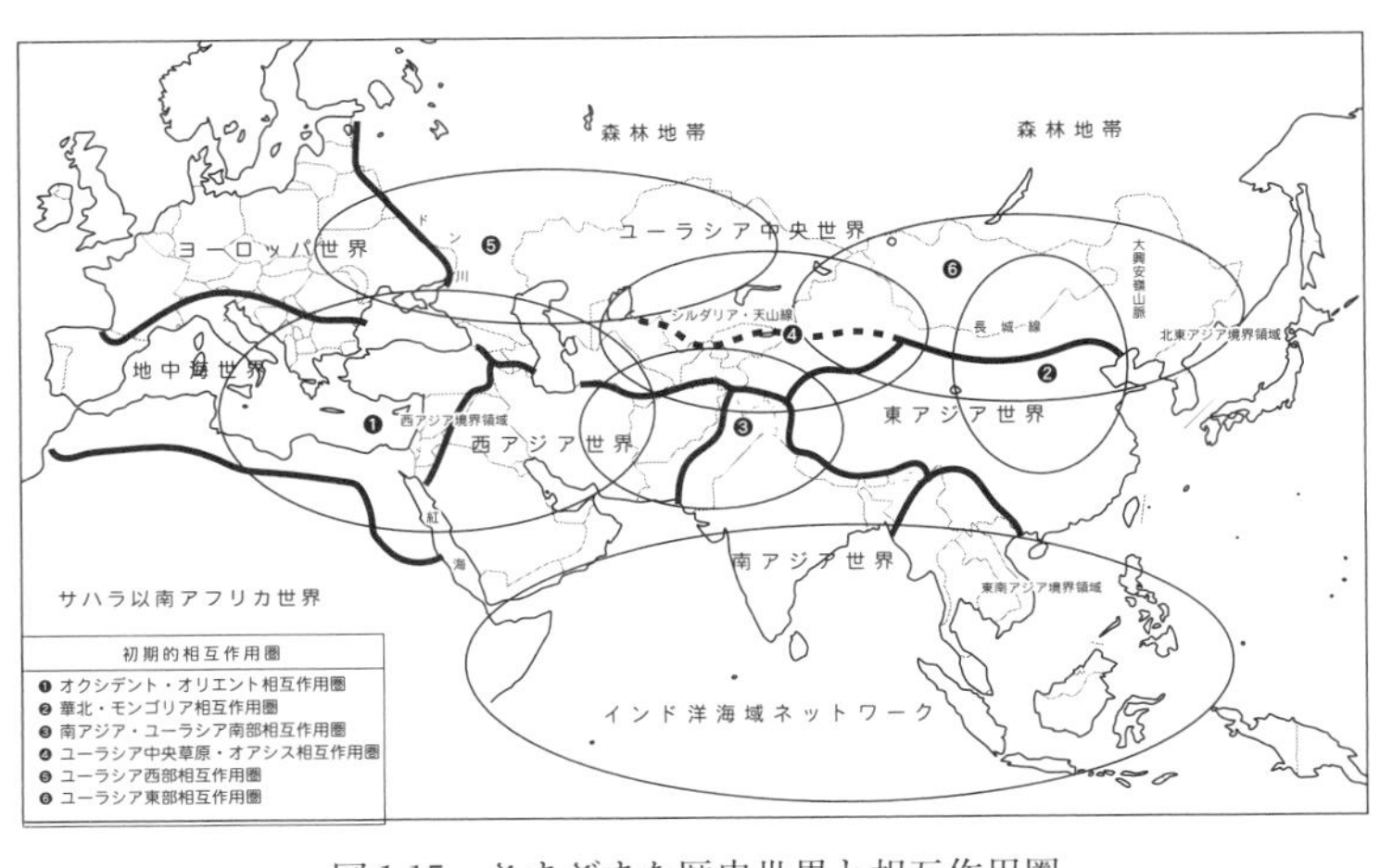

図 1-15　さまざまな歴史世界と相互作用圏

な交通関係をつうじて、区切られた両世界に主として政治的経済的な相互作用圏をつくりだす。第一巻の範囲であるアジアの陸域世界のなかには、世界史を考えるうえで重要な二つの境界と三つの境界領域がある。

第一の境界線は、①アラル海―シルダリア―天山山脈―河西回廊―長城線である。松田壽男がつとに指摘する農牧境界線である。この境界線は、東方の万里の長城線では草原遊牧社会と東アジアの中国華北定住農耕社会とを区別し両者の間に相互作用圏をつくりだす（図1-15❷）。

西方ではユーラシア中央世界を草原遊牧社会とオアシス定住農耕社会とに区別し、ユーラシア中央世界内部に相互作用圏をつくりだす（図1-15❹）。草原の遊牧社会がオアシス定住農耕社会を征服し、定住民社会を維持したまま、多くは貢納関係によって支配することが多い。

第二の境界線は、②インダス川―ヒンドゥークッシュ山脈―スライマン山脈―キルタール山脈が形成する。アレキサンダーの帝国がインダス川を越えなかったことからわかるように西アジア世界（ペルシア）と南アジア世界（インド亜大陸）とを大き

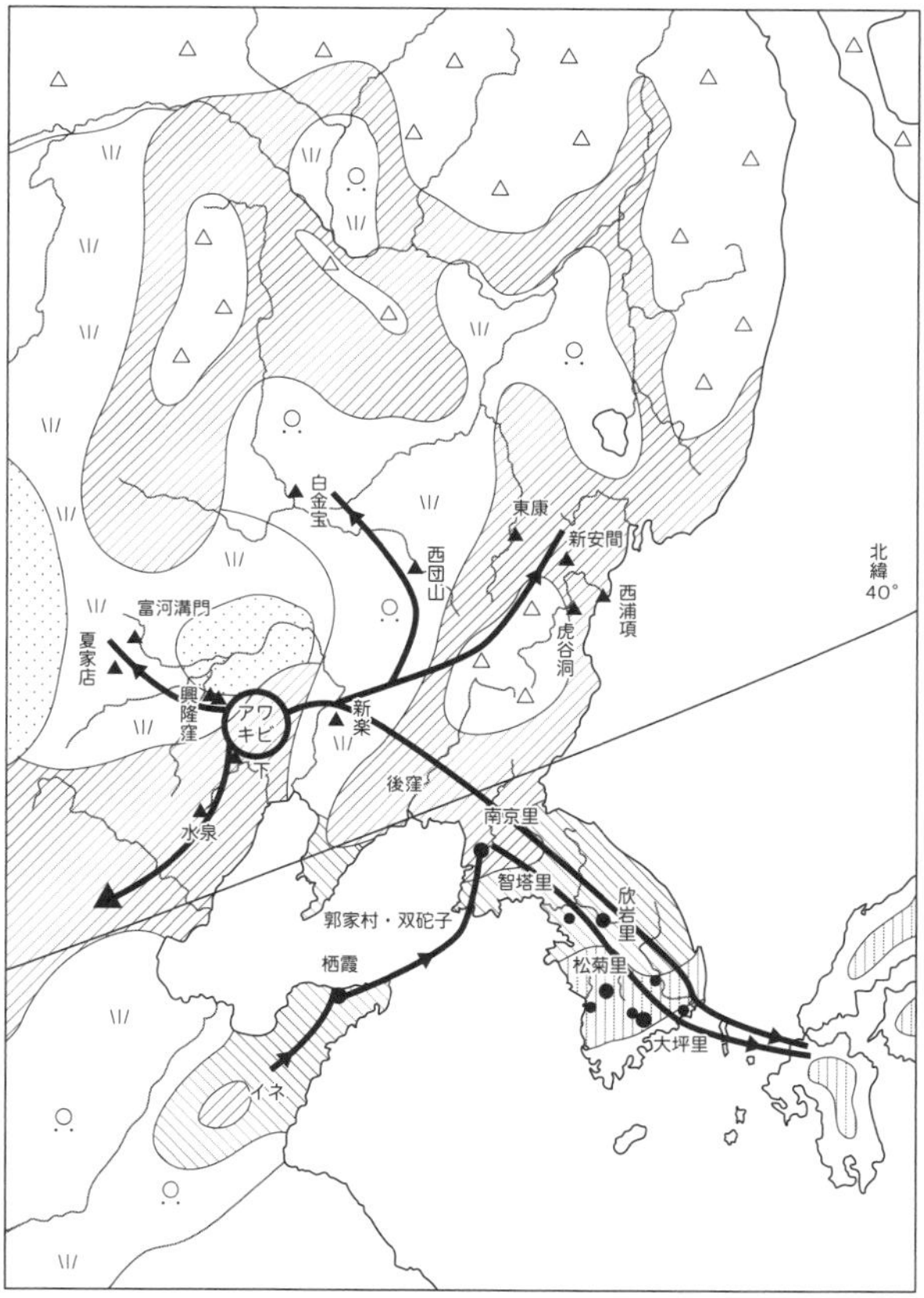

図 1-16　北東アジア領域図（アワ・キビ・イネの拡散 甲元眞之 2008 に加筆）
●はコメ、▲は畑作穀物出土地

く区分する境界である。のちに述べるように、この線より西側は、地中海世界からつづく冬季降雨地帯であり、コムギ農業地帯である。この東側、とりわけ東経八〇度以東の南アジア世界は、夏季降雨地帯であり、イネを含むミレット（雑穀）農法地帯である。アレキサンダーは、コムギ農業地帯を大胆にこえる帝国を形成できなかった。

ヒンドゥークッシュ山脈を中心とする東北方面の境界線は、ユーラシア中央世界と南アジア世界を区分し、両世界の相互作用圏をつくりだす（図1-15❸）。スキタイ・サカ族、パルニ（パルティア）族、大月氏・クシャーナ朝、ムガル帝国のようにユーラシア中央の遊牧勢力が越えてくることもあり、活発な相互作用圏をつくりだす。

三つの境界領域

境界領域に移ろう。境界領域は、線ではなく、一定の領域をもつ多様性にみちた小世界である。隣接する地域世界とより大きな相互作用圏をつくりだす。

北東アジア境界領域　第一の境界領域は、東アジア世界に含まれる北東アジア境界領域である。この領域は、マンチュリアを中心に、南は北京の北方にある燕山山脈以北、西は大興安嶺山脈西麓、東はロシア沿海州、朝鮮半島から日本海・日本列島までを含む。それは、歴代の中国人が東夷と呼んだ人びとの居住地域に一致する。班固は、「東夷は、天性柔順で、南方・西方・北方の外夷とは異なる。……楽浪海中に倭人がおり、百余国に分かれていて、定期的に貢献（貢納）しにやって来る」（『漢書』地理志）と述べ、この地域を重視している（図1-16）。

この境界領域の西部ではユーラシア中央世界の砂漠・草原地帯と交錯し、北方では森林地帯、南部では熱河平原を中心とする農耕地帯と交錯し、種族・言語・生活様式・生業が多様性をもっている（図1-15❻、図1-16）。

具体的な状況は次章に述べるが、日本語、朝鮮語、滿洲語、モンゴル語、テュルク語を含むアルタイ諸語の原故郷はこの地域であり、ここからユーラシア大陸中央部から東部にかけて拡散していったことが近年提唱されている。

その西部・西南部から遊牧民であるテュルク・モンゴル系の烏丸（うがん）・鮮卑、モンゴル系の室韋・契丹が継起的に興起し、モンゴル高原・中国華北・中央アジアにまで展開した。東部からは、農耕狩猟民であるツングース系の高句麗・渤海、ジュルチン金朝、ジュシェン・マンジュ清朝が興起し、東アジア世界・ユーラシア中央世界にまたがる帝国をつくりあげた。

東南アジア境界領域　第二の境界領域は、陸域の東アジア世界と南アジア世界、ならびに海域アジアにまたがる東南アジア境界領域である。この地域は、インドと中国をむすぶ海上交通が連鎖しており、海上を往還する交易船をつうじて、インドと中国の経済的文化的影響をうけ、また域内にある諸港市を統括するいくつかの交易センター（「都会」『嶺外代答』）をつくり、独自の交通圏を形成した。

家島彦一は、海域史の観点からインド洋海域世界を、東から①東シナ海世界、②南シナ海世界、③ベンガル湾世界、④アラビア海・インド洋西海域世界、⑤紅海北海域世界の五つの小海域世界に区分し、南シナ海とベンガル湾の両海域の接点として、境界東南アジア海域を区別している（図1−3　三〇頁参照）。今日の東南アジア一〇か国とは直接一致しないが、おおむねこの領域に相当する。

『梁書』諸夷・海南伝は、この地域を「海南」と称して、はじめて中国から見た総括的な記述をのこし、「海南諸国は、交州（現ベトナム北部）の南から西南の海洋諸島にあり、近ければ三、五千里、遠ければ二、三万里、その西は西域諸国と接する」と述べ、林邑（現中部ベトナム）・扶南（現メコンデルタ（ベトナム領）・カンボジア）から中天竺・獅子国（現スリランカ）にいたる諸国を紹介する。『梁書』は、中国天下世界と西域世界との間に介在する地域世界として認識している。この認識は、『隋書』南蛮伝、『旧唐書』南蛮伝、『通典』一八八海南序略に継承され、総括名称は変わるが、その後にも継承されていく。

ただし東アジア世界の中国南部・西南部と東南アジア大陸部諸地域とのあいだに民族学的な境界線をひくことはむつかしい。南アジア世界との境界についても同様で、インドに所属していてもアッサムの山地民、アンダマン、ニコバル両諸島の住民は東南アジア系の種族である。さらに民族学・人類学の観点から見て、西はアフリカのマダガスカル島、東はオセアニアにひろがる海洋世界の原故郷でもある。

　言語分布をみてもマレー半島を含む島嶼部を中心にオーストロネシア系諸語、大陸部のオーストロアジア（モン・クメール）系諸語、シナ・チベット（チベット・ビルマ）系諸語のほか、系統分類の立っていない諸語が多様に存在する。

　宗教的にもベトナムの大乗仏教、他のインドシナ諸国の上座部仏教、島嶼部のイスラーム、フィリピンのカトリック、各地にのこる民俗信仰がある。

　この地域は、政治的にも東アジア世界の中国王朝や南アジア世界のインド諸王朝のように数千万人規模の人口を擁する中心国家が継起的に出現した世界と異なり、政体を異にする中小の国家や国（くに）・港市（こうし）が分立し、島嶼部を典型にネットワークをつうじてゆるやかに統合されていた。

　この境界領域の特徴は、ひとことで言って多様性のゆるやかな統合である。世界史の展開にかかわって、とりわけ重要なのは、一世紀以来、アジア海域・水道の交通関係上の主要な結節点でありつづけ、一五世紀以後の大交易時代をささえる領域を構成したことである。

西アジア境界領域　第三の境界領域は、家島彦一が「境界地帯 al-Thughūr」と呼ぶ西アジア境界領域である。この領域は、東地中海シリア海岸―アレッポ―ラッカ―ティグリス・ユーフラテス両河―シリア砂漠―メソポタミア平原―ペルシア湾・アラビア海からなり、地中海とインド洋の両海域を結びつける時間的・空間的に共通の交流圏を構成する。

　その特徴は、①中央ユーラシア・アラビア半島の遊牧民、カフカス・アナトリア諸集団、クルド系・バルチー系諸集団等が流入し、相互に対立・緊張・融合・共存関係をくりかえしたこと、②「肥沃な三日月地帯」と下メソポタミア地域を含み、農業生産を経済基盤とする多くの強大な領域国家が興亡したこと、③地中海世界が東進するためのエネルギーの集積地帯として、イラク・シリア・イランやエジプトを統治基盤とする領域国家との間に絶えず軍事的・政治的緊張関係を生んだこと、④インド・東南アジア原産の有用植物、とくに米・サトウキビ・棉花・柑橘類・バナナ・イモ類などが西アジアの諸地域と地中海世界へ移植・伝播する経路となったことである。

「肥沃な三日月地帯」と近接するアナトリア東部（現トルコ共和国）は、インド・ヨーロッパ語族の原故郷であり、ここから世界各地に拡散していった。その経緯は次章で述べたい。

この境界域は、多様性の凝縮し交錯し、興亡・展開していく境界地帯・領域であり、地中海世界と西アジア世界との相互作用圏を媒介する境界領域である（図1−15❶）。それは、本来の意味でのオクシデントとオリエントが相互作用をおこなう地域であり、今日もさまざまな問題をかかえる領域である。

生態系を基礎にする地域世界が比較的固定的であるのに対し、相互作用圏は動態的であり、歴史的諸条件により大小様ざまな相互作用圏がつくりだされる。図1−15に挙げた六つの相互作用圏は初期的な作用圏の例示である。では、人類はどのようにしてこれらの世界をつくりあげ、相互作用圏を形成していったのだろうか。つぎにはホモサピエンスの世界への拡散から初期文明のおこりまで、見わたすことにしよう。

〈注記〉

1、貢納（漢語史料では貢献の表現が多い）は、下位の社会諸集団の王権・首長から上位もしくは支配集団の王権・

首長に贈り物をさしだす交換関係であり、通常恩恵として上位集団の王権・首長からの再分配（漢語では回賜などと表現）がある。この交換関係は、のちにも見るように諸集団間の原初的な政治的従属関係を表現し、世界のいたるところ、あらゆる時代にわたって広汎に展開する。

2、東アジア世界論の提唱者は西嶋定生（一九八三）である。西嶋は、東アジアを構成する指標として、漢字文化・儒教・律令制・仏教の四つをあげる。この指標を共有する地域として、日本・中国・朝鮮・ベトナムのほかに河西回廊東部をいれている。

3、同様の観点を用いて新大陸の北アメリカ世界、南アメリカ世界の二つの世界も区別できる。ただ、ぼくの視野と能力の限界もあり、アフリカ世界、南・北アメリカ世界については、初期文明の形成に言及することをのぞき、叙述の主要な対象からはずす。

同様の理由から、ネットワーク・交通関係を基軸にする海域アジアについても主たる対象からはずす。海域アジアについては、家島彦一（一九九一、二〇〇七）・桃木至朗（一九九六）・桃木至朗編（二〇〇八）を参照。

4、世界史、グローバルヒストリーにおける境界領域・境界地帯の重要性については、妹尾達彦（二〇一八）の提言がある。妹尾は、アフロ・ユーラシア大陸に生態環境によって形成される森林「採集・狩猟・漁撈地域」、草原「遊牧地域」、農牧境界地帯、「農業地域」、沿海地帯からなる自然・人文地理的層状構造を見いだし、とりわけ農牧境界地帯・沿海地帯の境界に形成される境界都市の重要性に着目する。境界都市が二つの異種地帯の共同体を連結し、世界システムを構築すると説明する。前近代から近代への移行は、陸域の境界都市が構築する世界システムから沿海地帯の境界都市網が形成する世界システムへ転換する過程であると説く。

第二章

農耕社会と遊牧社会の形成

わたしたちは、高度に発達した産業社会、市場経済を基礎にする資本主義社会で生活している。コンビニエンスストアやスーパーマーケットで毎日経験するように、社会生活はすべて、お金――需要と供給にもとづく価格設定――をつうじておこなうモノの交換によってなりたっている。そのお金も、ＩＴ（Information Technology、情報技術）の発展のおかげで、電子処理されて現金を必要としなくなっている。ハダにふれあう直接的な人間関係はいよいよとおざかっていく。

このような産業社会は、一五、六世紀の商業革命、一八、九世紀の産業革命をつうじてしだいに形成され、一九世紀に大転換をむかえた比較的あたらしいタイプの社会である。それ以前に、わたしたちの祖先は、もっと濃厚で直接的な人格的関係をともなうさまざまなタイプの人間集団、社会を形成して暮らしてきた。世界史のなかから、その生業のありかたに着目しながら、目じるしとなるいくつかの社会とその統合形態をとりあげて、歴史的な展開のあとをおってみよう。

一七世紀以前の社会の統合形態には、おおきくわけてバンド社会、氏族・部族社会、首長制社会、国家の四形態がある。

一、人類の世界拡散と狩猟採集（バンド）社会

二〇万年前、東アフリカでホモ属のなかから現生人類（ホモサピエンス）が誕生した。その後アフリカ各地に居住していた現生人類のなかにアフリカを出ることをこころみる集団が出てきた。いくつかのこころみのあと最終的に「出アフリカ」に成功したのは、六万年前だといわれる。その後現生人類は世界各地に拡

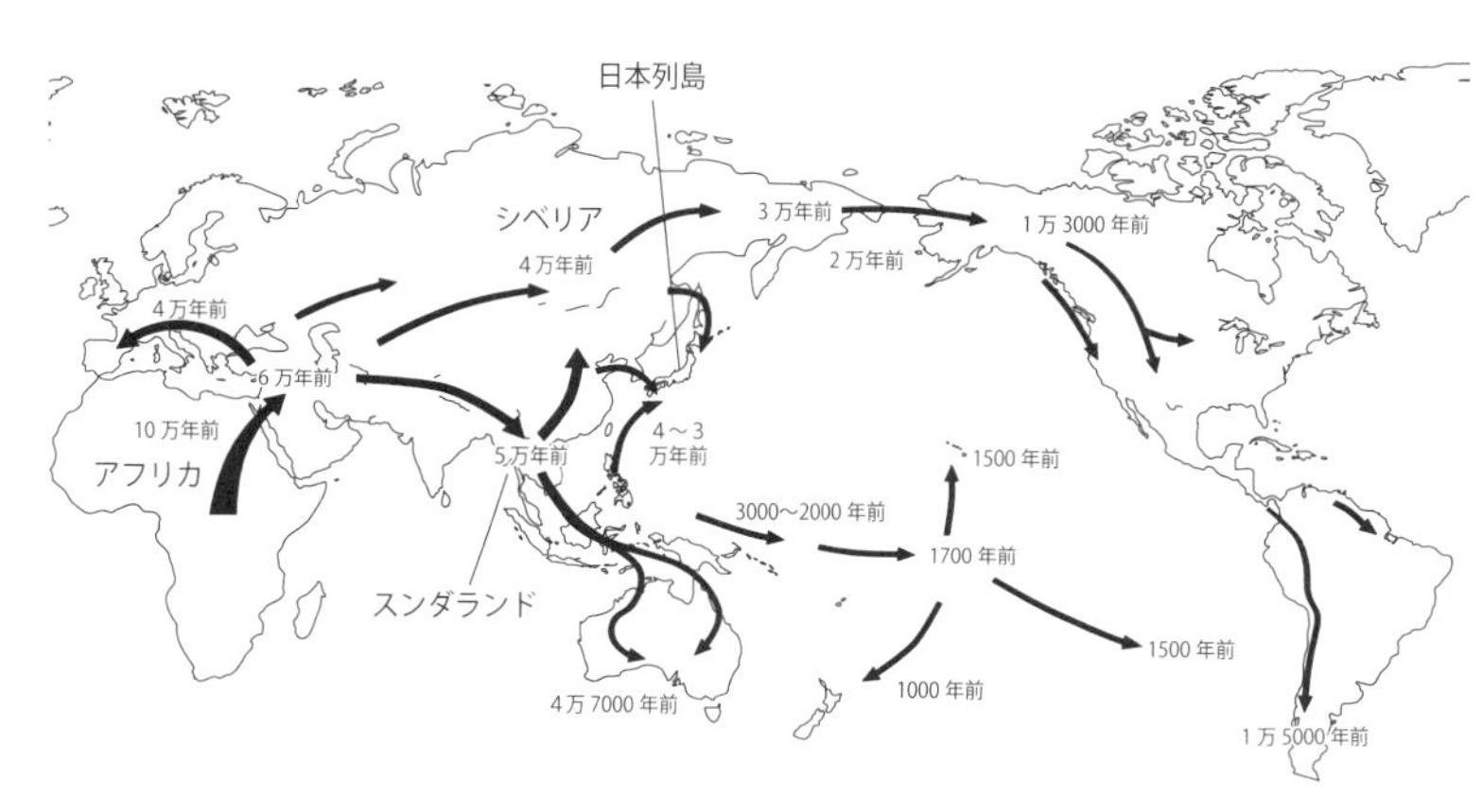

図2-1 ホモサピエンスの旅路（篠田謙一監修 2017）

散し、この図2−1のような経路をたどって、一万五〇〇〇年ほど前にはすでに南アメリカの南端にまで到達していた。日本列島にやってきたのは約四万年前だという（篠田謙一二〇一七）。これが世界史の発端である。

現生人類は移住先の各地域でそれぞれの環境に適応していった。農業がはじまるまでの狩猟採集社会においては、どの社会においても比較的単純な生産様式と生活様式、すなわち狩猟・漁撈・採集経済と数個の小家族からなるバンド社会をつくって暮らしていた。

今日でも、さまざまな歴史的経緯をへて、アフリカのカラハリ砂漠のサン・ブッシュマン、アフリカ熱帯雨林のアカ、ムブティ、マレー半島のセマン、フィリピンのアグタやバタク、オーストラリアのアボリジニ、アマゾン川流域の狩猟採集民など、多くの人びとが世界各地で生活している。ただ、今日の狩猟採集民は、現代の資本主義世界経済のなかに生きる人びとであって、原初の狩猟採集民とは歴史的環境が異なることに留意したい。

現生人類の歴史は、五万年ほど前に大きく変化しはじめた。

用途に応じて細工をほどこした石器を作るだけでなく、道具をつくるための道具類が出現して道具が多様化した。とくにモリ・投げ槍・弓矢など、遠くから獲物をしとめる投擲（とうてき）用具があらわれ、高度な狩猟採集経済にはいった。その結果人口の爆発的増加がおこったという。

また五万年から四万年前に、人類ははじめて船を用いて海洋をこえ、オーストラリア大陸に到達した。おなじころ、世界各地の洞窟・崖などに動物・狩猟のすがたなどを描く絵画が出現し、ドイツの洞窟ではハゲワシの骨で造った三万五〇〇〇年ほど前の笛がみつかっている。獲得した認識や感情をさまざまな様式で外部に表現する藝術活動がはじまって、精神活動の飛躍的な高度化がおこった。

二、農耕のはじまりと拡散

あなたは、朝なにを食べますか。和食ですか、洋食ですか。なにかのおりに、一度は聞かれたことのある質問である。和食の基本はコメの飯にみそ汁、これに何か副菜がつく。洋食であれば、バターをぬったトーストかパンにミルク、スープにハムや卵を料理した副菜がつく。

コメはイネの実で、おもに水田でつくられる。みそ汁の味噌と豆腐は大豆が原料である。ぼくがこどものころ、大豆は水田のアゼ道に植えられていた。和食は水田農業と切り離せない。パンの原料はオオムギ、コムギ、ライムギ、エン麦などのムギ類、バター、ミルクは乳製品、ハムは主としてブタの肉が原料である。洋食はムギ農業と牧畜とから切り離せない。

ヒトは、食料を手にいれて食べなければ生きていけない。生きていけなければ、こどももつくれないし、

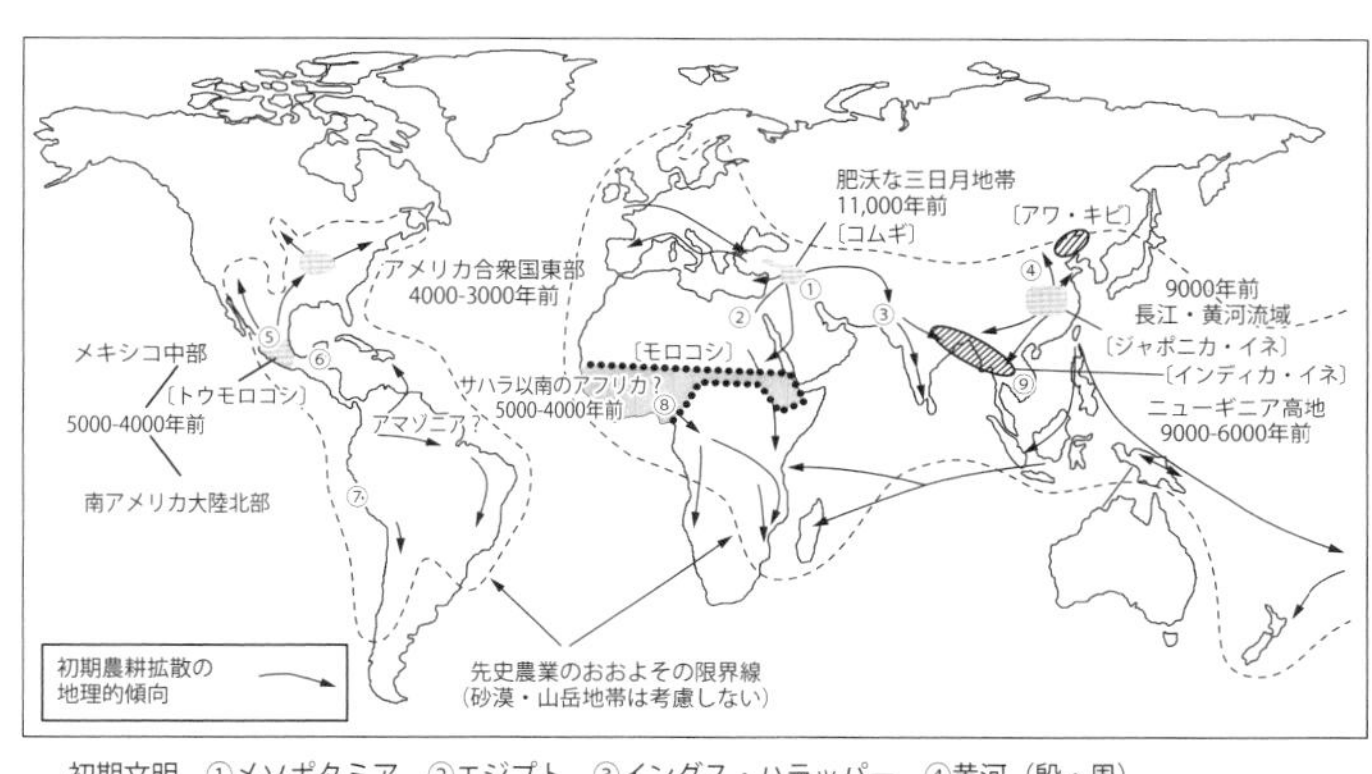

初期文明　①メソポタミア　②エジプト　③インダス・ハラッパー　④黄河（殷・周）
⑤アステカ　⑥マヤ　⑦インカ　⑧ヨルバ　⑨クメール　トリッガー〔2001〕
アワ・キビ、インディカ・イネの発祥地　佐藤洋一郎〔2016〕

図2-2　初期農耕と拡散（ベルウッド2008により、加筆）

家族をやしなって子孫をのこすこともない。当然、社会を維持することもできない。ヒトの歴史を語るとき、岩盤になるのは食料の生産とこどもの生育、家族の形成である。なにを食糧とし、どのように獲得してきたのか、これぬきにして世界史は語れない。ご飯の社会とパンの社会はどのようにしてできあがってきたのだろうか。

農耕はいつ、どこではじまったか

一万年あまり前には、狩猟採集経済から派生して、世界各地で独自に農耕がはじまった。農耕は、かならず家畜飼育をともなう。生態環境によって主要作物・家畜の種類は異なる。またその組みあわせ、すなわち農耕と家畜との結合のしかたも異なる（後述第二節）。農業社会に移行するにつれて定住化が進み、人類は、狩猟採集社会とはくらべものにならないほど多様で大きい社会を各地で形成していった。

穀物を栽培する農耕が確実に独自にはじまった地域は、いまのところ三か所である（図2−2）。はじまりは、一万一〇〇〇年前に、肥沃な三日月地帯、あるいはアナトリア東部（現トルコ共和国東部）で出現したコムギ栽培である。その後、九〇〇〇年前に中国の長江中下流域でジャポニカ種のイネ栽培がはじまった。べつに、五〇〇〇年前から三〇〇〇年前にかけて、中米のメキシコ中部でトウモロコシ栽培がはじまり、南北アメリカの各地に展開した（ベルウッド二〇〇八）。

ベルウッドは、このほかニューギニア高地では九〇〇〇年から六〇〇〇年前までのあいだに穀物栽培がおこなわれ、サハラ以南のアフリカでは、五〇〇〇年から四〇〇〇年前にモロコシ栽培がはじまり、アフリカ南方に展開したと述べている。

佐藤洋一郎によれば、イナ作のはじまりに前後して中国東北地方でアワ・キビの栽培がはじまったという。甲元眞之（二〇〇八）によれば、七〇〇〇年前から中国東北地方の各地で原初的農耕の遺跡が確認され、河南省の裴李崗遺跡、河北省西南部の磁山遺跡では、前六〇〇〇年紀に属する住居址の貯蔵穴から、アワ・キビがみつかっている。中国の黄河中流域で、約八〇〇〇年前にアワ・キビが栽培されていたことは確実である。佐藤はまた、もうひとつのイネのインディカ種も、東南アジアからインドにかけての夏緑林帯で生まれたと考えている（佐藤二〇一六）。

農耕はどのように拡まったか——人類第二の拡散

世界史のなかで、人類の地球上への拡散についで重要な第二の拡散は、農業の拡散である。第一の拡散がアフリカから一元的にはじまるのに対し、穀物栽培のはじまりと拡散は多元的である。農業の拡散は、ヒトの移動と相互交流による定住農耕社会の拡散である。最近では、インド・ヨーロッパ語族、オーストロネシア語族、アルタイ諸語の伝播など、同時に言語の移動、拡散をともなうことがわかってきた。

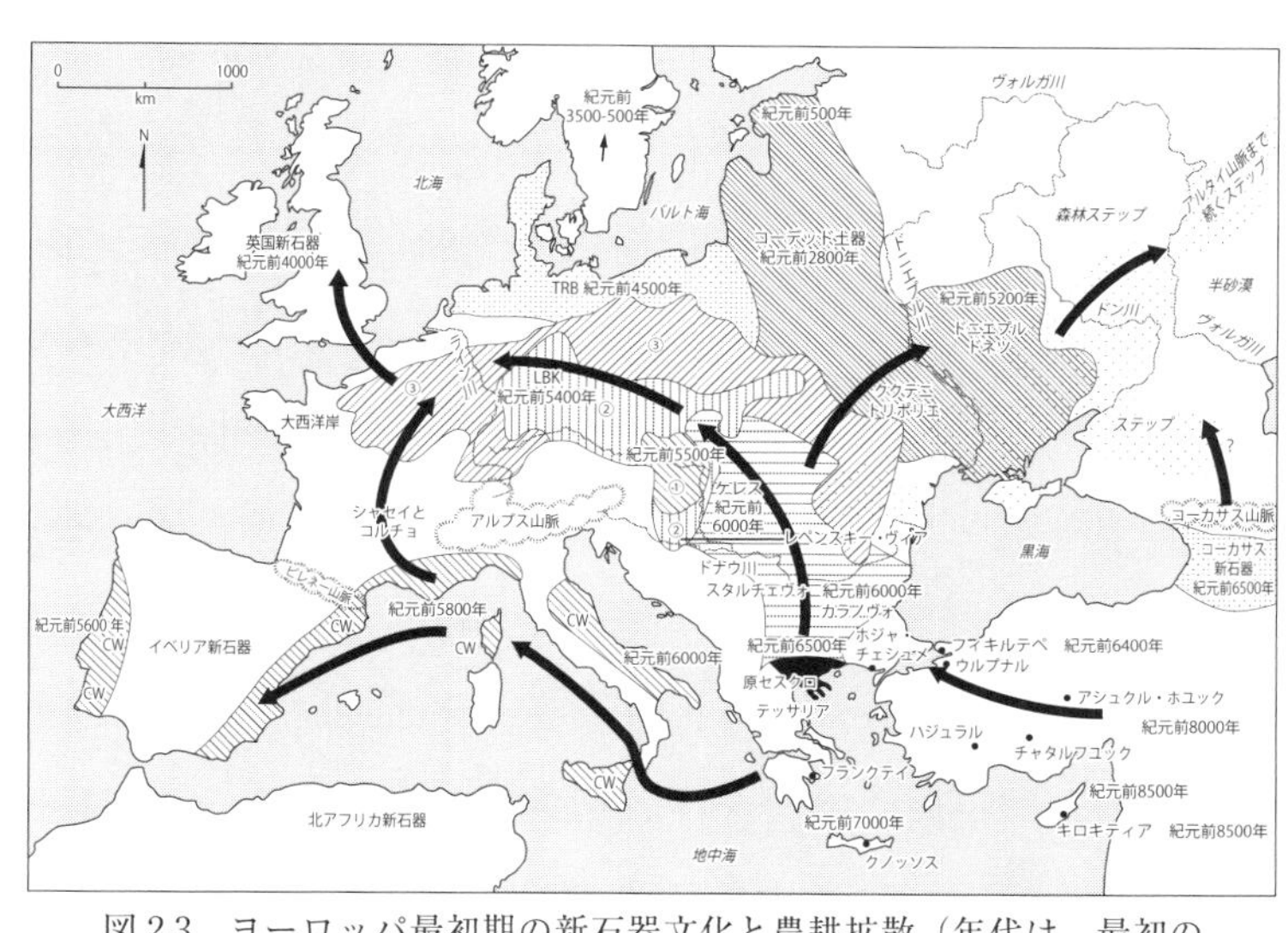

図 2-3　ヨーロッパ最初期の新石器文化と農耕拡散（年代は、最初の農耕または新石器遺跡として立証されたもの、ベルウッド 2008）

さきにみた農耕のはじまりのなかで、重要な穀物は、ムギ類とイネを含むミレット類との二類である。ミレット類は、日本ではコメと雑穀、古典中国ではイネと五穀（アワ・キビ・麻・ムギ・マメ）をいう。ムギ類、イネ、およびミレット類の三つの主穀類は、発祥地と拡散とを異にする。以下に、ムギ作とミレット・イナ作とにわけて、農耕の拡散のうごきを追ってみよう。

(1) コムギ農業の拡散

肥沃な三日月地帯もしくはアナトリア東部におこったコムギ農業の拡散について、まずもっとも研究が進んでいるヨーロッパ世界・地中海世界から追うことにしよう。これは、インド・ヨーロッパ祖語の拡散、展開と軌を一にする（レンフルー一九九三）。

コムギ農業は、図2-3にあるように前六五〇〇年以前にギリシアに到達し、さらにドナウ川をこえて前五五〇〇年ころには中央ヨーロッパにいたる。そこからひとつは、北進して前四五〇〇年ころにバルト海沿岸、前三五〇〇年から前五〇〇〇年ころまでにスカンジナビアにいたる。

もう一つは中央ヨーロッパから東方のドニエプル川をこえて前五二〇〇年ころに、現在スラブ語が話されている地域に到達し、さらに黒海にそそぐドン川をこえてアルタイ山脈につらなる草原地帯に拡散した。この拡散は、定住農耕から遊牧経済への変移を示し、ユーラシア中央世界とヨーロッパ世界および地中海世界との境界を形成した。この変移すなわち農牧分業については、後述する。

ギリシアからは、べつに地中海沿岸にそって西進し、前五八〇〇年ころにはフランス南東部海岸地帯・プロバンスに到達し、さらに前五六〇〇年ころには、イベリア半島東端に達した。フランス南東部からは、さらにフランスを縦断してドーバー海峡をこえ、前三五〇〇年ころにはスコットランドの北端に到達した。

西アジア・中央アジアに向かっては、早ばやと前七〇〇〇年より少し前、パキスタン西部のバロチスターン州メヘルガル遺跡まで到達している。この地は、冬季降雨地帯の最東端にあり、コムギ農業の東限であった。これは西アジア世界と南アジア世界とを区別する生態と生業上の境界領域になる。

カスピ海の西のカフカス地方にはそれより遅れて前六五〇〇年ころ、カスピ海の東のテュルクメニスタンには前六〇〇〇年ころまでに到達した。

(2)イナ作農業の拡散

眼を東方に転じよう。九〇〇〇年前にはじまったイナ作の展開のなかで画期になったのは、四二〇〇年前ころの地球の寒冷化である。この寒冷化をきっかけに、温帯に適応したジャポニカ米が長江中下流域から中国の他の地域にひろがった。さらに、前一一世紀から前一〇世紀にかけて山東半島から朝鮮半島西部に、ついで前一〇世紀後半に北九州北部にひろがった。これは弥生時代のはじまりを象徴する。それはさらに日本列島を東進し、前三世紀には関東地方に到達した（図1–16 四九頁参照）。

西方では、クシャーナ朝（七八〜二四二ころ）が支配していたウズベキスタンのハルチャン遺跡から、一七五〇年ほど前の栽培ジャポニカ米が出土している。どの経路で伝わったのか不明である。北インドからの可能性もあるが、ジャポニカ種であることから、おそらくは中国に由来するのであろう。現在、中央アジアで最古のイネ栽培事例である。

一方、熱帯に適応したジャポニカ米は、三〇〇〇年前ころに雲南一帯で栽培されるようになり、インドアッサム地方へひろがっていった。南方では、二五〇〇年前ころに東南アジアの島嶼部にまで到達した。

(3) アワ・キビ農業の拡散

最近の研究によると、アルタイ語祖語は、九〇〇〇年前に中国遼寧省を流れる西遼河の流域地方でアワ・キビを栽培していた人びとが使用していたことばにさかのぼることがわかってきた。佐藤洋一郎の予測が、アルタイ語祖語の発祥をくわえて検証されつつある。そののちアルタイ祖語は、人口増大による人びとの移動とともに各地に広がり、テュルク語系、モンゴル語系、ツングース系諸語に分化していった。

西南にむかっては、すでに見たようにアワ・キビは、約八〇〇〇年前には、黄河中流域で栽培されるようになった。前三千年紀後半の龍山文化期までには、南方からイナ作が北進し、黄河以南の河南省・山東省でアワ・キビ作とイナ作とが出あった。アワ・キビとイネの混合は、栽培穀物の多様性をもたらし、気候変動などへの対応力が高まって、のちに中原とよばれる黄河文明の中核地帯を形成する基盤となった。

東南にむかっては、前四〇〇〇年紀に、アワ・キビ栽培とともに、アルタイ諸語は朝鮮半島西部にまでひろがり、前二千年紀後半には西方から伝わったムギ類をくわえ、北東アジアにひろがっている（図1–15、および甲元二〇〇八参照）。

アルタイ諸語のひとつである日本語の祖語は、朝鮮半島西部でイネとアワ・キビを栽培しはじめた人びとともに、さきに紹介したように、三〇〇〇年ほど前、九州北部につたわった。その後、紀元前後の北東アジア境界領域では、朝鮮半島南部から日本列島にかけてのイナ作を中心とするミレット（雑穀）栽培地域と半島北部から中国東北部にかけての五穀（アワ・キビ・ムギ・麻・マメ）を栽培する地域とにはっきり分化していった。

このようにアルタイ諸語の拡散・分化は、アワ・キビを中心にイネの栽培を担った人びとの混淆、拡散・分化による可能性が高くなっている。

コムギ農耕とインド・ヨーロッパ諸語の原故郷である西アジア境界領域とアワ・キビ農耕とアルタイ諸語の原故郷である北東アジア境界領域とが、やや時間的なズレを生じつつ相対していることは興味深い。両者の出あいは、ユーラシア中央世界の草原地帯である。ひとつの典型事例を後に紹介しよう。

三、農耕の展開と小農社会

世界の農耕地帯はどのように区分できるか——中耕地帯と非中耕地帯

農耕による地域世界の区分は、生業による地域区分のより具体的な区分である。飯沼二郎は、世界の農業をムギ類主作地域とイネを含むミレット（雑穀）類を表作とする地域とに二大区分する（飯沼一九六七）。まえのめりにはなるが、この二大区分を参照して、一九世紀にいたるまで、農耕方式に焦点をあてて農耕の各地域世界への多様な展開を概観しておこう。

ミレット類表作地域の代表であるイネは、年降水量八〇〇～一〇〇〇㎜、生育期間に要する年積算温度が四〇〇〇度の地域を適地とする。これに対し、ムギ類主作地域の代表であるコムギは、年降水量八〇〇～二五〇〇㎜、積算温度は二〇〇〇度の地域を適地とする。いいかえれば、イネは、高温多湿を必要とし、コムギは耐寒性が強く、乾燥を好む。

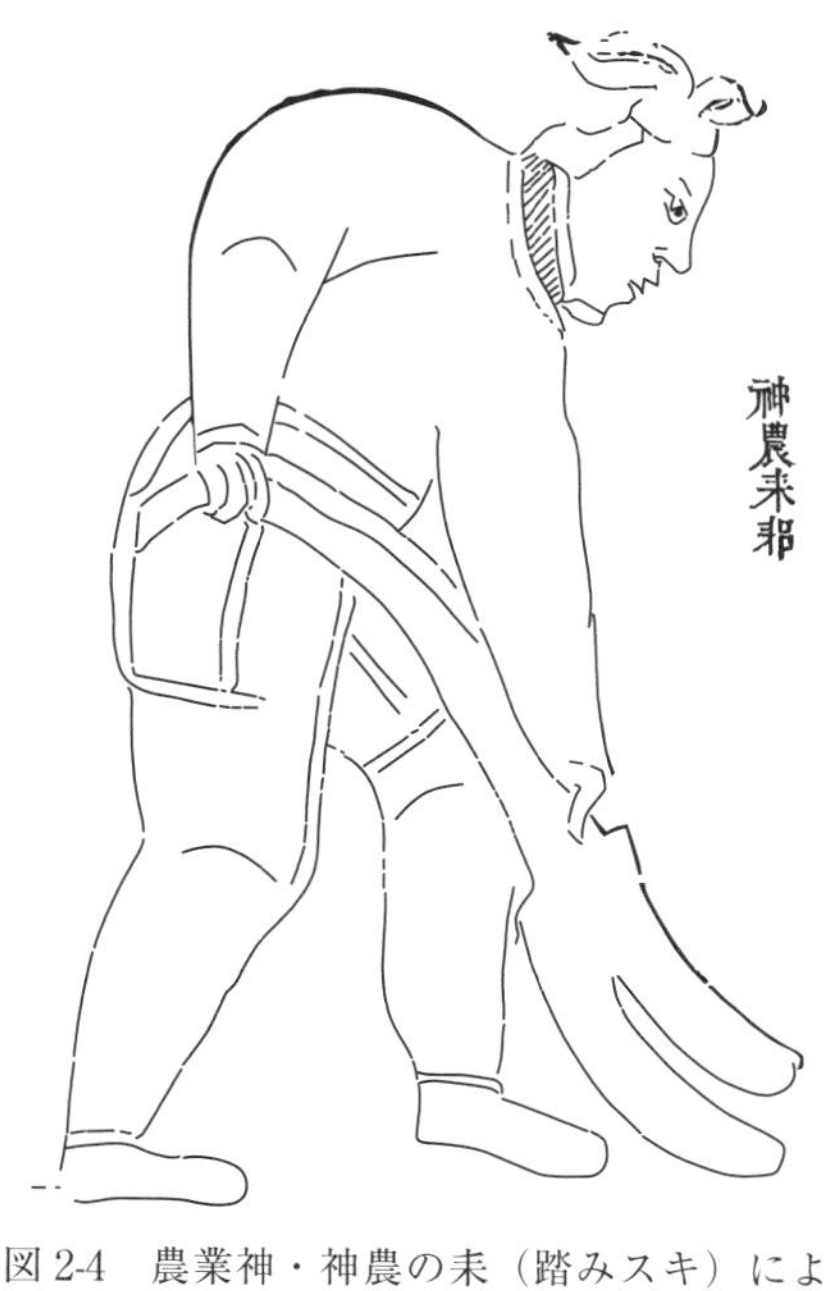

図2-4　農業神・神農の耒（踏みスキ）による耕起（瞿中溶撰『漢武梁祠堂石刻画像攷』）

中耕地帯の農耕——東アジア世界・南アジア世界

農耕は、基本的に耕起—播種・作付け—中耕除草—収穫—脱穀調整・貯蔵の段階を踏んでおこなわれる。

耕起—播種・作付けは、耕地を耕し、土壌を細かくくだいたのち保水処理をして、種をまく一連の作業である。ウシやウマなどに犂をひかせて耕すことを犂耕農法といい（図2-5、6）、スキやクワを

図 2-5　嘉峪関壁画墓耕種図（『嘉峪関壁画発掘報告』文物出版社、1985 年）

用いて耕すことを手労働農法という（図2-4神農図）。

犂耕農法のばあいは、牽引する動物と犂とそれらを操作する人が長い列を作るので、方向をかえることがむつかしい（図2-5）。なるべく犂を回転させなくてすむよう長いウネをつくることがおおい。収穫・脱穀調整は、生育して実をつけた作物を刈取り、実から殻をとりのぞき、貯蔵に備える作業である。ここまでは、想像がつくであろう。問題は中耕除草である。

夏季に雨期をむかえる亜熱帯から温帯にかけての湿潤アジアは、基本的に中耕地帯である。高温多湿であると、イネの生育期に雑草の生育も盛んになる。イネと雑草が土壌中の養分や水分をうばいあうことになるので、雑草の除去が必要である。イナ作は、雑草との戦いである。この農作業を中耕除草という（図2-6、7『天工開物』[1]）。作物の播種から収穫までのあいだに、かならず中間耕作や除草作業をおこなう農業地域を中耕地帯と呼ぶ。東アジアの農耕地帯では、中耕除草はすべて手労働である。

これに対し、ムギ類主作地帯は、乾燥・寒冷地に作付けするので、生育期に中耕除草をしなくても一定の収穫が得られる。中耕除草の過程を必要としない農業地域を非中耕地帯と呼ぶことにする。非中耕地

図 2-6　犂耕と除草（『天工開物』巻上、三枝博音 1943）

図 2-7　水田の中耕　畑の中耕（三枝、同上）

帯の農業については後述する。

中耕地帯では、夏に穀物が生育するので、牧草の栽培に不向きであり、牧畜には不利である。家畜の飼育はブタをはじめニワトリ・アヒルなどの家禽類を中心に、家屋の庭や畜舎で舎飼いにすることが多い。ブタは多産で成長が早く、もっぱら食肉用に飼育された。

二世紀ころの後漢時代の陶器には、階上の厠（かわや）の下でブタを飼う圏舎を造型するものがままある。ヒトの排泄物を利用し、タンパク質を持続的に獲得するみごとな舎飼いの事例である。先史時代以来、現在にいたるまでブタ肉は中国料理の定番である。

かくして東アジア世界と南アジア世界は、イネを含むミレット類を夏季の表作とする中耕地帯を構成する。中耕地帯は、さらに湿潤農法地帯と乾燥農業地帯とに区分できる。

(1) 湿潤農法地帯

モンスーン気候帯に属する中国の華中・華南、日本、インド亜大陸東部（東経八〇度以東）、東南アジアのイナ作は湿潤農法であり、高い土地生産性がある。土地によって異なるが、種子一に対し収穫一〇〜三〇粒である。中国・東アジア世界を人の国、人の多い世界と呼んだのは、イネを含むミレット農業の生産力、人口支持率の高さによるところが大きい。

長江流域を中心とする中国華中のイナ作は、前二世紀ころまでには一年一作方式を確立し、唐代（六一八～九〇七）に至るまでに、焼畑農耕[2]をはじめとする原始農法をしだいに駆逐して山岳地帯に追いこんでいった。

三世紀から八世紀にかけて、溜池（陂塘）による水利・灌漑技術が向上した。唐代には、微高地や河谷地帯を中心に、一枚の水田ごとに灌排水を可能にする乾田がひろがり、唐末からイネ‐ムギの二毛作がはじまった。北宋時代（九六〇～一一二七）には地域差をともないながら江南浙東地域の河谷平野、扇状地などの高田地帯を中心に二毛作が普及した。一二世紀中葉の陳旉『農書』は、その到達点を記している（大澤正昭一九九三）。

湿田のひろがる長江デルタの低田地帯でも、圩岸などの微高地を中心に、一三世紀以降、イネ‐ムギ、イネ‐麻、イネ‐アブラナの二毛作が展開した。こうして一四世紀後葉から一五世紀にかけて、江南デルタ地帯の高田地帯を中心に高度な小農社会の形成がはじまった。

ここにいう小農社会は、すべての農業労働者が農業経営者として社会階層を構成する段階の農業社会をいう。社会にうめこまれはじめた市場を前提に、家計を農業以外の収入でおぎなう零細農民であっても、家族農業を営むかぎり、これを小農と呼ぶ（中村哲二〇一九）。

家族農業を営む小農社会は、中国華北では前四世紀に、淮南・長江流域でも遅くとも前二世紀には成立している。これが国家形成の基盤になった。一六世紀に太湖周辺のデルタ地帯で成立する小農社会は、家族経営内部に奴婢などの隷属労働者をふくまず、市場めあてに農業経営をおこなう、より高度に発展した小農社会である。

一五世紀には、江南デルタの広域的水利施設が整備され、一六世紀になるとクリーク網が形成された。これにより、乾田化がすすんだ太湖周辺地帯では、イネと棉花の輪作（田畑輪換）が可能になり、イネの二期、三期作もおこなわれるようになった。最先進地域に転じたこの地帯は、棉花栽培や金肥（大豆粕など外部から購入する肥料）の普及にともない、販売のために営農する商業的農業があらわれた。商業的農業は、社会のなかに市場経済がうめこまれていく、その第一歩である。

一七世紀から一九世紀にかけて、江南デルタ地帯では、自作・小作を問わず、小規模・中規模の自立した小経営農民が広汎に存在するようになった。一七世紀の『沈氏(しんし)農書』『補農書』は、家計勘定をふくめて商業的農業の具体相を詳述する（足立啓二二〇一二）。

日本では弥生時代以来、山間河谷や平野の微高地において簡単な灌漑施設やため池によるイナ作がおこなわれてきた。四・五世紀交代期に出現した湿田の乾田化が一二世紀ころまでにはかなり進行し、一二世紀初期には施肥と二毛作の記録があらわれはじめた（高橋昌明一九九七）。乾田の展開は、その後の多肥多毛作化を特色とする日本農業の基盤となった。

一六世紀にはいると灌漑水利技術が向上し、これまで利用できなかった大河川沿いの平野や海岸沿いの平野に水田が拡大し、とくに近畿地方を中心に、一七世紀半ばには最高度の集約農業にもとづく自立小農社会が展開した（古島敏雄一九六七）。

朝鮮半島中南部のイナ作地帯では、一四世紀の高麗時代まで隔年休閑方式の直播(じかまき)水田農法がおこなわれていた。最初の朝鮮農書である『農事直説』が著わされた一五世紀前葉には連作式直播農法に展開した。一五世紀以降には田植え法を含めて入念な施肥、中耕除草をおこなう集約農法に展開し、小農経営が優位になっていった(北田英人一九九九)。朝鮮半島では、中国江南や日本のような大河川沿いの平野が水田地帯になるのは植民地時代である。

ベトナム北部の紅河(ソンホン)下流デルタの低湿地では、弥生時代に相当するドンソン文化期にすでに河岸台地や自然堤防周辺では移植(たうえ)栽培がおこなわれていた。今日でも東南アジアでは、つねに水をたたえ、水の力を用いて雑草の生育を抑制する「常湛法」による水田イナ作がひろくおこなわれている。

一〇世紀ころには水利技術が発展し、馬蹄型輪中(わじゅう)の建設による水田耕作がはじまり、一三世紀までには紅河デルタの諸河川に堤防をつくって雨期のイネ栽培を推進するようになった。ここでも中国の長江流域に類似した展開がみられた。

犂耕が可能な畑作地帯では、一世紀中葉、後漢の地方官(九真郡太守)が鉄製犂耕農法を導入している。六世紀はじめの酈道元『水経注』温水注は、この犂耕導入から四百年来、中華と同じ農耕方式がおこなわれ、白田では夏作に白穀を植え、赤田には冬作に赤穀を植え、これを両熟稲と呼んでいる、と伝える。両熟を二期作だと早合点してはいけない。白・赤二種類の陸田で陸稲(おかぼ)の白米、赤米を田種ごとに年一作方式で栽培したことを伝える。

一七世紀半ばから一八世紀にかけて、東アジアを俯瞰してみれば、中国江南と西日本において小農社会が形成されたのち、中国の長江流域、華南、日本の九州・四国・東日本、朝鮮半島南部がこれにつづき、なお未熟な段階であるとはいえ、中国華北・東北部、朝鮮半島北部、琉球、東南アジアも小農社会を形成していった。

小農社会の形成は、今日の東アジアにおける資本主義形成の社会的経済的基盤となった（中村哲二〇一九）。

(2)乾燥農業地帯

湿潤アジアのなかでも乾燥地帯に属する中国華北、北東アジアのミレット農耕、パキスタンを含むインド西北地方、デカン高原部のミレット農業は、乾地農法（ドライファーミング）と呼ばれ、人工灌漑を用いず天水（雨水）を利用する。灌漑を用い、高い収穫量を実現する地域も存在するが、耕地の塩化に悩まされて収穫は逓減することが多い。インド亜大陸西部（東経八〇度以西）の乾地農法の特色は、耕起から収穫にいたるまでの全過程にわたり畜力を用いて実施する点にある。中国華北では、中耕除草の過程は、畜力におきかわらず、手労働用農具を用いて手力労働でおこなわれた。一九九七年六月四日、山西省大同の雲崗石窟を見学して、北京への帰途、ぼくは、列車の窓からまばらに作付けされた穀物のあいだにしゃがみこんで中耕除草する農民を何人も見かけた。

華北・北東アジアのミレット乾地農法は、前四世紀には小家族経営による三・五〜四・五ヘクタール規模の年一作式農法をうみだした。主穀であるアワ・キビは、蒸して粒のままで食べた。中国の古典は、アワ・キビを手にとって食べるようすすめ、手でこねまわすことや、手にねばりついた残余を飯器にもどすことをいましめている（『礼記』曲礼篇上）。この「文明」ならざる聖人の食事作法に、後世の儒家たちは、いかに注釈・説明すべきか頭を悩ましている。箸（はし）を用いて飯を食べるようになるのは、前三世紀の戦国末から漢代にかけてであろう。「儒教」圏でくくられる東アジア世界の人びとはこののち聖人の礼にそむきつづけ、聖人に縁のない南アジア世界の人びとは泰然これを遵守している。

前一世紀には華北で鉄製犂耕農法が本格的に導入され、後一世紀末から二世紀にかけて、匈奴遊牧勢力と対峙する北辺長城の境界領域はもとより、遼東半島や長江北岸地域にまで拡大した。五世紀までには、収穫後の秋から冬にかけて、水分保持をはかるための秋耕が定着し、農民は通年にわたって土地と結びつくようになった。それとともに地力維持作物であるマメ類を積極的に位置づけることがはじまり、アワ‐マメ類、キビ‐マメ類、ムギ‐マメ類、アワ‐麻、アワ‐キビの多様な二年輪作方式を工夫して地力維持強化をはかるようになった。

六世紀初めの農書、賈思勰（かしきょう）『斉民要術（せいみんようじゅつ）』三〇巻は、前四世紀以来の農業を総括的に記述し、これによって華北乾地農法は古典的に完成した。

八世紀にはいると、二年三作式（第一年：アワ‐コムギ、第二年：マメ類‐休閑）があらわれはじめた。しかし急速には拡大しなかった。穀類のなかではコムギ栽培地域が拡大し、アワ・キビを凌駕するようになった。コムギをひいて粉にし、水でこねて麺（ミエン）にし、そこから麺条（うどん）・饅頭（マントウ）・餅子（ピンズ）などをつくって主食とするようになった。粒食から粉食への転換である。今日の中華料理の一半がここに成立した。

一四世紀の華北では犂耕農法の大型化が顕著となり、深耕細作と飼料栽培をくみこんだ自給的な地力維持方式による大型農家をうみだした。二年三作方式もしだいにひろがり、一九世紀半ばにいたって華北各地で広くおこなわれるようになった。

朝鮮半島でも、一七世紀・一八世紀には、マメ類の導入をつうじて、半島中部で二年三作式、南部イナ作地帯で一年二作式農法が確立した。

非中耕地帯の農耕――地中海世界、ヨーロッパ世界、西アジア世界

ムギ類主作地帯は、年降水量八〇〇～二〇〇〇㎜、年積算二〇〇〇度の地域を適地とする。中耕・除草なしである程度十分な収穫が得られるので、非中耕地帯と呼ぶ。地中海世界、ヨーロッパ世界、西アジア世界、ユーラシア中央世界のオアシス地帯は、非中耕地帯を構成する。

ムギ類は、肥沃な三日月地帯、あるいはアナトリア東部の冬季降雨地帯に起源し、冬雨型気候に属するオリエント・中東の乾燥灌漑農業、インド亜大陸以西の乾燥天水農法、オリーブ・ブドウ・イチジクなどの果樹栽培をともなう地中海沿岸の地中海式乾地農法に展開した。

ムギ類主作の農耕は、灌漑地をのぞけば、一般的に土地生産性が低い。種子一に対し収穫は一から二、せいぜい三粒である。

第Ⅰ年	イ耕区	冬ムギ
	ロ耕区	夏ムギ
第Ⅱ年	イ耕区	休　閑
	ロ耕区	休　閑

表 2-1　イングランド中世の二圃式
（飯沼二郎 1967 により加筆）

非中耕地帯では、基本的に二圃制をとり、圃場を二つの耕区に分け、一年ごとに休閑地（薄く耕して保水する）と作付け地とを交替して地力を維持する。ひとつの耕区についていえば、二年に一度穀物を栽培して収穫する、二年一作方式の農耕である。二圃式農法は、ムギ類の作物にマメ類、牧草類の栽培をともない、家畜飼育は放牧地の牧畜と結合する。

(1)西ヨーロッパ世界・地中海世界

ローマ帝国の領土拡大にともない、ローマ農法が西ヨーロッパに伝わり、この地域でおこなわれていた原

始的な移動（焼畑）農法を駆逐し、二圃式農法に転換させた。西ヨーロッパ世界は、冬雨型の地中海世界と異なり、ゆるやかな夏雨型（年降水量約六〇〇㎜）で、気温も低かった。そこで夏ムギの栽培が可能になった。地中海世界・ヨーロッパ世界では、一六世紀初めまで二圃制の農業を記述する前二世紀の大カトー『農業論（農耕について）』など、ローマ農書が利用された。二圃制の地域では、標準農家で一フーフェ（一二ヘクタール）を経営する粗放な段階にあった。

地中海世界のなかでは、ナイル川の季節的増水による自然灌漑の恩恵があるエジプトでは、河谷やデルタの沖積地帯にある微高地に溜池灌漑をもうけて水を制御し、コムギの収穫跡地にウマゴヤシ・ソラマメを栽培し、地域によりコムギ連作をおこなうことがあった。エジプト・北アフリカは、ローマ帝国の穀倉地帯であった。七世紀前葉、サーサーン朝ペルシアの侵攻による全エジプトの喪失が、東ローマ帝国衰退の一要因であった。

すこしそれるが、エジプトは、古代エジプトだけがとりあげられ、それ以後はほとんど言及されない。エジプトは、この膨大な可動蓄積を基盤に、その後も地中海世界の中心地でありつづけただけでなく、東北アフリカの要地でもあった。また紅海をつうじてアジア海域と地中海世界をつなぐ交通関係の中核地であった。この世界史上の重要性については、のちにあらためて言及しよう。

(2)西アジア世界

西アジア世界では、古代メソポタミア以来、河川、運河、井戸等を用いる乾燥灌漑農耕がおこなわれた。メソポタミアでは、前二〇〇〇年紀前半にシュメール語で『農夫の暦』が記された。それは、灌漑とともに木製牛犂耕・条播器（すじ播き用具）を用い、一年をかけて実施する麦作農耕の技術書である。その技術自体は前三〇〇〇年紀にさかのぼるという。

主穀であるオオムギの収穫量は、シュメール初期王朝時代（前二九〇〇〜前二三三五年）末期で種子一に対し収穫七六・一粒、ウル第三王朝時代（前二一一二〜前二〇〇四）には三〇粒であった。急激な収量低下は、灌漑による耕地の塩化による。塩化に弱いコムギは育たなかった（前川和也二〇〇五、小林登志子二〇二〇）。

イランでは、アケメネス朝ペルシア（前五五〇〜前三三〇）以来、地下トンネル式水路カナート（カーレーズ）による灌漑が利用されるようになり、灌漑農耕が一層発展した。カナート灌漑は、イランを中心に東方にむかってアフガニスタン・パキスタン西北部へ、さらにユーラシア中央世界のフェルガーナ、中国新疆地方のトルファンにまで展開した。

この地帯では、近代の一八・一九世紀にいたるまで、灌漑による一年一作方式の農耕がおこなわれた。オリエントのコムギ収穫率は、平均一対一〇であり、ヨーロッパの一二世紀以降よりもなお高い生産力水準にあった。ただ一二世紀以後、後述するようにヨーロッパでは少しずつ確実に収穫率が向上し、オリエントでは逆に低下傾向にむかった（嶋田襄平一九七七）。

(3)西ヨーロッパ世界における農業の展開

西ヨーロッパ世界における、その後の農業の展開に焦点をあてよう。西ヨーロッパでは、一一世紀から一三世紀にかけて大開墾がおこなわれて耕地が拡大し、農法も二圃制から三圃式に展開していった。三圃式農法が展開したのは、セーヌ川流域からライン川にかけての地域で、早いところでは八世紀にはじまる。三

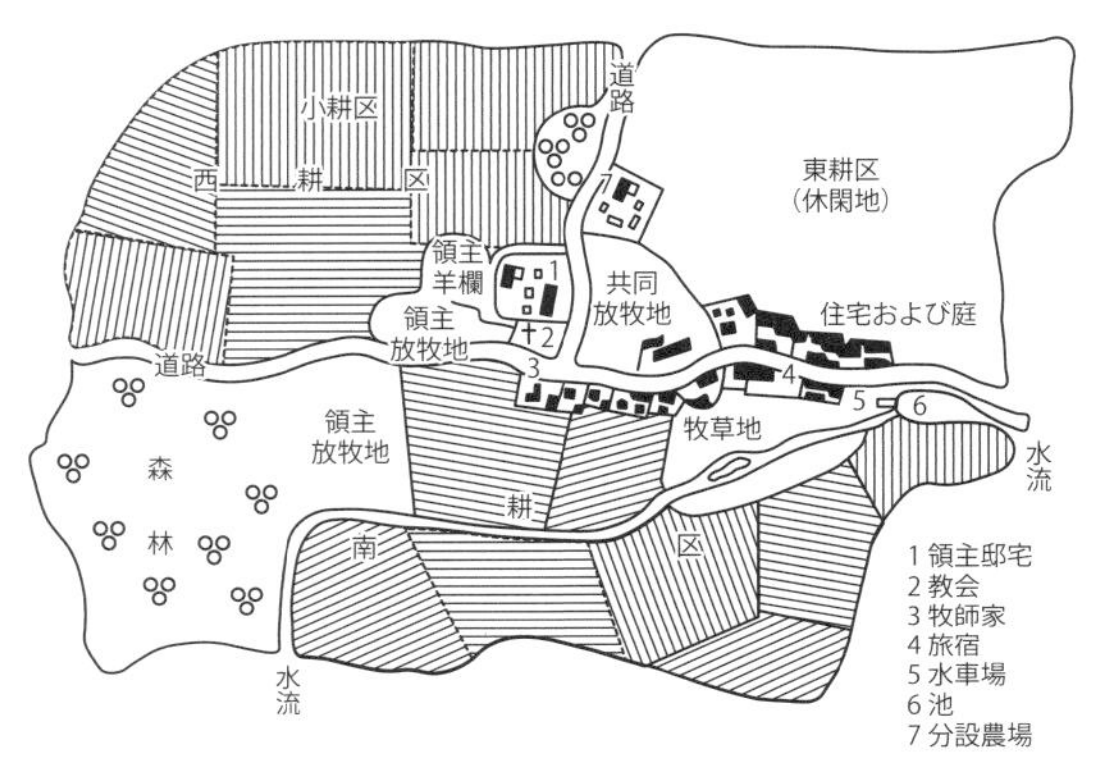

図 2-8　三圃制中世村落の概略図（飯沼 1967）

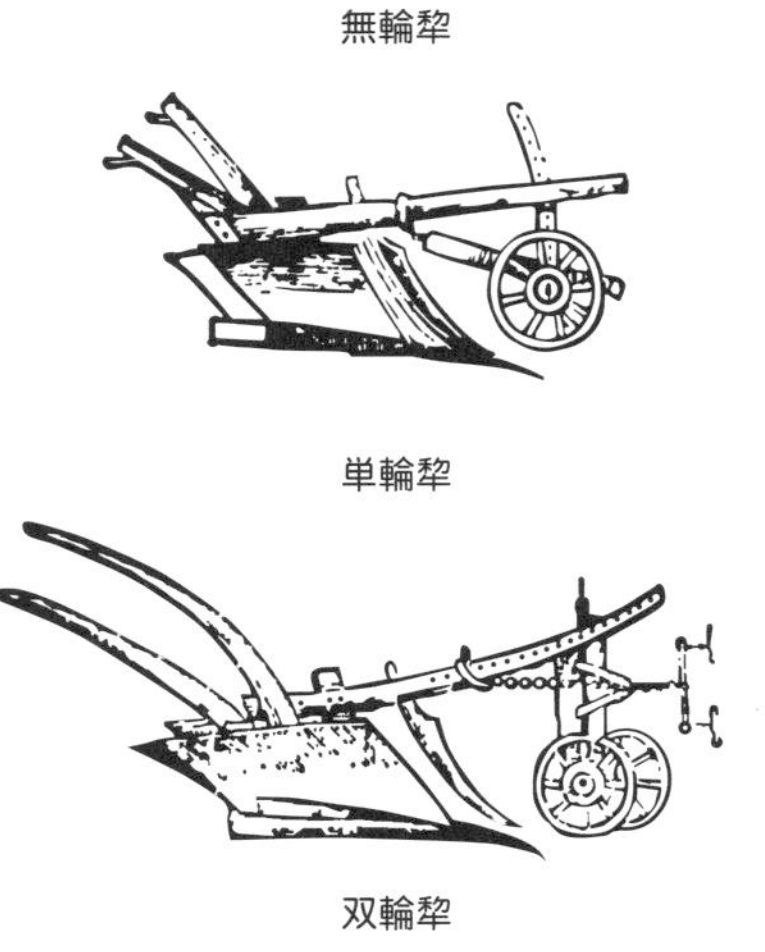

図 2-9　17 世紀イギリスの犂（飯沼 1967）

圃式農法は、長形耕地に対応する有輪犂とともに、北部ヨーロッパにひろがった。長形耕地の維持は共同体規制を必要とする。三圃式農法を営む村落は「団体的」耕地強制をともない、西ヨーロッパの領主制、ならびに領主の連合国家体制である封建制（フューダリズム）社会の経済基盤となった。

三圃式の展開をやや図式的に述べると、最初の段階では休閑地に牧草を植え、穀物と牧草とを交代させる穀草式がおこなわれた。ついで春まき根菜・秋まきムギ・休閑牧草の三圃式に展開した。一三世紀には、八割がた四・五ヘクタール（東京ドーム一個分）以下になり、四分の一フーフェ（三ヘクタール）の小農経営が支配的になっていった。

ちなみにこの規模は、中国古代の前四世紀中葉から隋唐八世紀中葉にいたるまでの華北乾地農耕の農民的小土地所有（分田という）の広さに等しい。西ヨーロッパでは、一三世紀以降急速に小農経営が拡大し、東アジアとほぼ同時期に商業的農業が展開する経済的基盤を準備した。

三圃制の成立については、東南アジアに由来する根菜・イモ類がはたした世界史的役割に注目したい。根菜・イモ類は、東南アジアに発祥する栽培作物である。根菜・イモ類は、夏季に栽培し、中耕を必要としない。東南アジアから、まずインド・西アジア世界にはいり、この地域の二圃制休閑地に導入され、農業生産力の向上に貢献した。ついで西ヨーロッパの二圃制のなかに逐次根菜が導入され、そこからコムギ - 牧草（クローバー等）- 根菜（カブ等）の三圃制に展開した。東南アジア起源の根菜類がそのまま西ヨーロッパに伝わったわけではない。休閑地に根菜類を導入する農耕方式がその転機をもたらしたのである。

(4) 農業革命

三圃制からすすんで、一五、一六世紀のフランドル地方で、家畜を放牧から舎飼いに移して牧草地を排除し、コムギ - 根菜の輪栽式農法がおこなわれるようになる。三圃制村落による「団体的」耕地強制による規制がなくなり、経営の場の個人主義化（村落から農場へ）と目的の個人主義化（自給農業から商業的農業へ）、いいかえれば合理主義が農業内に貫徹するようになった。

先駆的なフランドル農業は、ただちにはヨーロッパに展開しなかった。一八世紀に、海をへだててフランドルにもっとも近い、イングランド東部海岸のノーフォーク州で、フランドルから借用したクローバーとカ

	第１年	第２年	第３年	第４年
第Ⅰ耕区	カ　ブ	オオムギ	クローバー	コムギ
第Ⅱ耕区	オオムギ	クローバー	コムギ	カ　ブ
第Ⅲ耕区	クローバー	コムギ	カ　ブ	オオムギ
第Ⅳ耕区	コムギ	カ　ブ	オオムギ	クローバー

表2-2　もっとも典型的なノーフォーク農法（飯沼二郎1967）

ブを導入し、コムギ‐カブ‐オオムギ‐クローバーによる四耕区四年輪栽式農業をおこなうようになった。

　このノーフォーク式農業は、家畜はすべて舎飼いにし、中世以来の開放耕区を垣根によって囲い込み、集団化した広大な面積のうえに、自給のためではなく、もっぱら販売を目的とする資本主義的な企業として営まれた。このノーフォーク式農業が、ドイツ・フランスでは一八世紀中葉から一九世紀末にかけて普及していった。これが「農業革命」と呼ばれる西ヨーロッパ世界の農業発展である（ブロック一九五九、飯沼一九六七）。

　主要穀物の土地生産性だけに着目すれば、一四、五世紀にいたるまで、灌漑農耕にもとづく西アジア世界の生産性がもっとも高く、ほとんど同水準で東アジア世界と南アジア世界がつづき、おくれてエジプトをのぞく地中海世界があとを追い、ヨーロッパ世界はもっともおくれた農業地域であった。

　ヨーロッパ農業は、一三世紀にいたって、やっと八世紀華北乾地農法の水準と肩をならべ、一八、一九世紀の「農業革命」によって、はじめて相対的な先進地域となった。すでにみたように、おなじ一八、一九世紀には、イナ作地帯である東アジア世界の中国江南地域、朝鮮半島南部、日本列島、東南アジアでも商業的農業が進展し、今日の資本主義化の基盤がととのっていった。

四、農耕と遊牧の分離

遊牧民とはどのような人びとか

かつて東はモンゴル高原から東ヨーロッパ・ハンガリーのドナウ平原にいたるまで、ユーラシア乾燥地帯の大草原地帯を中心に、西アジア世界や北アフリカの乾燥地帯にかけて、遊牧民が広く分布した。

遊牧は牧畜の一形態である。牧畜は、野生動物を家畜化し、ヒトの生活手段とする生業である。牧畜のなかでも、夏の牧営地と冬の牧営地とのあいだを定期的に移動して牧畜を営むのが遊牧である。中国では古くからその生業を「畜牧に随って転移し」「水と草とを逐って遷移する」（『史記』匈奴伝）と表現し、かれらの政治組織を「行国」と呼んだ。定住農耕社会から見た遊牧社会の記述である。

遊牧民は、比較的長い距離を移動するので、住居は、解体・持ち運びに便利な革製やフェルト製のテント式家屋（モンゴル語はユルト、ゲル、中国人はパオと呼び、古くは穹廬（きゅうろ）といい、帳で数えた）である。そのなかに通常、夫婦と未婚の子供からなる小家族世帯が暮らし、四から六のテント（小家族世帯）群で小血縁集団を形成し、遊牧生活を営む。

遊牧生活は、飼育する家畜から得られる恵みによって、あらゆる衣食住の需要をまかなう生活様式であり、また生産様式でもある。ユーラシアの大草原地帯の主要な家畜は、ウマ、ヒツジ、ヤギであり、そのほかアラビア半島やイラン・アフガニスタンの高原ではラクダ、チベット高原ではヤクが特徴的である。

モンゴルでは、ウマ・ヒツジ・ウシ・ヤギ・ラクダを「五畜」（タブン・ホショー・マル）とよんで重用し、とくにウマの乳からヴァラエティーに富む乳製品がつくられる。モンゴルの口承文藝では、家畜、とりわけウマのすがたかたちをめぐる多彩をきわめた形容が頻出する。

イヌの存在も忘れてはならない。食料資源となることはごくまれであるが、遊牧民のもっともそばにいて、オオカミなどの野獣から家畜の群れをまもり、狩猟においても、なくてはならない働きで人間を助ける（原山煌一九九五）。

草原の草を餌にする家畜の消化によって生みだされた、ミルクとチーズ・バターなどの乳製品が遊牧民の主要食料である。その肉ももちろん食料となる。畜糞は燃料となり、毛や皮はテントや衣類・ロープとなり、畜群は輸送手段となり、大規模な交易を展開することができた。

遊牧生活では、女性が第一のはたらき手である。家畜の世話・放牧、搾乳からミルクの加工、チーズ・バターづくり、炊事・洗濯などの家事全般にわたる。男性は、畜群の再生産にかかわる去勢と交配、肉を得るための屠殺、宿営の移動やキャラバンを組んでの交易などに従事する。群れ全体の秩序を維持するためのしごとが中心である。

現在は一時的な力仕事や外交的な活動が中心で、男性は家事にはまったく手をださない。かれらは、日常ヒマをもてあましている。かれらは、本来戦士であり、みずからの所属集団を外敵から防御し、牧地や水の紛争処理、交易・移動の安全を確保した（別所祐介二〇一二）。遊牧は、牧畜に特化したもっとも合理的な生業である。

遊牧社会はいつ成立したか

遊牧の成立については、一元的であるか多元的であるかをふくめて、まだよくわかっていない。現在明らかになっているのは、狩猟採集経済のなかから、動物の家畜化がはじまり牧畜がおこなわれるようになったことである。とくにコムギ栽培がはじまった肥沃な三日月地帯では、おなじころにヤギとヒツジの家畜化がすすんでおり、農業と牧畜とが結合するかたちで農業社会が成立した。

農牧結合の混合農業は、すでにみたように地中海世界・ヨーロッパ世界に拡散した。ただ、黒海北部からアルタイ山脈にいたるアジアの草原地帯への拡散はなかなかすすまなかった。そのなかで、農業に適さない土地に移動したムギを主穀とする農牧結合集団のなかから、農耕主・遊牧従の生活がはじまった。

ウマ、ラバ、ロバは、荷車を引く荷物運搬用の動物として飼育された。ウマの飼育がロシア草原地帯の西端ではじまると、遊牧主・農耕従の生活が発達し、さらに遊牧諸集団が分離・拡散し、前三〇〇〇年紀には中央アジアにあらわれはじめた。

新しい生産様式と生活様式――遊牧生活を採用することにより、アジア・ヨーロッパの大草原地帯で人口爆発が起こり、その結果前二〇〇〇年紀にはアンドロノヴォ文化[3]の特徴をもつ諸種族が東方に拡大していき、べつにカスピ海東部のテュルクメンや南のイラン高原にも影響を及ぼしていった。

東方の南モンゴル地域では、五〇〇〇年前ころから、寒冷化とともに全域が草原化し、農耕文化から牧畜文化への移行がはじまった。三八〇〇年～三二〇〇年前が農耕文化と牧畜文化との交代期にあたり、三五〇〇年～二五〇〇年前に牧畜文化（オルドス式青銅器文化）が確立した（甲元二〇〇八）。東方の牧畜文化が独自に成立したのか否か、西方からのアンドロノヴォ文化の東漸と関連するのか否か、まだ断案はない。

騎馬遊牧民はいつ出現したか

そのなかで一大転機となったのは、青銅ならびに鉄の金属器の使用である。金属器は、前二〇〇〇年紀後半にオリエント文明の影響をうけた西部山岳地の住民につたわり、そこから草原地帯に伝播した。遊牧民は、金属器製作とりわけ製鉄技術にすぐれている。草原各地に製鉄遺跡が発見されている。

モンゴル国内では匈奴時代（前三世紀～後一世紀）の製鉄遺跡が六か所確認されている。突厥（とっくつ）の支配氏族である阿史那（アシナ）氏は、六世紀中葉までモンゴル高原を支配した柔然（じゅうぜん）（五世紀はじめ～五五六）に従属し、金山（アルタイ山脈）の南麓で柔然のために鍛鉄を製造していたという。

ウマを戦闘用の乗馬として本格的に用いるようになるのは、青銅や鉄でできたハミが発明されてからである。ハミは、ウマの口にくわえさせてその動きを制御する器具である。近東では前一五〇〇年ころ、大草原地帯ではそれより早く、ヨーロッパ・中国では前一〇〇〇年よりのちに出現する。遊牧諸集団の中に戦闘能力の高い騎馬遊牧民が出現するのは、この時期以後である。こうして遊牧諸集団は、前九世紀から前八世紀にかけて、弓矢短剣甲冑などの金属製武器や運搬・乗用に車馬を用いる騎馬遊牧民となって、拡散していった。なお、金属でできたアブミは、四世紀の中国で発明された。長い旅をして、ヨーロッパには七世紀につたわった。アブミのおかげで、足を固定しふんばることができるようになり、落馬せずに武器が使えるようになった。騎馬遊牧民は、より高い戦闘能力を保持するようになった。

前七世紀には、インド・ヨーロッパ語を話すキムメリオス、スキタイ（ともに前七世紀～前四世紀）、つづいてサルマタイ（前四世紀～後四世紀後半）と呼ばれる騎馬遊牧集団が大草原西部にあらわれた。東方にむかって、中国領東トルキスタンのトルファン盆地に、また森林地帯との境界線ではイェニセイ川上流にまで拡大していった。アルタイのパジリク古墳群に属するモンゴル領内の凍結墓から発見されたミイラ化遺体は、ブロンドの髪をもつ三〇～四〇代の男性だった（林俊雄二〇一七）。

九世紀のはじめ、杜佑（とゆう）（七三五～八一二）は、遅くとも前二世紀にはイェニセイ川上流の森林地帯と草原地帯の境界地域に住んでいたキルギス（結骨、堅昆）族について興味深い記述をのこしている。かれらは、みな背が高く、色は白く緑の眼をもち、髪は赤く髭が濃い、黒髪の子が生まれると不吉に思う。その土地は、寒冷であるが、アワ・ムギ・キビ・マメに適している。風俗はおおむね突厥と同じだ、と（『通典』二〇〇）。

九世紀以前のキルギス族は、スキタイ人とおなじインド・アーリア系の白人集団であり、そのもっとも東方に展開した種族のひとつである。前二世紀以来インド・ヨーロッパ祖語をすてて、東のバイカル湖東部に近接する丁零・鉄勒諸族と同じく、アルタイ語系テュルク語を用いていた。かれらがのこした一連のイェニセイ碑文は、すでに突厥文字で古代テュルク語の文章を記している。インド・ヨーロッパ諸語とアルタイ諸語との出あい、ならびに言語の入れ替りを明示する事例である。

キルギス族は、丁零・鉄勒・突厥と同じく遊牧民ではあるが、農耕可能な亜湿潤地帯に居住したため、一方でアワ・ムギ・キビ・マメを栽培する農耕を営んでいた。農業と遊牧とが完全に分離していない森林・草原境界領域の遊牧主・農業従の社会の痕跡をとどめている。

時間をもどしてヘロドトスは、前五世紀に、黒海北岸のロシア南部草原地帯を領域とする遊牧スキタイ社会のほかに、近接して農民スキタイ人の国があると報告している。農耕社会と遊牧社会の分離過程を象徴する観察だといってよい。

農牧結合の混合農業から遊牧社会が分離し、さらに騎馬遊牧諸集団を形成していく過程は、人類最初の社会的分業の成立でもある。遊牧社会は、農業と分離したため、基本的に穀物食料を外部に依存する。遊牧社会を安定的に再生産していくためには、略奪か交易か、いずれにせよ定住農耕社会との交通関係をきづき、相互作用圏を形成する必要があった。両者をとりむすぶ遠隔地交易がはじまり、それを担う商人・商人集団（部族）も出現した。六世紀半ばから八世紀半ばにかけて、突厥と西トルキスタンのソグド人諸国とが形成した相互作用圏はその典型事例である。

五、農耕社会と遊牧社会の展開

前節では、陸域における農業と遊牧との二大生業についてみてきた。本節では、そのうえに構築された社会のありかたについて見ることにしよう。

自分の生まれてこのかたを想起してみよう。ヒトにとって人生最大の出来事は、古今東西を問わず誕生と死である。その間にさまざまな社会関係をつくりあげて生活し、より広い社会関係を形成しながら一生をおくる。

誕生と同時に結ぶ社会関係は家族である。まず母と子、父と子の関係が生まれる。子が生まれてはじめて父母になるのだから、子が父母を生むともいえる。そのまわりに、赤ん坊を見る幸せそうな兄弟姉妹、あるいは祖父母の顔がうかんでくる。

家族は、現生人類発祥以来、一組の夫婦と未婚のこどもからなる小家族であった（岡田謙一九六九）。小家族はヒト社会の基礎である。ヒトは、そのうえに様ざまなかたちの家族、拡大家族、合同家族、親族集団を形成した。現在は、この小家族（核家族）の維持があやしくなっている。

ヒトは成長の過程で、入学式、卒業式、入社式、成人式、結婚式など人生の節ぶしで様ざまなセレモニーをおこない、そのたびに社会関係はひろがる。最後で最大のセレモニーは、葬式である。人生の総まとめであるから、出席者はそのヒトの人間関係をそのままうつしだす。出席者の基本は、親族と近所合壁の隣人である。職場の関係者や友人が出席することもあるが、退職・卒業から時がすぎると参会者はだんだん減っていく。最近は家族葬が盛んになってきてはいるが、まだまだ親族と隣人を集める葬儀はおおい。

個人の人生の総括からわかるように、人間の社会は、家族からはじまって、おおきくわけて地縁関係と血縁関係のうえになりたっている。社会のありかたには、血縁や親族のきずなを中心にして形成されるばあいと、人びとを居住する地域によって領域区分し、秩序を実現するばあいとがある。両者混在することもときにはある。

血縁・親族を秩序の中心に置く社会は、氏族や部族あるいは首長制とよばれる社会のしくみで、人類の初期社会におおくみられる。親族関係、親族組織そのものが社会であり、親族関係が社会秩序を表現する。このような社会には、親族呼称がきわめて多く、呼称にともなう役割、社会的地位、相互義務関係がはっきりしている（サーヴィス一九七七、一九七九）。

親族組織のなかには、身分や地位・財産を継承するさいに、始祖からの系譜をたどる出自集団がある。父方をたどる父系出自集団、母方をたどる母系出自集団、どちらでも可能な双系出自集団がある。そのなかでは、血統上の始祖から自分まできちんと数えることができる家系ほど尊敬され、高い地位にある。

地縁・居住地域を基礎にくみたてられる社会統合のしくみの代表は、今日の世界をひろくおおっている国民国家 nation-state である。たとえば現在の日本のばあい、二人の男女が婚姻届けを出すとあらたに戸籍がつくられ、居住地が記載される。現住地が戸籍登録地と異なるばあいは、居住地の役所に届け出て、戸籍にひもづけされた住民票が作成される。居住地は、府県・市・区・町・丁目・番地で表示され、納税などの公的義務の履行、選挙などの公的権利の行使は、この戸籍・住民票の領域区分によってはたされる。

おおくの人はこの領域区分によって町内会や自治会をつくり、地縁のつながりのなかで生活する。住民の領域区分によって住民の公的権利義務をはたさせるこの社会秩序、統合のしくみは古今東西の国家に共通する。それは、その社会統合形態が国家であるか否かをみわけるリトマス試験紙である。[4]

部族制――血縁のきづなでむすばれた社会

これまでみてきた農耕社会と遊牧社会は、ともに親族組織や血縁的系譜関係を重視して社会統合を実現する氏族制・部族制社会であった。部族制社会は、数百人から数千人の人口規模で構成される。人類は、数十人程度のバンド社会よりもはるかに大きい社会統合を実現した。

この部族制の具体相については、現在のチベット牧畜民のフィールドワークにもとづく別所祐介の興味深い報告がある。チベットには、定住農耕地域と遊牧地域とが存在する。遊牧地域のうち、標高四二四八mにあるS谷を放牧地とする牧畜民は、通常二～七世帯（テント・天幕、小家族世帯）の父系血縁集団で最小規模の集団「ルコル」をつくり、遊牧生活をおくる。谷のあちこちに広がって放牧する近隣の諸ルコルは、その上位集団である「ルチュン」に統合される。通常、ルチュンの規模は、四〇から五〇世帯である。その系譜をたどれば、最初期の祖先は父方を同じくする兄弟姉妹が軸となり、そこから派生した家系、およびその姻族によって構成される。これが氏族にあたる。

さらにその上位集団としてこれらルチュンを複数まとめるのが「ルチェン」である。ルチェンは、二〇〇前後の世帯で構成され、ひとつのルチェンは二五〇から三〇〇㎢（東京二三区六二七㎢の約半分）の放牧地をもつ。S谷では三つのルチェンに所属する牧畜世帯が牧地の使用権を分有した。これが部族にあたる。かれらがS谷の夏営地にとどまるのは、毎年六月二〇日から九月末までの三か月強の期間だけで、秋になるとS谷からひとつ山を越えた向こう側にある、より高度が低くすごしやすい冬の宿営地（冬営地）に移動する。現在は「中国の特色ある社会主義」に包摂され、中国の行政単位であることによって、ルチェンは「牧畜行政村」と呼ばれる。とはいえ、その社会統合の基礎は部族制であるといってよい。社会は血縁のきづなと血縁的系譜をたどることによってなりたっている。

現代チベットの遊牧民の社会組織は、基礎的単系出自集団である氏族と部族の分節が明瞭でわかりやすい。しかし、氏族と部族の区別があいまいなばあいも多多ある。以下、必要なばあいを除き、部族制を用いてこの種の社会組織を表記する。

草原世界モンゴルの氏族制・部族制

この遊牧民の部族制について、一一世紀・一二世紀のモンゴルの社会組織によって確認しよう（ウラヂミルツォフ一九四一）。

チベットの「ルコル」は、モンゴル系でいうアイル、テュルク系でいうアウルと同質の最下位の基礎血縁集団である。アイルのばあい、多くは数個から十数個の天幕（テント　小家族世帯）群からなる父系血縁集団である。[5]

アイルは、冬季の非移動時にはそれぞれ個別の生活を営んでいるが、夏季の放牧期にはときに数十に達するアイルが共同して畜産管理をおこなう。アイルの、この上級集団は、アイル相互間の血縁、同族を中心に編成され、畜産管理のみならず、搾乳などの諸生産活動、盗賊・獣害に対する共同防衛など、相互扶助機能をはたした。この上級集団はオボクといい、チベットの「ルチュン」と基本的に同質である。この血縁集団は氏族である。[6]

オボクは、同一の祖先（エブゲ）に出自し、詳細かつ明確な系譜をもつ社会統合の基本集団であった。モンゴル人のこどもは、始祖から自分にいたる系譜をみっちり教えこまれるという。モンゴル諸氏族のばあいは、最初の母アランゴアの末子ボドンチャルから出た各オボク集団が同一の骨（ヤスン）に所属する。系譜は父方の骨をたどるので、オボクは父系制出自集団である。

モンゴル人は、骨を同じくする同族集団をウルクと呼び、骨を異にする他族はジャトと呼んで明確に区別した。族員が結婚するときはかならず他の骨のオボクから妻を娶るので、モンゴルは外婚制である。ジャトのなかでは、妻方のオボクをフダ（姻族）と呼んで、同族に近いあつかいをした。

家畜、テント、荷車、単純な武器等の全財産はオボクの族員の私有であった。各ユルト（天幕　小家族世帯）や各アイルのあいだには貧富が存在した。ただ遊牧地は共同領有であり、オボクに属する遊牧地領域はヌトックと呼ばれ、明確に画定された。家畜には、オボク全体に共通する特殊な烙印標識（タムガ）が押された。

アイルの長は、モンゴル語ではアハ（原義は兄）と呼ばれ、複数のアハのなかからさらにひとりの指導者をえらんで、モンゴル語ではエジェンと呼んだ。エジェンを中心とするアハたち長老の会議体によって、上級集団であるオボクは統合され、畜産管理などの生産、相互扶助機能をはたした。エジェンは、オボクの族長にあたる。

モンゴルのオボクは、父系制と外婚制を基礎とする父系制氏族集団であり、ユルト（天幕　小家族世帯）—

アイル集団を中核とする遊牧経済を営んでいた。その遊牧地ヌトックはオボクの共有で、血の復讐制とシャーマニズムおよび祖先祭祀によって結合する社会集団であった。

これらオボク集団が集まってさらに上位の集団を形成する。一一世紀・一二世紀のモンゴルでは、複数のアイル–オボク群が結集し、その社会組織をイルゲン、その政治組織をウルスと呼ぶ人間集団の政治統合体ができた。現代チベットでは、二〇〇前後の世帯で構成される「ルチェン」がこれに相当する。ルチェンやイルゲンは、いくつかの氏族を統合する部族である。

モンゴルのイルゲンは、不安定な極めて緩慢に組織された集団であった。オボクとイルゲンとの区別もあいまいなばあいがあった。明確な団結がおこなわれたのは戦時のみであった。戦時には、全氏族からアイルを単位に戦士が招集された。

一般に、氏族と部族とについて、その階層性をはっきり区別できないことが多い。チベットS谷の遊牧社会は、階層性が明確であるという意味で、典型的な部族制による社会統合を示している。

通常のイルゲンの団結は、クリルタイ（フリルタイ）と呼ぶ集会で実現した。集会には、全モンゴル社会の上層の代表者が参加した。集会は、組織的な機関ではないが、平時はもとより、ことに戦争や大規模な巻狩りの際には、指導者を選出した。かれらはカン（ハァン）とよばれた。

これら基礎血縁集団（ルコル、アイル）–氏族（ルチュン、オボク）–部族（ルチェン、イルゲン）の分節的な構造をもつ社会統合形態は、遊牧社会のみならず初期農耕社会にも基本的に共通する。

南アジア初期農耕社会の氏族・部族制

ここでは、『リグ・ヴェーダ』などの文献・叙事詩研究と考古学的成果をもとに古代インドの初期農耕社会の社会統合形態について紹介しよう（シャルマ一九八五、ターパル一九八六）。

インド古代史は、前一五〇〇年ころから前一〇〇〇年ころまでのリグ・ヴェーダ時代、前一〇〇〇年ころから前六〇〇年ころの後期ヴェーダ時代、前六〇〇年から前三〇〇年ころのポストヴェーダ（一六大国）時代、前三〇〇年以後のマウリヤ帝国時代（前三一七ころ～前一八五ころ）の四つの時期に分けて社会統合の進化過程を論じている。

後期ヴェーダ時代の後半期にヴァルナ（カースト）制の成立とバラモン司祭層による王権の神格化・正当化がおこなわれ、ポストヴェーダ時代にいたるまでに王制による国家がはじまり、前三世紀のマウリヤ帝国に展開していった。ここで問題にするのは、リグ・ヴェーダ時代から後期ヴェーダ時代にいたるまでの初期農耕社会の氏族・部族制である。

インド・ヨーロッパ諸語を話すアーリア人は、前二〇〇〇年ころに中央アジアから、馬にひかせる二輪戦車に乗って西アジアに侵入し、イランに移動してその地に長く居住していた。その後イランから幾度かに分かれてアーリア人の分派が東方に移住し、前一五〇〇年よりすこし前にインド亜大陸にあらわれた。インドに到着したアーリア人については、神がみへの賛歌をインド・ヨーロッパ語で叙述する最古の作品『リグ・ヴェーダ』（おそくとも前一二〇〇年ころ成立）によって知ることができる。

初期のアーリア人は、アフガニスタン東部からパンジャーブ、ウッタル・プラデーシュ西境にいたる地域に住んでいた。アーリア人は、五つのジャナ（部族）に分かれ、そのなかではバラタ族とトリツ族が最も有力であった。支配部族であったバラタ族に対し、一〇人の王が連合して闘ったが、そのうちの五王はアーリア人部族の首長であり、あとの五王は非アーリア人部族の首長であった。

「十王の戦い」に勝利したバラタ族は、敗れた部族のひとつプル族と連合し、クル族と呼ぶ新たな支配部族を形成した。クル族は、さらにパンチャーラ族と合体して、インダス・ガンジス両河の分水界地域とガンジス川西部流域、すなわちマディヤデーシャ（「中国地方」の意、漢語では中天竺、中国）と呼ばれる地域を制覇していった。

リグ・ヴェーダ時代には、移動耕作（切り替え畑）の原始農耕段階をこえて、人びとは牧畜に重心を置く農牧結合の混合農業を営んでいた。アーリア人は西アジアでも主穀であったオオムギを栽培した。

ヴェーダ文献にみえるジャナ（部族）は、多数のヴィシュ（氏族）の集合体であった。ヴィシュの下位には、クラと呼ぶ小家族が核となって形成するグラーマ（村落）があり、すでに一般成員であるヴィシュと支配家族集団であるラージャニヤとの二つの階層に分かれて、それぞれ基礎血縁集団をつくっていた。

ヴィシュ（氏族）の土地はふたつの基礎血縁集団の共有ではあったが、労働するのは下位の基礎血縁集団であるヴィシュであった。ヴィシュは、ラージャニヤに対しことあるごとにバリと呼ぶ自発的貢納物を納めた。ラージャニヤは弓矢にすぐれ、二輪戦車に乗りヴィシュ（氏族）の防衛をおこなう戦士たちであった。このラージャニヤの家族のなかからラージャー（首長）を選んだ。

牧畜が優位であった初期のラージャーは、略奪、戦闘の指揮者であった。捕獲物はヴィシュ（氏族）の内部で分配された。分配は、すでに不平等で、その一部はラージャーのものとされ、司祭者の家族もその分け前を要求した。すくなくともラージャニヤを構成する支配者家族は、数世代の小家族が居住を共にし、生業と消費を共同にする拡大家族（合同家族ともいう）であった。かれらの家計は、貢納物と略奪物によって支えられた。

南アジア中核領域の初期農耕社会では、上下二つの基礎血縁集団からなるヴィシュ（氏族）を基礎とするジャナ（部族）によって社会が統合されたのである。

部族制から首長制へ

部族制に基づく遊牧社会および初期農耕社会がもつその特質は、畜産・穀物などの生産物の蓄積、技術の社会的蓄積を可能にすることである。蓄積は社会の高度化の根源的基盤である。経年の穀物蓄積が可能な農業社会は、穀物を外部依存する遊牧社会にくらべてより高い可動蓄積を可能にする。

可動蓄積とは、社会の再生産のために機動的に再分配されうる穀物・織物・貨幣などの蓄積である。墳墓や地下に埋納・退蔵される物品、および奢侈品・宝飾・金銀類の蓄積とは区別しておきたい。

中国の古典には、国用（国家財政）のかなめとして「三年耕して必ず一年分の食料をのこし、九年耕して必ず三年分の食料をのこす。三十年間をとおしてみれば、自然災害があっても、人びとは飢饉にみまわれることはない」「三年分の蓄積がなければ、その国は国家とは言えない」（『礼記』王制篇）とある。毎年二五％の可動蓄積をつみあげ、長期にわたって収穫の短期変動に備えることをすすめる。

中国歴代王朝は、実際に災害時や緊急事態に備えるために義倉や常平倉などの穀物倉庫を準備し、首都近郊には租税に由来する莫大な穀物を貯蔵する倉庫（正倉）をそなえ、財務運営をおこなっていた。

この蓄積は、過去の人間労働・技術の蓄積である。可動蓄積の集中と再分配・消費は、自然災害に対する保険となって社会を安定的に維持するうえで大きな役割をはたす。それとともに、農業社会のばあいは定住化をうながして大聚落を形成する要因となった。

しかしその一方で、蓄積をわがものとして消費することにより、過去の人間労働に依拠して労働には従事しない社会層を生みだした。それは、やがて複合集団内、聚落内社会の階層分化と諸集団間、聚落間の階層分化をすすめる動因ともなった。かれらのなかには、労働の指揮、司法、祭祀、藝術など、社会が共通に必要とする共同業務を担う者があらわれた。

可動蓄積が多ければ多いほど社会は安定するが、一方で可動蓄積の再分配をめぐる諸集団内、集団・聚落間の競争が厳しくなる。集団・聚落間の戦争がはじまり、拡大し、それとともに秩序の再生と維持が模索される。

この社会階層化・複雑化の進行のなかで、上層支配集団の頂点に立つ個人があらわれ、血縁的系譜上、その集団の始祖神・始祖に最も近い人物とみなされるようになる。系譜上特別な威信をもつかれら、かの女らは、下層社会諸集団から自発的な、あるいは強制的な貢納物をうけとって蓄積するとともに、集団の祭祀や儀礼にさいして気前よく諸集団に蓄積物を再分配して秩序を維持するようになる。こうしてより高度に編成された血縁集団が生まれた。

〈注記〉

1、『天工開物』は、一六三七年（明崇禎一〇年）四月、宋応星（一五八七〜？）が撰述した技術書であり、明末清初に到達した中国科学技術の現状を記す。全一八部門を上中下三巻にわける。上巻に農業・紡織・染色・

製塩・製糖を、中巻に製陶、鋳造、舟車製造法、製紙法を、下巻に鉱物の製錬法、兵器・火薬の製造法、絵具の製造法、麹の製造法、宝石採取法を絵入りで記す（三枝博音一九四三）。

2、作物が育つ環境では雑草もよく育ち、地力の奪いあいになる。また中耕除草をせず、肥料も投入しない初期的な農法では、毎年連作すると地力がしだいにおとろえる。地力のおとろえを回復し、雑草を駆除するために、初期農法では数年作付けしたのち古い耕地を放棄し、新たな耕地を求めて作付けしていった。この方式を切り替え畑といい、新たに作付けするときに火を入れて雑草を駆除すると同時に肥料とすることが多い。これを焼畑という。雑穀類やオカボ、イモなど根菜類を栽培する。古典中国では「火耕水耨（かこうすいどう）」あるいは火田と呼んだ。初期農法の焼畑は、かならず狩猟・漁撈・採集経済と結びついている。オセアニアの諸島、東南アジア大陸部の山地・島嶼部では現在も焼畑がおこなわれているところがある。

3、前二〇〇〇年を少しすぎたころ、ヴォルガ川下流に木槨墓の埋葬法を特徴とする農耕牧畜文化が広がり始めた。ウラルから西方に広まった文化がスルブヤナ文化である。これとかなり類似した文化がウラルから東方の南シベリアや中央アジアに広まった。これがアンドロノヴォ文化である（林俊雄二〇一七）。

4、エンゲルス（一九六五）は、国家の一般的特徴として、領域による国民の区分と公権力の存在をあげている。「古い氏族組織と対比して国家を特徴づけるものは、第一に、領域による国民の区分である。……そこで、領域区分を出発点にとり、市民には、氏族や部族にかかわりなく、その居住するところで彼らの公的な権利義務を果たさせた。このような所属場所による国民の組織は、すべての国家に共通である。……第二は、公権力の樹立である。この権力は、みずからを武装力として組織した住民とは、もはや直接には一致しない。この特殊な公権力が必要なのは、諸階級への分裂が生じて以来、住民の自発的な武装組織が不可能になったからである。……この公権力はどんな国家にも存在する」（二二五・二二六頁）。

5、社会人類学では、このようないくつかの小家族からなる単系血縁集団、とくに父系血縁集団をリニージ（lineage）と呼ぶ。

6、社会人類学ではクラン（clan）と呼んで基礎血縁集団から区別する。

第三章

初期文明と国家の形成

一、首長制から「初期文明」へ

首長制社会とはなにか

首長制 Chiefdom は、通常円錐形（ピラミッド型）の氏族集団を基礎とし、始祖との血縁的系譜が最も近い族長と系譜関係が明らかな支配者氏族員および系譜の不明なあまたの一般氏族員からなり、数千から数万人の規模をもつ社会である。その族長を首長と呼び、首長が統合する高度に階層化した血縁的系譜集団を首長制社会と呼ぶ。

バンド社会と部族社会は成員間の平等を特徴とする。首長制は、階層性が明確化し複雑化した部族制社会や部族連合体のうえに形成された。『三国志』東夷伝の著者陳寿（二三三～二九七）は、この段階の社会統合を古典漢語で「国」と言い、その首長を「王」と呼んでいる。たとえば朝鮮半島南部の韓人については、馬韓五十余国すべて十余万戸、辰韓一二国・弁辰一二国あわせて四、五万戸があり、馬韓諸国と辰韓・弁韓のうちの一二国とは、馬韓月支国の首長である辰王に統属した、と記述する。辰王は、あまり権限をもたず、上位首長にとどまっている。

また弥生時代末期の日本列島西部の倭人について、陳寿は、卑弥呼の女王国（邪馬台国）七万余戸があり、邪馬台女王国が統合する対馬国千余戸・一大（支）国三千余家・末盧国四千余戸・伊都国千余戸など諸国にも世襲の首長である「王」が存在した、と述べる（『三国志』倭人条）。

女王卑弥呼は、より統合の進んだ首長国連合の大首長であったといえる。漢語の国・王は、首長制の社会統合を表現することも多多ある。古典漢語で記された史資料に国や王が出てくれば、国家だと思うのは早と

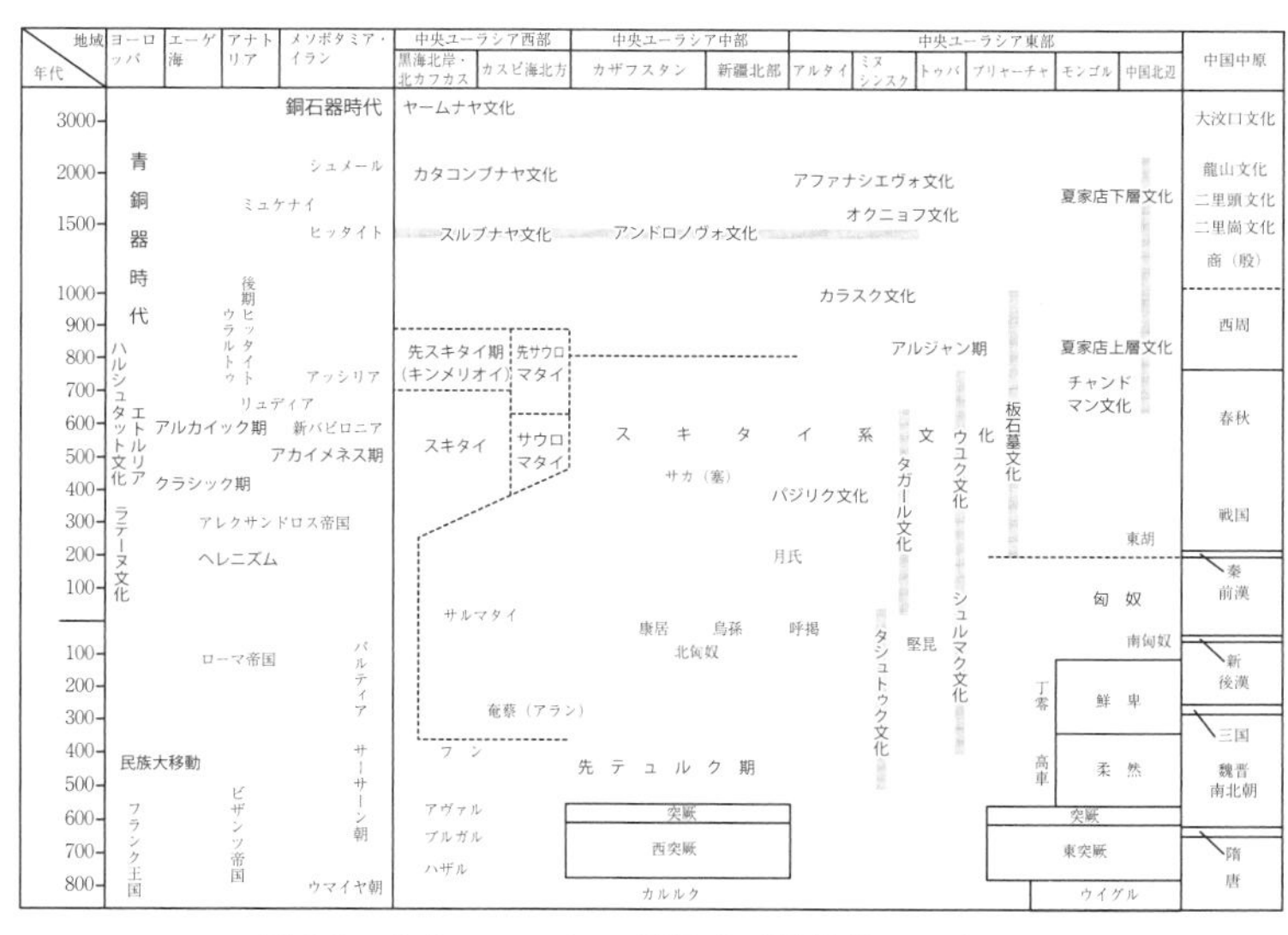

図 3-1　中央ユーラシア編年表（林俊雄 2017）

ちりである。国家は、state の翻訳漢語である。このような首長制の社会組織を国家と区別して「国（くに）」「国（イル）」「国（ウルス）」などと表現することにする。

農耕社会の首長の所在地には、下部血縁集団や他集団からの貢納による可動蓄積の集中とともに、政治センター、交易センター、軍事センターがあらわれ、都市的機能をもつ大規模聚落を形成する。遊牧社会においても定住農耕聚落や政治センターとしての大型拠点キャンプ（オルド）を構築することがあった。首長制社会は、部族制社会より階層化が顕著であり、広範囲の領域にわたり、他部族や他の首長制社会を統合するようになる。

モンゴル遊牧社会の首長制

遊牧社会の事例として、ひきつづき一一・一二世紀のモンゴルを参照することにしよう（ウラヂミルツォフ一九四一）。

初期モンゴルの人間集団ウルスは、アイルを基礎血縁集団として結集する部族制社会であったが、純粋に血縁的系譜のみで結合する部族ではなくなりつつあった。ユルト（天幕　小家族世帯）やアイルのなかに隷属民や大量の家畜群を所有するものがあり、ステップ「貴族」とでもいうべき少数の支配者氏族集団が存在した。オボクのあいだにも支配氏族集団を形成するものと支配氏族に隷属して奉仕する従属氏族集団との区別が存在し、オボク－イルゲンは貧富の階層性と少数の貴族的支配氏族集団をもつ複合的な社会統合組織となった。

複合的なこの社会組織の基盤のうえに、強力なオボクや富裕な支配者氏族集団は、いたるところで他のオボクや血縁を異にする集団を自己にひきつけ、古いオボクから分離してアイル集団を基礎とする新しい再編部族集団を形成しはじめた。

バアトル（勇士）、セチェン（賢者）、メルゲン（弓矢の名手）などのあだ名で呼ばれる傑出した人物がその統率者となり、あるいはその古いオボクで支配的な地位をしめるようになった。かれらは、ノヤン（主君）と呼ばれ、オボクの長老、血縁系譜上の長者とはべつに、あるいはあい並んで賢明なる者、勇敢なる者として権力をにぎる指導者・軍事首長となった。

ノヤンは、他集団から分離し結集してきたネケル（ノコル、友、同志）と呼ぶ従士をひきい、各種の小戦争をおこない、襲撃して良馬と「美しい娘」を略奪し、大規模にアイル集団を単位とする遊牧経済をおこなった。かれらの権力の正当性は、あだ名からも分かるように、アイル集団を基礎とする族制的系譜上に擬制された高位首長の位置にくわえて、軍事的才能にもとづくカリスマ（超絶能力）的支配にあった。かれらが編成する再編部族集団はアイマク（漢語　愛馬）と呼ばれた。

前三世紀以後、つぎつぎにモンゴル高原の覇者となった匈奴（前三世紀～後一世紀）、柔然（じゅうぜん）（五世紀はじめ

〜五五六）、東突厥可汗国（五五二〜六三〇、六八二〜七四四）、ウイグル可汗国（七四四〜八四〇）などが絶えず到達して、ついに突破しえなかった軍事首長制的社会統合のかたわらに遊牧国家を生みだす若い芽が息吹き始めていた（山田信夫一九八九）。

この段階のモンゴル社会は、血縁的系譜を異にする異姓の諸部族・首長たちとも軍事的連合関係や従属関係を構築してより大きい遊牧領域を統合する社会である。それは、氏族制・部族制社会に直接基礎を置く単純な首長制社会をこえて、より高度に発達した首長制社会である。この高度に発達し、国家へ移行していく傾向の強い首長制をどのように位置づけるか、これが問題になる。

そのまえに、定住農耕社会における首長制についてみておこう。

南アジア農耕社会の首長制

インド亜大陸では、後期ヴェーダ時代にはいると、前一〇〇〇年ころから鉄器が使用されるようになる。農耕が優位になり、オオムギにくわえてコムギとイネが主要穀物となり、またマメ類を栽培するようになった。

ここにいうイネは陸稲である。水田と異なり畑作は地力を消耗し、また乾地では土中水分の保持が困難になるので、連作はできない。一年作付け一年休閑の二圃式農業が主流になる。休閑地には主要家畜であるウシが放牧された。ウシは、ミルクを提供するとともに土壌をこなして地力の回復をたすけた。全年休閑して土中水分と地力を確保することは、今日の西アジアやインド全域でも広くおこなわれている（織田・末尾・応地一九六七）。

この時期になると、氏族制下の下位の基礎血縁集団であるヴィシュのなかにグリハパティ（家長）に統率される拡大家族によって家政経済を営むものがあらわれ、家族の耕す土地の所有権を主張するようになった。こうして下位の基礎血縁集団は解体にむかい、農業だけでなく、手工業や商業を営む家族があらわれた。かれらはヴィシュに由来するヴァイシャのヴァルナ（カースト）を形成していく。

これにあわせて、支配血縁集団である上位の基礎血縁集団ラージャニヤは、クシャトラ（権力、権威）に由来するクシャトリヤと呼ばれるようになる。司祭者とその家族は、祭儀によってクシャトリヤの権力強化と正当化をはかり、一方でクシャトリヤからのダーナ（施与）とダクシーナ（贈与）に依存するようになった。祭儀による権力正当化と贈与による富の配分との相互依存関係は、バラモン集団を形成していく。クシャトリヤとバラモンの両集団は、もちつもたれつの関係をつくり、定期的に貢納物を提供するようになったヴァイシャを支配した。

クシャトリヤ、バラモン、ヴァイシャの三集団は、貢納＝再分配と互酬性交換との連環のなかでアーリアを構成した。

ヴィシュがヴァイシャに変化し、氏族内の基礎血縁集団に変容が生じたころ、三集団に属さず、血縁組織をもたないシュードラの階層が顕在化するようになった。かれらは、征服された先住民であるといわれる。先住民とアーリア人との間には肌の色がことなったことから、色を意味するヴァルナを用いて階層を表現したといわれる。なお、血縁組織から離脱し、または排除された人びとを中心に、流動人口となった人びとも、シュードラにくみこまれていった。かれらは、グリハパティが営む家政経済の労働奉仕者、雇用労働者となったり、職人など下等視される職業に従事したりした。

アーリアの三集団とシュードラとの区別は、穢れの観念によって維持された。シュードラは、さまざまな祭儀・供儀から排除されることが多かった。こうして前一〇〇〇年紀後半には、クシャトリヤ、バラモン、ヴァイシャ、シュードラからなるヴァルナ制度がすがたをあらわしはじめた。今日にいたるインド社会のカースト構造の祖型が形成された。[1]

また四つのヴァルナの背景には、生前の行為(カルマ)によって身分が生得的に決定されるという独自の宗教観（業(ごう)・輪廻(りんね)思想）があった。この信仰は司祭であるバラモンにちなんでバラモン教と呼ばれる。四世紀のグプタ朝時代（三二〇ころ〜五五〇ころ）までには、各地の信仰や儀礼が吸収され、バラモン教と融合してヒンドゥー教が成立した。

ヴァルナ制度出現の対極の位置にあったのは、ラージャー（首長）の権力強化である。ラージャーは、もともとサミティなどと呼ぶいくつかの部族集会をつうじて選出された。このころにはすでに世襲制になっており、司祭者バラモンが執行する叙任式をつうじてその権力が正当化されるようになった。

ラージャーの周辺には、ラトニンと呼ぶ一二種の人びとが仕えるようになった。正妻、妾、寵愛を失った妻の三種以外は、経済的・政治的な役割を果たす人びとであった。とくにプローヒタは司祭者の長であり、首長の偉業をたたえ、権力の正当性を付与した。セーナーニーは軍事指揮官の役割をはたした。かれらラトニンは、萌芽的な官僚であり、王権をささえる非血縁集団が抬頭してきたことを意味する。

後期ヴェーダ時代の特徴は、領土に基礎を置く王権の出現である。戦争は略奪だけでなく、領土の獲得のためにもおこなわれた。大叙事詩『マハーバーラタ（偉大なバラタ族の物語）』が叙述するマハーバーラタ戦争は、カウラヴァ族とパーンダヴァ族とのあいだで戦われた領土獲得戦争であり、この時代を背景にしている。

インド中核地域の後期ヴェーダ時代の部族制においては、明確な円錐形クランを欠いている。ただ、氏族内部が上下の基礎血縁集団に分かれ、さらに司祭集団と氏族に含まれないシュードラ層等が存在して成層構造をもつところに特色がある。クシャトリヤ王権と萌芽的官僚制の存在を考慮するならば、リグ・ヴェーダ時代の部族社会、部族連合をこえて、高度に発達した首長制による社会統合の段階に到達していたと言えよう。

つぎのポストヴェーダ時代（前六〇〇年～前三〇〇年）には、ヴァイシャ、とくにシュードラ層のなかから小農民層が生まれ、貢納制にかわって農民からの徴税制（のちに六分の一税に展開）がおこなわれるようになる。それとともに血縁組織に代わってグラーマ（村落）を基盤とする王国が各地に成立する。人びとは、自分の属するジャナ（部族）よりも居住地であるジャナパダ（部族の領土）に強い帰属意識をいだくようになった。

こうして十六大国（マハージャナパダ）と呼ばれる諸国家の時代を迎えた。諸国の中からマガダ国が最有力となり、前六世紀のビンビサーラ王（在位前五四六？～前四九四？）の時代には王国は八万（膨大な数の意）の村落からなっていたと伝わる。血縁的系譜よりも、地域・村落の居住民に基礎を置き、居住地ごとに租税納入、徭役負担をはじめとする公的義務を果たさせる国家が形成された。

この時代には、中国の戦国時代同様、様ざまな思想が出現した。そのなかで、バラモンの特権に対するクシャトリヤの反発の中から、新宗教としてマハーヴィーラを開祖とするジャイナ教、ゴータマ・ブッダ（前五六六～前四八六ころ）を開祖とする仏教が興った。

東アジア　中国農耕社会の首長制

中国華北では、新石器時代の仰韶文化期（前五〇〇〇年紀～前四〇〇〇年紀半ば）から龍山文化期（前三〇〇〇年紀後半～前二〇〇〇年紀前半）にかけてアワ・キビ・ムギ・イネを主穀とし、ブタ・ウシ・ヒツジ・イヌ・ニワトリを家畜とする農耕社会が成立した。

仰韶文化時代の社会規模を示す聚落は数百人が生活する単独聚落であった。その末期から龍山文化期にかけて、一辺数百m規模の土壁をめぐらした中核聚落を中心に三層ないし四層に階層化した数十の聚落を統合する複合聚落群が華北各地で形成されるようになった。その典型事例である城子崖聚落群（山東省歴城県）には、全体で数万人の人びとが生活していたと推定されている。仰韶文化時代にくらべて、社会の規模は格段に大きくなった。

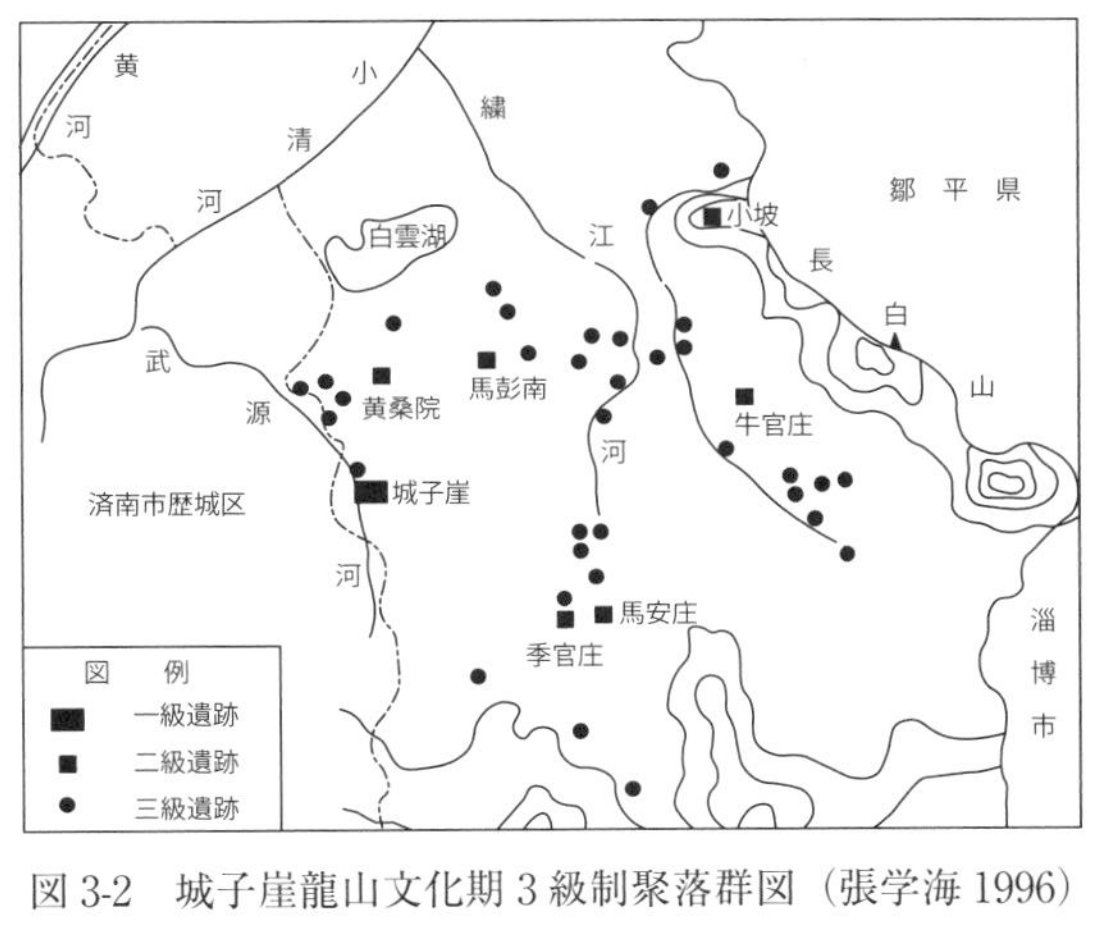

図 3-2　城子崖龍山文化期 3 級制聚落群図（張学海 1996）

この社会は、すでにピラミッド型の階層構成をもっていた。山西省西南部にある龍山文化期の陶寺聚落遺跡から発掘された一三〇〇余例の墓葬をその規模と副葬品の組み合わせによって分析したところ、棺のなかに埋葬され、副葬品の数が一〇〇から二〇〇におよぶ大型墓が構成比約一・三％、棺に埋葬され、副葬品の数が一〇前後の中型墓が構成比約一一％、無棺で副葬品のない小型墓が約八七％という結果がでた。

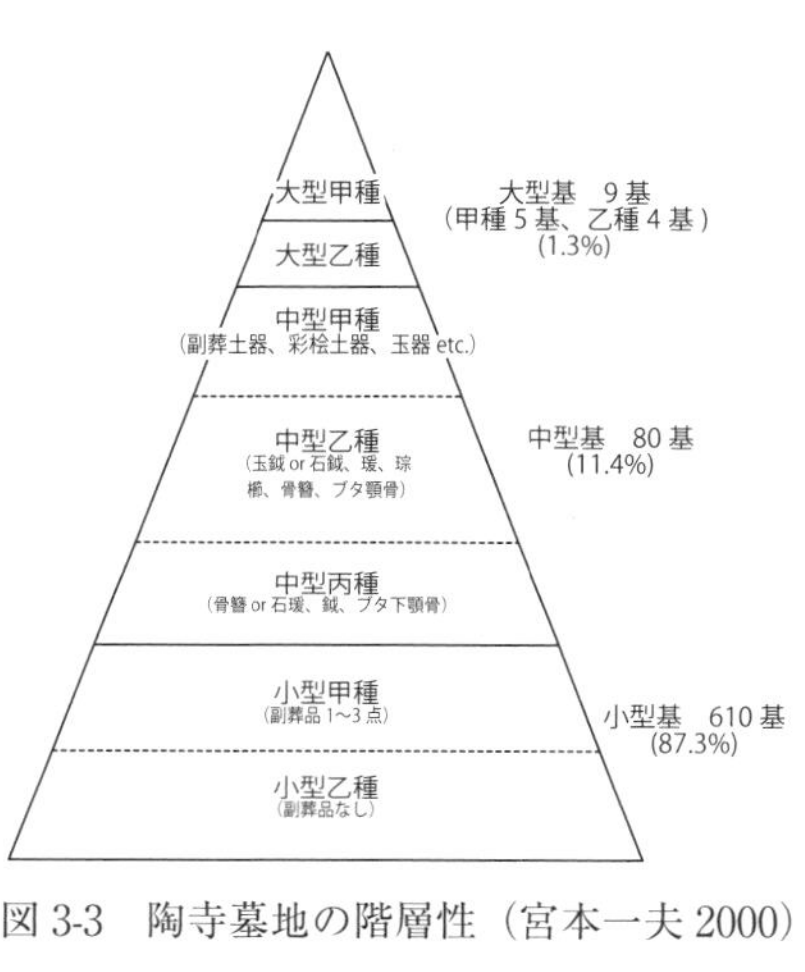

図 3-3　陶寺墓地の階層性（宮本一夫 2000）

このような社会のピラミッド型階層化と聚落群の階層構成、および人口規模を考慮すれば、龍山文化期は首長制の社会統合段階にあったといえる。

つづく二里頭文化期（前一八〇〇年代後期〜前一五〇〇年代後期）には、複合聚落群のあいだにも中心聚落群と周辺聚落群との階層化がおこり、さらに二里頭遺跡（河南省二里頭）のような宮殿遺跡をともなう超大型聚落が出現する。複合聚落社会から一等ぬけでた巨大聚落に注目して王権の存在を推定し、二里頭文化を司馬遷の『史記』夏本紀が中国最初の王朝であると伝える夏王朝だと考える研究者がふえている。

二里頭文化につづき、前一六〇〇年ころに殷王朝がはじまる。殷王朝は、河南省鄭州の二里崗遺跡を典型とする二里崗文化期の前半期と前一三〇〇年ころから前一〇六四年ころにいたる殷墟（河南省安陽県小屯）時代の後半期とにわけられる。殷墟からは巨大な王墓群、宗廟・宮殿遺跡、手工業遺跡、ならびに大量の甲骨文字が発見された。

甲骨文字は、亀の甲羅や牛の肩甲骨などにきざまれた最初期の漢字であり、おおくは一年周期にわたる祖先祭祀や王がおこなう狩猟（軍事訓練）の成否、天候や稔りの豊凶を占い、またその結果を刻記している。そこに登場する三〇名の王名が、司馬遷『史記』殷本紀に記載する殷の王統譜とほぼ一致するため殷王朝の実在が確実になった。

甲骨文が記す王の狩猟・巡行範囲を調べたところ、中心聚落である大邑商の直接支配地域は、一両日で往復できる半径二〇キロ前後の範囲であり、そのなかにいくつかの中級聚落とそのもとにある多くの下級聚落があり、三階層制の聚落群であることがわかった。殷代においても基層聚落群は龍山文化期の聚落形態を継承したことがわかる。

殷の文化範囲は、北は今日の北京、西は山西省中部から陝西省東部まで、南は長江中流域北岸にまでたっした。殷の勢力拡大は、殷後期になって導入された戦車軍団の活動による。殷は勢力範囲にある諸集団からの貢納（古典漢語では貢献）によって従属関係を確認した。

西周時代の封建制

殷は、前一〇六四年ころ、周を中心とする諸部族の連合軍に攻撃され、滅亡した。陝西省宝鶏県一帯にあった周原を本拠地とする周（前一〇六四ころ～前七七〇）は、あらたに封建制度を作り、各地に諸侯を派遣して各地の諸血縁集団を統合した。

封建制は、周王が侯となる人物（首長）に身分序列を表示する青銅製礼器・武器とともに封土・族集団を再分配し、みかえりに貢献物の貢納や祭祀・戦争の助成をわりあてて、各地に派遣するもので、中心となる周王のもとに複数の下位首長・族集団を階層制的序列に組み込んで統合する政治秩序である。

文献の事例では、西周初におこなわれた魯国（山東省曲阜県）の封建がある。『春秋左氏伝』（定公四年）は、周王が魯公伯禽に礼器、封土とともに条氏・徐氏・蕭氏・索氏・長勺氏・尾勺氏の殷民六族を分配したことを伝える。その族集団は、首長である宗子、宗子と明確な系譜関係にある分族（姓）、系譜が不明の族員（類醜）からなる氏族である。

封建制は、最高首長たる周王のもとに貢献制・再分配と身分序列にもとづいて、征服された異姓の首長層を含む下位首長層を重層的に統合する政治秩序である。封建制は、高度に統合された首長制社会である。

春秋戦国時代

周原と西安市付近の宗周に本拠をおいていた周は、西北方面の異民族に追われ、前七七〇年、洛陽市付近の成周に本拠地を遷した。本拠地の位置によって、これ以前を西周、以後を東周と呼ぶ。東周は、前五世紀半ばまでの春秋時代と秦が天下統一を達成する前二二一年までの戦国時代とに区分する。

春秋時代は、最高首長たる周王の権威がゆらぎながらも存続した。戦国時代は、七つの大国をはじめ各諸侯国が王号を唱えるようになり、周王が一諸侯になりさがって、はげしい戦争状態がつづいた。

その中で新たな秩序形成を説く様ざまな思想家が出現し、血縁に基礎をもたない学団をつくって各国を巡った（諸子百家）。孔子（孔丘、前五五一～前四七九）が創った儒学の集団もその一つで、前三世紀末には八つの学派があった。

前五世紀にはいると、社会の基底部に五人程度の小家族が三・五ヘクタール程度の耕地を一年一作方式によって経営する小農層がひろがってきた（『漢書』食貨志）。前四世紀半ば、儒家の孟子は、一〇〇畝（約三・五ヘクタール）の耕地を夫が耕し、五畝（約七アール）の宅地に桑を植え、養蚕して絹を織り、五羽の雌鶏と二匹の雌豚を飼育すれば、老人をかかえる八人家族でも維持できると述べている（『孟子』尽心篇上）。

戦国から前漢期にかけて、小家族に一、二名の奴婢をくわえた小農経営がもっとも安定した経営であった。前漢期（前二〇六～後八）に「中産」とよばれたこの小家族経営の広汎な存在を前提に小農社会が形成された。

小農社会の形成を基礎にして、戦国各国では、前四世紀中葉の秦の商鞅による改革を典型に、戸籍によって居住地ごとに小農家族を把握し、租税と徭役・兵役を徴収する県制を構築した。血縁的系譜とは異なる居住地にもとづいて社会が統合されるようになった。戦国時代の恒常的戦争状態の中で、征服地や周辺領域に郡制がしかれるようになり、県を統括する郡県制が確立した。

この郡県制による政治社会が中国における国家の形成であり、前二二一年、秦の始皇帝による天下統一はその完成である。

話が遊牧民の首長制社会からすすんで、一部南アジアと中国の国家形成にまで及んでしまった。次序を少しもとにもどそう。つぎなる展開は、高度に発達した首長制の段階である。

二、国家の形成

高度に発達した首長制社会とは――「初期文明」論の再解釈

高度に発達した首長制社会は、移住と定住、ときに戦争をふくめた相互交通を繰り返してさまざまな相互作用圏をうみだし、共通の文字、書写言語、風俗習慣、地域文化、宗教をはぐくみ、連合体を形成しながらまとまりのある独自の社会形態をつくりだした。そのうち、第一章で区分した地域世界をうみだす原基となった独自の社会を、初期文明と呼ぶことにする。

文明の定義は、一冊の本ができるほど、様ざまである。そこで、本巻の展開に対応するトリッガー（二〇〇一）の「初期文明」を参照することにしよう。

トリッガーの初期文明は、「ひとつの特色ある社会形態」である。それは、「農業の剰余をうみ、管理することに基盤を置き」、「王および少数の支配階級が下位の階級から搾取する搾取関係にもとづ」く、「もっとも古いかたちの階級社会」を意味する。その定義は初期国家論に近い。

トリッガーのあげる九つの初期文明には、インダス文明、殷周文明、マヤ文明など、あきらかに階級社会、国家にまで到達していない文明を含んでいる。しかしそれら文明は、のちに第一章で提起した地域世界をうみだす出発点となった社会である。階級社会であることよりも、地域世界の中核となり、その出発点となった社会の統合形態であるところに初期文明の意味を見いだしたい。

トリッガーの事例をふまえて再定義すれば、初期文明とは、国家による社会の政治的統合を志向する高度に発達した首長制社会であり、地域世界の出発点として、過渡期の性格をもつ政治社会である。それは、つぎにあげる一〇の初期文明である。

一〇の初期文明

トリッガーは、初期文明として、九つの文明を数える（図2-2　五九頁参照）。

①西アジア世界のメソポタミア文明（前二六〇〇年～前一五九五）

②地中海世界の古代エジプト文明（前二六五〇～前一五五二ころ）

③南アジア世界のインダス・パラッパー文明（前二六〇〇～前一八〇〇）

④東アジア世界の殷・周文明（黄河文明　前一三〇〇ころ～前五五〇ころ）
⑤メソアメリカ世界のアステカ文明（一四世紀半ば～一五二一）
⑥同じくマヤ文明（紀元二〇〇ころ～一五二四）
⑦南アメリカ世界のインカ文明（一三〇〇ころ～一五三二）
⑧西アフリカのニジェール川河口部のヨルバ文明（一三～一八世紀ころ）
⑨東南アジア境界領域のクメール文明[2]

トリッガーは、いわゆる四大文明に南北アメリカ、西アフリカ、東南アジアの五文明をくわえる。これらは農耕社会の初期文明である。

⑩古代テュルク文明

ぼくは、ユーラシア中央世界における遊牧社会の初期文明として、六世紀中葉にモンゴル高原で建国した東突厥可汗国（第一可汗国：五五二～六三〇、第二可汗国：六八二～七四四）、およびそれを継承したウイグル可汗国（七四四～八四〇）を古代テュルク文明とする。遊牧社会の初期文明を区別しなければ、ユーラシア中央世界を世界史上に位置づけることはできない。

突厥第二可汗国は、モンゴル高原の遊牧民のなかではじめて、ソグド文字を経由して「テュルクルーン体文字（突厥文字）」をつくった。かれらは、七世紀末から八世紀半ばにかけて、突厥文字を用いて数多くの碑文をのこし、自らの歴史や功績を書きしるした。

ウイグル可汗国は、遊牧社会としてはじめて首都オルドゥバリク（宮殿の町）はじめ城郭都市をいくつか建造し、国内の九部族と別部二部族を一一の行政区画に編成し、それぞれに長としてトゥトゥク（都督）をおいた。また中央にはカガンのもとに外宰相・内宰相ほか将軍・司馬などの初期的政府組織があり、ウイグル人以外からも任用された。ウイグル可汗国には支配氏族集団と従属氏族集団との区別がなくなっていた（山田信夫一九八九）。ここには氏族制に基礎をおきながら、首長制をこえていく社会統合が準備されている。

また農耕社会と分離した遊牧社会は、社会的な可動蓄積の機会にとぼしく、高度な首長制段階である初期文明に到達しても、血縁系譜関係にもとづく分節的な部族制社会のありかたを解消できず、ほぼ規則的に分裂と集合をくりかえし、部族社会と初期文明との間を往還しながら拡張していくことがおおい。遊牧社会の国家への移行を考えるには、ウイグル可汗国のような初期文明の歴史的段階を区別する必要がある。

初期文明から国家へ

初期文明は、その形成過程で、遠隔地交易商人、専業化した金属器・漆器・陶器生産など、さらに多様な生産様式・生活様式を生みだし、これらの人びとが集住する大規模聚落・都市を形成し、社会の階層化と複雑化および広領域化を進める。

階層化し複雑化した大規模社会は、社会を維持するための公共業務を生みだし、この公共業務を担う一定の社会集団を血縁的結合のそとに、あるいは血縁的支配集団の解体のうえに形成する。

公共業務には、個個の小家族世帯・小経営、あれこれの社会集団をこえて広域的に整備すべき道路・通信網、水利灌漑施設、人間の大規模集住にともなう疫病・衛生管理、上水・下水排水施設の整備、他集団との戦争がある。またそれらの施設を建造したり、業務を遂行したりするための組織的計画的な労働、兵員の調達・編成などがある。社会の大規模化と公共業務を担う集団とはたがいに原因となり結果となって大きくなり、この集団はやがて社会のうえに立つようになる。

その基盤の上に、包摂範囲のせまい血縁的系譜関係よりも、より広い結集を可能にする地域的結合を中心に、階級をふくめた諸社会集団の利害関係を調整し社会統合を実現するのが国家である。この意味で初期文明は、国家の形成を準備する高度に発達した血縁的系譜社会といってよい。

高度に発達した首長制的社会統合から国家形成にいたるには、定住農耕社会と遊牧社会とでは異なるかたちをとった。定住農耕社会における国家は、対外的な交通関係との相互作用のなかで、主として首長制社会内部から自生的に国家を形成することが多い。トリッガーの初期文明のすべてが農耕社会であったことを指摘しておこう。可動蓄積がその基盤であることはいうまでもない。

南アジア・東アジアの国家形成については、すでに概観した。ここで見ておくべきは、トリッガーが対象外に置いた草原の遊牧社会、森林の農耕狩猟民の国家形成である。

遊牧民・農耕狩猟民の国家形成――第一類型（鮮卑族の国家形成）

遊牧民・農耕狩猟民の国家形成には、二つの類型がある。第一は、進んだ国家的統合の経験や大量の可動蓄積をもつ定住農耕社会に移住したり、征服したりしたのち、部族制・首長制を再編・解体し、軍制上の優位性を国制上に融合して国家形成にすすむ類型である。これには世界史上多くの事例がある。

第二は、草原や森林の本拠地に部族制・首長制をのこしながら農耕社会と有機的な相互作用圏を構築して国家を形成する類型である。

ここではまず、第一類型の典型として、高度に発達した首長制―初期文明から国家形成に進んだ鮮卑拓跋（せんぴたくばつ）

部を参照することにしよう。

歴代中国の観察者は、匈奴・鮮卑・突厥など、ユーラシア草原地帯にひろがる諸種族のゆるやかな統合体を種とよび、種を構成する部族を部・部落とよび、部を構成する氏族を姓あるいは氏とよび、姓・氏を構成するテント（小家族世帯）を帳とよんだ。

匈奴種・鮮卑種・突厥種・鉄勒種など遊牧民の社会は、すでに述べたように氏族制・部族制を直接の基礎とする。鮮卑種には、拓跋部・慕容部・段部・尉遅部・叱干部などの諸部があり、それぞれ独立した部族を編成し、その部族長を漢語では部帥・帥・渠長・大人、姓・氏の長を帥・大人などと呼んだ。

鮮卑種は、もと烏丸種とともに東胡とよばれた。漢初前三世紀末に、匈奴の冒頓単于に敗れ、余衆は遼東長城外の遼河・シラムレン川一帯（アルタイ諸語の原故郷にしてアワ・キビ栽培の起源地）に本拠を置き、他部族と交通せず長く逼塞していた。一世紀半ばに匈奴が南北に分裂して衰退すると、その間隙をぬって勃興し、二世紀半ばに檀石槐という首長が出た。かれは弾汗山・啜仇水（山西省陽高県北）に本拠をおき、近接する漠南の南モンゴルはもとより、ゴビ砂漠をこえた漠北のモンゴル高原をふくめて匈奴の旧領域を統合した。こうして匈奴の余種一四万落も鮮卑と称するようになった。

檀石槐死後、鮮卑種は分裂状態となり、各部大人は世襲制をとるようになり、一部は漢帝国に内屬した。この状況のなかから出てきたのが拓跋部である。拓跋部は、もと大興安嶺山脈の北、モンゴル高原東北部に拠点を置き、鮮卑種のなかではもっとも北に位置した。本来は匈奴種であったと思われる。蕭子顕撰『南斉書』魏虜伝は、端的に匈奴種であると記述する。

しだいに南下してゴビ砂漠をこえ、始祖拓跋力微（首長在位二二〇？～二七七）の時代に南モンゴルに到達した。この時期の拓跋部は、始祖拓跋力微の兄弟ならびに子孫から分かれた拓跋氏・長孫氏・達奚氏・叔孫氏など、始祖からの血縁系譜を同じくする十姓（氏族）で構成する部族制社会であった。

この拓跋部十姓を中核に支配氏族集団を編成し、さらに拓跋力微の時代に他の諸部からくわわり、内入諸姓とよばれた是連氏、僕闌氏、若干氏など六八姓（氏族）を従属氏族群とする部族連合体を編成した。連合体の周辺には、鮮卑種慕容部、匈奴種宇文部など、自立していて貢納関係だけでむすばれた四方諸部三五姓があった。

力微は、二六〇年、盛楽城（内モンゴルホリンゴル県）に拠点を置き、重要な政治センター（宿営地）のひとつとした。拓跋力微の時代に、拓跋部十姓・内入諸姓六八姓は、軍事首長制による高度に発達した社会統合を実現していたとみてよい。

始祖力微の孫、猗盧（首長在位三〇四～三一六）は、三部に分かれていた拓跋部を再統合し、長城線をこえて并州（中国山西省北部）に進出し、支配領域を平城（山西省大同市）一帯にまで広げ、盛楽城を北都、平城を南都とした。それはなお、夏営地と冬営地を往還する遊牧社会を反映している。

猗盧は、三一〇年、西晋（二六五～三一六）の皇帝から大単于・代公、三一五年には代王に封建され、農耕地帯の代郡（河北省蔚県東北）・常山郡（河北省正定県南）を領地とした。

猗盧の族孫什翼犍（三二〇～三七六）が代王位に即くころには、遊牧民由来の諸官とともに晋朝の官司を導入し、官制が整いはじめた。この時期には、まだ独自の文字をもたなかったが、漢語による文書行政ははじまっていたと考えてよい。猗盧以後の代国は、中原国家との相互作用圏を構築して、初期文明段階にあったといえる。

拓跋部の国家形成は目前にあったが、三七六年、長安に拠る前秦（三五〇～三九四）の苻堅（在位三五七～三八五）によって滅ぼされ、併合された。

什翼犍の孫拓跋珪（たくばつけい）（道武帝、在位三八六～四〇八）は、余衆を再結集して前秦から自立し、三八六年、皇帝を称し、北魏（三八六～五三四）を建国した。

道武帝は、鮮卑族をはじめ、従属してきた諸種族の血縁組織を解体し（部族解散）、首都平城を中心に、八部（八国）からなる首都圏畿内の領域編成をおこない、首領である八部大人のもとに、漢人を含む支配者集団を組織した。道武帝は、かれらをあらたに代人（だいひと）・国人（こくじん）とよんで、定住農耕民の庶民百姓とは別の戸籍に編成した。代人集団は、北魏軍の中核を構成し、戦時には四方に派遣された。道武帝は、西晋以来の州（郡）県制（定住農耕地帯）のうえに、戦士を供出する八部制の政治共同体を重層して全国土を統治したのである。

代人支配者集団による皇帝直属軍の編成は、大きな成果を収め、第三代太武帝拓跋燾（たくばつとう）（在位四二四～四五二）の統治期に華北統一を果たした。

こののち、孝文帝（在位四七一～四九九）のころまでには支配者集団そのものも解体した。最後の段階は、孝文帝による「姓族分定」の実施である。孝文帝は、胡族・漢族ともに血縁集団ではなく家（世帯）を単位としてその家格を序列化した。さらに漢・魏時代の古典国制を参照して官僚制による国家機構ならびに地方州県体制を構築し、隋唐時代につながる給田制、戸調制、兵役・力役制度を立ちあげた。

北魏のほか、第一類型には、アルサケス朝ペルシア（パルティア、中国名安息国　前二四七～後二二四）がある。パルティアは、中央アジアからイラン東北部に南下し、ヘレニズム国家セレウコス朝（前三〇五～前六三）をイランから駆逐し、イランに存在する七つの大諸侯のうえに「諸王の中の王」として君臨し、アケメネス朝ペルシアの国制を再建した。

さらに、アラブのウマイア朝（六六一〜七五〇）からアッバース朝（七四九〜一二五八）にいたるイスラーム帝国、草原西部に発祥して、西トルキスタン、イラン、小アジアで建国したオグズ系セルジューク朝、オスマン朝の事例がある。それらは、イスラーム国制の形成と関係するので、のちに詳述しよう。

遊牧民・農耕狩猟民の国家形成――第二類型

第二類型に移ろう。遊牧民・農耕狩猟民のもうひとつの国家形成は、草原や森林の本拠地に部族制・首長制をのこしながら農耕社会と有機的な相互作用圏を構築して国家を形成する事例である。森安孝夫（二〇〇七）は、この類型を中央ユーラシア型国家と呼ぶ。

この類型には、燕雲十六州を支配したモンゴル系のキタイ（契丹、遼朝　九〇七〜一一二五）、マンチュリアから中国の華北全域を支配したツングース系ジュルチン（金朝　一一一五〜一二三四）、それらの歴史的経験をふまえて空前絶後の大世界帝国を形成した大モンゴル・ウルス（元朝　一二〇六〜一三六八）、およびマンチュリアから中国にはいり、東トルキスタン、モンゴル高原、チベットを含む大帝国を構築したダイチングルン（清朝　一六四四〜一九一二）の事例がある。

これら遊牧民・農耕狩猟民社会と農耕社会の相互作用圏形成による国家の形成のうち、遼・金・清は、北東アジアの境界領域に出自し、独自の遊牧社会、あるいは農耕狩猟社会を維持しながら、秦漢帝国に由来する州県制統治機構によって農耕社会を支配した。遼・金・元については後述する。

人類史上の社会統合形態とその次序

国家を形成するかしないかは、生態環境・生業の特質に左右されるので、国家は、一面では政治社会の類型を表示するに過ぎない、といえる。ただ、租税制度や財政的な物流を組織して、社会的な蓄積とその広域的再分配を可能にする農業社会のほうが広領域にわたる人間集団を統合し、国家を形成することが多い。また商業的農業段階にたっした農耕社会は、小農経営内部に市場関係をはいりこませることにより、社会の内部に市場を埋めこむことを容易にし、つぎの資本主義社会への移行を可能にした。

歴史的次序・地域的具体を度外視し、その論理的次元にのみ着目して整理すれば、人類の社会は、バンド社会、氏族・部族制社会、首長制社会、高度に発達した首長制社会＝初期文明、国家の段階を踏んで社会の規模を拡大してきたといえる（サーヴィス一九七九、足立啓二一九九八）。

第二章・第三章では、時間の遷移にとらわれず、世界のなかの人間集団・社会の空間的展開と社会統合の次序を考えてきた。第四章以下では、時間の遷移に即して、紀元前後交代期から一六世紀にいたるまでのアジアのうごきを観察することにしよう。

時間の遷移を対象にするとき、時期区分をどのようにするかが問題になる。すこし観察してみると、さまざまな歴史世界にも一体化の範囲を異にしながら、一体化の時期と分立化の時期とが交互にあらわれる。本巻では、一体と分立、統合と分裂の相互作用を指標にして、あらわれかたに特徴のあるいくつかの世紀をとりだして時期区分のめやすとする。章をあらためよう。

〈注記〉

1、一五世紀にインドに来航したポルトガル人は、四つのヴァルナに収斂するインド社会の世襲諸身分（ジャーティ　生まれを意味する）をカスタ（家柄、血筋）と呼んだ。ここからヴァルナ・ジャーティ制をカースト、カースト制と呼ぶようになった（内藤雅雄・中村平治編二〇〇六）。

2、トリッガーは、東南アジアのクメール文明を数える。ただ、まとまった説明がないので、どのような意味で初期文明としてあげられているのか明らかではない。時期的には、三世紀以後、現在のベトナム南部・カンボジア・タイにまたがって国を築いた扶南・真臘が考えられる。ただ初期文明としては、真臘を継承して、アンコールワット、アンコールトムを建造したアンコール帝国（八〇二～一四二一）をふくめて考えるほうがよいだろう。

第四章

地域世界と相互作用圏

世界各地に出現した初期文明は、相互にはたらきかけながら地域世界をつくりあげていった。紀元前後の時期を俯瞰しよう。西から地中海世界にローマ帝国、西アジア世界にアルケサス朝ペルシア（安息）、ユーラシア中央世界南部から南アジア世界西北部にかけてクシャーナ朝、東アジア世界に漢帝国、ユーラシア中央世界東部に匈奴遊牧社会が並立する状態が眼にはいる。

三世紀にはいると、これら諸世界は内部諸勢力の自立化とそれにともなう分裂をひきおこし、諸種族・居住民の移動が世界的規模で生じた。分裂はしだいに収束にむかい、六世紀中葉に、突厥帝国（イル）がユーラシア中央世界全域を統合すると、その影響下に東アジア世界では、六世紀末に隋唐帝国が天下世界を再統一した。西アジア世界では、七世紀前葉に、アラビア半島からイスラーム勢力が抬頭し、西アジア世界を中心に、地中海世界の南半分からユーラシア中央世界の西トルキスタンにいたるまでの世界帝国をつくりあげた。

本章では、諸地域世界が相互的な交通関係をむすび、様ざまの相互作用圏をつくりはじめた一世紀の時代から、八世紀中葉にイスラーム帝国が出現し、その影響でヨーロッパ世界が胎動しはじめ、世界の構造がおおきく変化するまでの時代を観察する。

一、長い一世紀——古典的な相互作用圏の形成

世界の一体化は、紀元前後交代期に萌芽する。この時期に陸域・海域ともに東方・西方から遠隔地交易を中心に相互に往還する交通関係が形成されはじめる。また東方・西方世界のなかの各地域世界が相互作用圏を形成して、地域世界間の構造化がすすむ。その具体的様相をみることにしよう。

陸域・海域の相互往還構造

陸域についてみれば、西方では前五世紀には黒海周辺にギリシア植民都市が展開し、スキタイ商人、ギリシア商人が商業活動をおこなっていた。ヘロドトスは、かれらから伝聞したステップルートによって東方内陸ルートの存在をしるし、タナイス（ドン）川河口から東部天山一帯のイッセドネス人（烏孫？）までを既知の世界とし、タナイス川以東にアジアを発見した（ヘロドトス『歴史』巻四、図1-5）。

東方では、前二世紀に漢の張騫（ちょうけん）がオアシスルートの踏査によって、大宛（フェルガーナ）・大夏（バクトリア）に到達し、中国＝天下世界のそとに西域世界を発見した。かれは、さらに蜀（四川）から身毒（インド）にいたるルートの探索をすすめた（『史記』大宛列伝）。東方と西方との直接のであいは記録にのこされていない。しかし、その往還がすでに手のとどく範囲にあったことは、確実である。

海域についてみれば、東方からは前一世紀後葉に番禺（ばんぐう）（現中国広東省広州市）から南インド東岸の黄支国（カーンチー　現在のコンジーヴェラム）へ、すでに航路がつうじ、前二世紀中葉の漢の武帝以来、政治的交通（朝貢）がひらけていたという（『漢書』地理志、第一章参照）。

西方に眼を転じれば、一世紀の『エリュトラー海案内記』は、紅海からインド洋にいたる航路がひらけ、ローマ・インド双方向の遠隔地交易がおこなわれたことをしるしている。インド西海岸のバリュガザ（ブローチ）やソパーラ、東岸のタームラリプティやアリカメドゥなどの海港があり、バリュガザがもっとも繁栄した。

陸域・海域ともに、紀元前後交代期には、東方と西方との相互往還構造ができあがっていた。一六六年に大秦王安敦（マルクス・アウレリウス・アントニヌス　在位一六一～一八〇）が使者を派遣して象牙・犀角・玳（たい）

瑁(まい)を貢献し、後漢の桓帝劉志（在位一四六～一六七）に交通をつうじたのは偶然ではない。

東方世界の相互作用圏——漢と匈奴

前三世紀から紀元前後にかけて、東方世界では漢帝国と匈奴遊牧社会とが交通関係を展開し、ひとつの相互作用圏をつくっていた。

漢の古典国制　東アジア世界の中核国家である漢は、紀元二年の統計によれば、天下（全国土）に国家登録戸数一二二三万三〇六二、口数五九五九万四九七八人をかぞえる定住農耕社会であった。漢は、地方に一三一四の県を設置し、これを一〇三の郡国に統括させて、県の戸籍に五人程度の小家族世帯を登録する編戸百姓(ひゃくせい)一二〇〇万戸を支配した（『漢書』地理志）。

百姓は、租税と軍役・徭役を負担した。軍役・徭役は成年男子による輪番制で、軍役には通常各郡国の兵士、首都長安に上番する禁軍兵士、あわせて約八〇万人の兵士が勤務した。徭役は、中央や地方辺境への租税・財物の輸送労働が中心で、そのほか中央・地方の官府での吏役や作事労働など多様な労働に従事した。

漢は、武帝劉徹（在位前一四一～前八七）の統治期から、戦国期以来の刑律を中核とする法制による支配にくわえて、儒学の礼制による統治の正当化をはかった。それは、天からの委任をうけた天子が礼制祭儀をつうじて天下世界の生民・百姓を支配するという言説を内容とする。儒家礼制は、掃除・食事作法などの日常生活規範から、居住地聚落や親族の秩序、さらには国家秩序を具現する王朝儀礼・国家祭儀にいたるまで、社会生活全般を秩序化する内容を含んでいる。

後漢初期の一世紀中葉には、この法制と礼制とにもとづいて、皇帝＝天子と十数万人の官吏が一二〇〇万戸の百姓を統治するための国家の諸装置を整備した。それは、天下を領有することを示す国号（王朝名）の制定、洛陽を首都とする畿内（首都圏）制度、三公・尚書体制を基軸とする官僚制、郊祀・宗廟・元会儀礼を中心とする国家諸祭祀・諸儀礼の体系的整備である。後漢明帝劉荘（在位五七〜七五）の永平二年・三年（後六〇）に確立した礼楽制度は、その完成形態である。それは、つづく魏晋時代の国制にも継承され、「漢魏の故事」とよばれ、歴代中国王朝がたえずふりかえって参照する制度的基盤となった。ぼくは、これを中国の古典国制[1]と呼んでいる（渡辺二〇一九）。

匈奴の古典軍制　ユーラシア中央世界東部の匈奴は、父頭曼単于（テュメンは万人長の意）をついで第二代単于となった冒頓単于（在位前二〇九〜前一七四）の時代に大発展した。かれは、東の東胡種諸族、西の月氏族などを打ち、ゴビ砂漠の北側のモンゴル高原を中心に漠南の南モンゴルからオルドス地域にいたるまでの草原世界を統合し、河西回廊から天山山脈の南側のタリム盆地に展開するオアシス諸都市を支配下に置いた。

冒頓単于は、三〇万騎の騎馬兵をひきいた。騎士は、通常一テント五人程度の小家族世帯からひとりずつ出る。匈奴の人口は、一五〇万人前後とみてよい。漢の使者として匈奴にはいり、のちに匈奴の参謀となった中行説は、匈奴の人口を漢の一郡にも相当しないと説いている。二〇〇万人をこす大郡もあるが、漢の一郡の平均人口は六〇万人（六〇〇〇万人÷一〇〇郡）である。中行説の推定はかなり厳しくみつもった数値である。

遊牧社会は、すでにみたように部族制が軍制・行政と一体化している。匈奴は、単于をだす支配氏族攣鞮氏のもとに支配下諸部族を東方左翼、中央単于、西方右翼の三部三方面軍に分けた。さらに東西二方面に左・右賢王、左・右谷蠡王、中央に左・右骨都侯を置いて六軍管区とし、各軍管区に王・侯および大将、大都尉、

（東方）	左翼	左賢王（太子）	—	大将・大都尉・大当戸（4名）	—	千長・百長・十長等
		左谷蠡王	——	大将・大都尉・大当戸（4名）	—	千長・百長・十長等
（中央）	単于	左骨都候	——	大将・大都尉・大当戸（4名）	—	千長・百長・十長等
		右骨都候	——	大将・大都尉・大当戸（4名）	—	千長・百長・十長等
（西方）	右翼	右賢王	——	大将・大都尉・大当戸（4名）	—	千長・百長・十長等
		右谷蠡王	——	大将・大都尉・大当戸（4名）	—	千長・百長・十長等
				総計24名（各軍「万騎」計24長）		

表4-1　匈奴の軍事編成（山田信夫1986に加筆）

大当戸の諸大臣（軍将）を置いて、総計二四長・二四軍の編成をとった（表4－1参照）。

一般に草原世界の遊牧民の軍事編成にはつぎの四つの基本原則がある（杉山正明二〇〇四）。①それぞれの部族を一つの単位として構成し、②左翼・右翼・中軍の体制をとって、両翼の各部族の位置がきまっていること。③モンゴル軍の十戸・百戸・千戸のように十進法的な軍事組織をとり、④モンゴルのケシクを典型とするような首長（単于、可汗等）の親衛隊をもつことである。

④親衛隊については確実なことは言えないが、匈奴の、この中央・左翼・右翼三部、二四長（万騎）による部族軍制は、チンギス・カンの大モンゴル・ウルスをへて、これ以後一六世紀のサファヴィー朝建国にいたるまで、遊牧社会における古典軍制となった。

漢と匈奴の相互作用圏　前二世紀から紀元前後交代期にかけて、東アジア世界の定住農耕社会と草原世界の遊牧社会とがともにのちの各社会が規範とするような古典国制・古典軍制をつくりあげ、さまざまな交通関係をつうじて相互作用圏を形成した。

遊牧社会は、牧畜・狩猟だけでも再生産可能である。ただ安定的な社会の再生産をおこなうためには、食糧を外部に依存しなければならない。これが両世界の交通関係の基盤である。この交通関係は、①領域内の農耕可能地に外部農耕社会から農民を移住させて食糧を生産させるか、②境界において互市（胡市）場を設けて交易するか、③定住農耕地を支配下において食糧・財物を貢納させるか、④略奪・戦争によって食糧・財物を確保することをつうじて展開した。そのうちもっとも大きい政治的交通は戦争・略奪である。

匈奴と漢が最初にぶつかったのは、漢朝成立後まもない前二〇〇年である。高祖劉邦（在位前二〇六～前一九五）は、歩兵三二万人をひきい、平城（へいじょう）（現中国山西省大同市）西北にある白登山（はくとうざん）まで親征した。しかし、三〇万余騎の精鋭をひきいる冒頓単于に大敗を喫し、屈辱的な盟約をむすんだ。これ以後、漢と匈奴は、和平・戦争をはさんで四回にわたる盟約をむすんでいる。

前二〇〇年の第一回盟約は、冒頓単于とのあいだでむすばれた。その内容は、敵国（対等国）として兄弟関係になぞらえること、長城を国境線とし、長城以北は匈奴の、以南は漢の支配領域とすること、漢から毎年匈奴に穀物・金・帛・絹織物等を貢納することであった。

第二回盟約は、前一六二年、文帝劉恒（在位前一八〇～前一五七）と老上単于（在位前一七四～前一六〇）とのあいだでむすばれた。内容は高祖の盟約を継承した。『新書』の著者賈誼（かぎ）（前二〇一～前一六九）は、漢から匈奴への貢納を倒懸（逆さづり、あべこべ）状態だとなげいている。

この状態が転換するのは、前二世紀後葉の武帝時代である。かれは、漢初以来のくさるほど膨大にふくれあがった倉庫群の可動蓄積を背景にして、積極的な対匈奴戦争をつづけ、匈奴をゴビ砂漠の北にしりぞけた。そのいきおいで河西回廊（甘粛省）を手にいれて四郡を設置し、さらに西域への勢力浸透をはかり、四方に領域を拡大した。明言はないが盟約は破棄されたとみてよい。

第三回盟約は、前五一年、宣帝劉病已（りゅうへいい）（在位前七四～前四九）と呼韓邪単于（こかんやぜんう）（在位前五八～前三一）とのあいだでむすばれた。内紛で窮地にあった単于が長安に来て朝貢し、臣従を表明した。そのときの約束（盟約）

は、長城以南は天子の領有、長城以北は単于の領有とする内容で、長城線を国境とする高祖の盟約を踏襲した。

第四回盟約は、元帝劉奭（せき）（在位前四九〜前三三）が即位してまもない前四七年ころ、呼韓邪単于と漢の使者韓昌・張猛が匈奴領内の諾水の東にある山上でおこなった。白馬を殺し、単于が宝刀で酒を血に混ぜ、そのむかし老上単于が撃破した月氏王の頭骨を酒杯として飲みかわした。これによって当時の盟約の具体がわかる。

使者が長安に帰還してのち、その報告会議では、国家の威厳を損なうものだと、盟約の破棄を唱える官人が多数を占めた。元帝は、かれらふたりの罪は軽少だとして、盟約を支持した。その内容は父宣帝の盟約に同じく、長城線を国境とするものであった。この盟約によって呼韓邪單于は漠北に帰り、匈奴国内はしばらく安定した（以上『漢書』匈奴伝）。

匈奴と漢との盟約による両国の地位関係、貢納関係、国境線の画定は、のちの唐代における吐蕃との会盟、北宋とキタイ・遼、南宋とジュルチン・金とのあいだの盟約の先例をなす。東アジア世界と草原世界東方との相互作用圏は、前漢・匈奴の時代に古典的な形成をみたのである。

西方世界の相互作用圏——オクシデントとオリエント

西方世界の相互作用圏で注目すべきは、地中海世界と西アジア世界とが構成する相互作用圏である。両世界は、西アジア境界領域（第一章）をはさんで、大半が冬季降雨型ムギ作地帯であること、インド・ヨーロッパ祖語を共通の言語とする人間集団が大半をしめ、もともと一体化を可能とする生業・言語・種族的な基盤があった。そのなかでオリエントとオクシデントの区別と相互作用がはたらいた。

詳しくは第二巻にゆずるが、前六世紀以来のギリシア諸都市とアケメネス朝ペルシア（前五五九～前三三〇）との競合は、ときに民主政治と専制政治との対抗という言説（かたり）によって区別される。これは、もともと同じ相互作用圏内部のギリシア側からの区別である。

「諸王の王」すなわち「大王」をみずから名のったアケメネス朝の歴代大王は、大王の宗主権を認めた藩王や小王、貢納関係にある二十余の諸邦（ダフユ）のうえに君臨する王権である（伊藤義教一九七四）。「諸王の王」は、これ以後、一八世紀にいたるまで、西アジア世界を中心に、ユーラシア中央世界（西トルキスタン）、南アジア世界の王権にも用いられた。

その国制は、しいていえば分権的専制というべき体制であり、中国諸王朝のように、中間的諸権力を排除し、地方行政制度をつうじて直接的に農民家族・生産者を支配する集権的専制国家とは明瞭にことなっている。アレクサンドロス三世（大王）の帝国（前三三〇年～前三二三）は、西方世界において東地中海からインダス川までの政治統合を実現した。すなわち、ヘレニズム世界の形成であり、オクシデントとオリエントの瞬時一体化である。これは、のちのローマ帝国とアルケサス朝ペルシア（パルティア　前二四七～後二二四）、ビザンツ帝国（三三〇あるいは三九五～一四五三）とサーサーン朝ペルシア（二二四～六五一）、ビザンツ帝国とイスラーム帝国との相互作用圏の形成など、西方世界における相互作用圏の存在を古典的な形態で示すものであった。

南アジア・ユーラシア草原の相互作用圏

東方世界と西方世界の相互作用圏が最高潮をむかえていた一世紀後葉にプルシャプラ（現パキスタン・ペ

シャワール）を首都とするクシャーナ朝（七八～二四二ころ）が成立した。

クシャーナ族は、アフガニスタン北部のバクトリア（大夏）を領有した大月氏を構成する五部族のひとつ貴霜翕侯（クシャーナきゅうこう）に出自する。一世紀にはいって、族長クジューラ・カドフィセス（漢名丘就卻（くじゅかく））は、ヒンドゥークッシュ山脈をこえ、カーブル川流域に出て、ガンダーラ地方を領有した。

その子ヴィマ・カドフィセス（漢名閻膏珍（えんこうちん））は、さらに展開してインダス川上・中流域をも支配下にいれた。この地域には、前世紀以来、大月氏におわれて中央アジアから南下してきたスキタイ系サカ族（漢名塞（さい）種）が勢力をはっていた。このときかれらは、クシャーナ朝に従属し、西インドのウッジャイニー（現ウジェイン）において、そのサトラップ（属州知事）として勢力を確立した。

後漢の班超（はんちょう）（三二～八二）が西域諸国の兵を組織し、大軍をひきいて西域五〇余国を征服したのは、ヴィマ・カドフィセスの時代にあたる。同時期の『エリュトラー海案内記』（六四節）は、セレス（北中国）の絹がバクトリアをへてインド西海岸のバリュガザ（ブローチ）にはいり、そこから海路ローマ帝国にむけて輸出されたことを記す。ヴィマ・カドフィセスは、またローマ皇帝トラヤヌス（在位九八～一一七）に使節団を派遣し、政治的交通の構築をはかっている。

二世紀半ばに君臨したカニシカ王（漢名罽膩伽（けいにか）（『仏国記』）　一四四ころ～一七三ころ）は、仏教の外護者として知られ、王の保護のもとに、説一切有部の仏教教学が集大成された。かれがプルシャプラに建立したカニシカ大塔は、のちにこの地を訪れた東晋の法顕（ほっけん）（三三五ころ～四二二ころ）の『仏国記』をはじめ中国の僧侶たちがそろってその偉容をたたえている。クシャーナ朝期には、はじめて人間のかたちをもつ仏像があらわれ、ガンダーラやマトゥラーでは仏教藝術も傑作を輩出した。

クシャーナ朝は、多くの土着諸侯、諸部族を支配下に置き、アケメネス朝ペルシアの王権に由来する「諸王の王」の称号を用いた。またカニシカ王の貨幣・碑文には「デーヴァプトラ（神の子・天子）」「カイサラ（皇帝）」の称号を用いており、中国とローマの王権を意識していたことがあきらかである。

こうしてクシャーナ朝は、中央アジアのホラーサーンからインドのウッタル・プラデーシュにいたる広大な帝国を形成した。それは、東方世界と西方世界のなかに、ユーラシア中央世界と南アジア世界の相互作用圏を形成するだけでなく、陸域における様ざまな地域世界や相互作用圏が複合的に連結しはじめたことを示している。それはまた、東方世界からみた魚豢（ぎょかん）『魏略』西戎伝の世界認識に反映している（第一章、図1−8）。

二、長い四世紀——三世紀末から五世紀末の転換期

「低いずんぐりした体軀、小さくて落ちくぼんだ眼をそなえた大きな顔、平たい鼻、ひげの代わりにわずかなばらばらの髪」をした男が、ハンガリーのドナウ川の北にあったフン王国の王都で、東ローマ帝国の使臣マクシミヌス一行に酒宴をもうけて歓待した。四四八年、マクシミヌスとともに、フン王アッティラ（?〜四五三）に謁見した歴史家プリスコスが書きとどめたその風貌である。アッティラは、わたしたちになじみのある顔立ちをしている。

東方からやってきたフン族は、世に名高いゲルマン人の大移動をひきおこした。平べったい顔をしたかれらフン族はどこから来たのであろうか。

三世紀末から五世紀末の世界は大きな転換期をむかえた。転換期は、とおく紀元前後の時期に匈奴が分裂

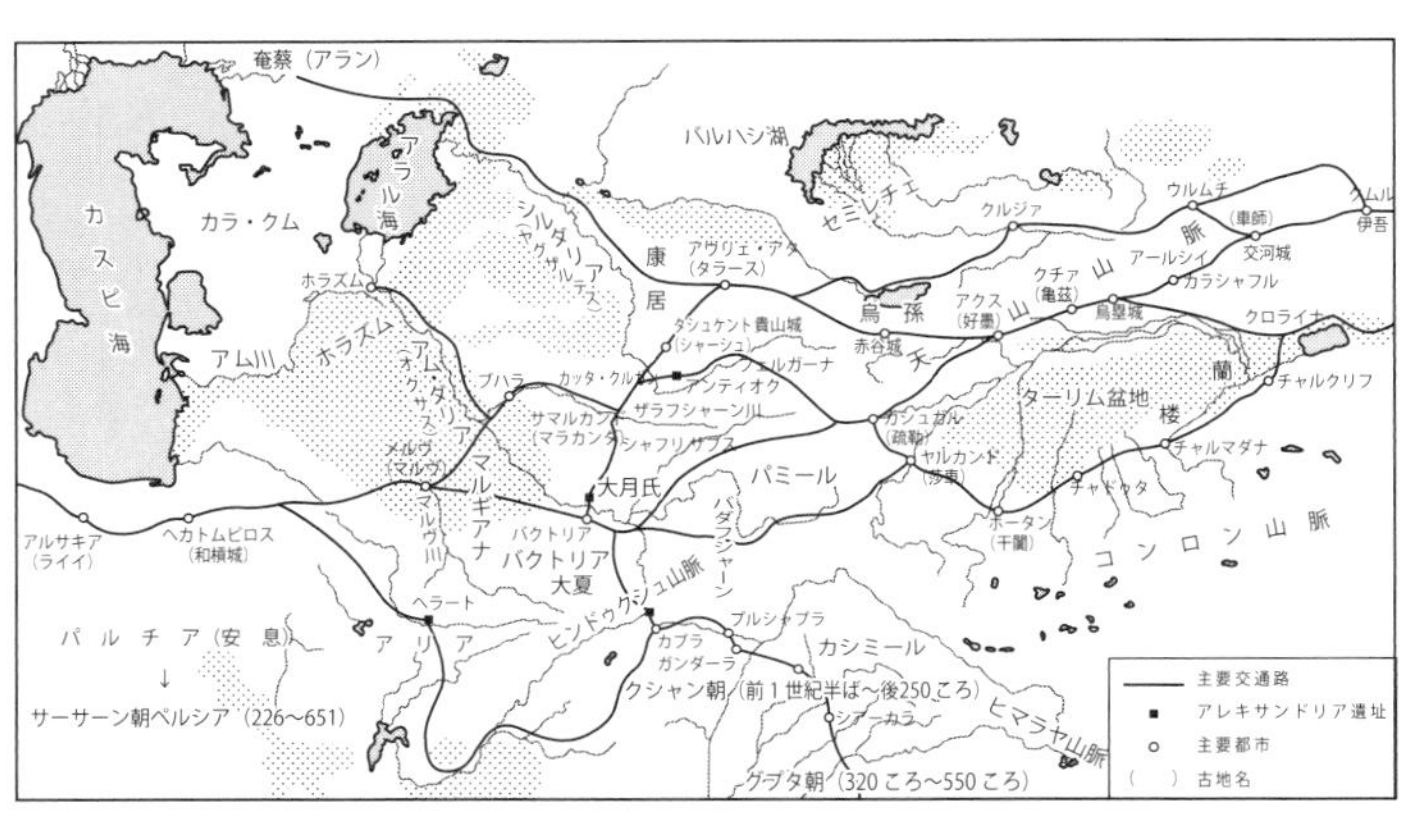

図 4-1　紀元前後の中央アジア図（バルトリド 1966 に加筆）

したことからはじまった。匈奴の分裂、その南下と西遷は、草原世界の諸種族の大移動、東アジアの定住農耕世界の大分裂をひきおこした。草原世界東部と東アジア世界との相互作用圏は、解体と変容を余儀なくされた。

やがてユーラシア中央世界では六世紀中葉における突厥遊牧帝国の形成、東アジア世界では六世紀末七世紀初頭における隋（五八一～六一七）・唐帝国（六一八～九〇七）の形成、および両世界の相互作用圏の再構築をもたらした。

この草原世界の大移動は西方世界にまで波及し、四世紀から六世紀におよぶゲルマン諸族の大移動をひきおこし、西ローマ帝国を滅亡させた。

その後地中海世界・ヨーロッパ世界では、メロビング朝フランク王国（四八一～七五一）の統一をへて、八〇〇年のカロリング朝（七五一～九八七）カール大帝の戴冠、西ローマ帝国の復興にいたって一段落を告げる。

西アジア世界では、アルケサス朝ペルシア（パルティア）からサーサーン朝ペルシア（二二六～六五一）へ権力が交代し、南アジア世界では、クシャーナ朝がサーサーン朝に滅ぼされたのちグプタ朝（三二〇ころ～五五〇ころ）が成立した。この転換期のなかにあって、サーサーン朝ペルシア、グプタ朝は比較的安定した権力を構築し、そのなかで後世の範となるペルシア文化、インド・ヒンドゥー文化を構築した。

この大転換・大移動のしだいをその起点から観察することにしよう。

匈奴の分裂と漢帝国

匈奴は、前一世紀にはいって内部抗争がつづき、前五四年には東西に分裂した。東方の諸部をひきいる呼韓邪単于は、前五一年、前漢との盟約によって長城を国境とする支配領域を画定し、一時的な安定をとりもどした（前述）。西方の諸部は、まとまりのないまま康居の地（カザフスタン方面）へ移住していった。匈奴の第一次西方移動である。

東方諸部は、王莽の新朝（後八～二三）をはさむ前漢・後漢交代期の百年あまり、部族連合を維持した。しかし、ふたたび内紛がおき、ついに四八年には南北に分裂した。南部の八部族は後漢に従属し、長城の南の離石左国城（山西省離石県）に移住して本拠をおき、漢から毎年財政支援をうけて、西北辺境の警備をおこなうようになった。そのあと南モンゴルには、北東アジア境界領域の大興安嶺南部、遼河の南に本拠を置いていた鮮卑族が進出していった。

五胡十六国、中国南北朝

三〇四年、その南匈奴諸部をひきいていた劉淵（?～三一〇）が山西省北部で自立して漢王を称した。その子劉聡（漢のちに趙、在位三一〇～三一八）は、三一一年に西晋の首都洛陽を攻略し、三一六年西晋最後の愍帝司馬鄴（在位三一三～三一六）を降伏させた。これが永嘉の乱と呼ぶ動乱である。

永嘉の動乱は、こののち一五〇年におよぶ華北の五胡十六国時代、さらに五八九年の隋の天下統一にいたるまでの南北朝分裂時代をみちびきだした。ユーラシア中央世界東部と東アジア世界の相互作用圏は大分裂におちいった。

五胡十六国の分裂を統一したのは、鮮卑族のなかでもっとも北の大興安嶺北部にいた拓跋部であった。拓跋部は、しだいに南遷して南モンゴルの盛楽（ホリンゴール県西北）を拠点にして代国を建て、一旦滅亡したのち、三八六年、平城（山西省大同市）で北魏を建国し、まもなく華北の分裂に終止符をうった（詳細は第三章参照）。モンゴル高原には、郁久閭氏を支配氏族とする柔然（茹茹、蠕蠕）部族連合が興起し、北魏と対峙し、相互作用圏を形成した。

ユーラシアの「民族大移動」

八九年から九一年にかけて、漢の攻撃をうけたモンゴル高原の北匈奴は、部族連合を解体して西へ移動し、アルタイ山をこえた。その一部二〇万人は西方烏孫の地にとどまり、他の中心部族はカザフスタンの康居方面に移住していった。匈奴の第二次西方移動である。

たびかさなる匈奴の西方移住は、近接するジュンガル平原からカザフスタン平原にいたる烏孫・康居の諸部族を不安定化させ、ユーラシア大陸全域をまきこむ「民族移動」の玉突き現象をひきおこす端緒となった。

北匈奴の移住を契機とするユーラシアの諸部族の移動は、二つの方向に展開した。

ひとつは、主流となる西方への展開である。匈奴が移動していった烏孫・康居の西方、南ロシア平原には、スキタイにかわり、前四世紀から後四世紀後半にかけてサルマタイ、または中心部族の名でアラン（漢名阿蘭）と呼ばれる部族連合が遊牧していた。三世紀には、その西方ドニエプル川以西にゴート族が生活していた。

この形勢のなかに、東方から移動してきたのが匈奴である。匈奴は、烏孫・康居をまきこんだのち、大沢（カスピ海）にのぞみ康居の西北にあった奄蔡（アランの中国別名）の王を殺して国を奪ったという（『魏書』西域伝粟特国条）。そうして、四世紀中葉、南ロシア草原に忽然と姿をあらわしたのがフン族である。西方の史家がフンと呼ぶ種族が東方の史家が記述する匈奴種と一致するかどうか、微妙である。

九一年にモンゴル高原をあとにした北匈奴は、烏孫・康居などテュルク・モンゴル系、あるいはイラン系の諸種族とまじわりながら移動していった。そのさきに、やがてフンと称する遊牧民がヨーロッパ世界にあらわれた。フンは、三七四年までにはアラン人を完全に制覇し、それらをひきいて東ゴートを攻撃した。ここからヨーロッパ史にいう「ゲルマン民族の大移動」がはじまる。

テュルク・モンゴル系のフンが、インド・ヨーロッパ語を用いるアラン・ゴート両族をおしのけて南ロシアの平原を支配したことは、これ以後アルタイ語を用いる諸族がつぎつぎにこの地域を支配する先駆となった。それは、ユーラシア中央世界の遊牧社会がインド・アーリア系住民から平たい顔をしたアルタイ語系住民へ交替していくおおきな転換点をつくりだす契機となった。

エフタル、フーナ、白匈奴

移動のもうひとつは、ユーラシア草原南部から南アジア世界への移動である。北匈奴が烏孫・康居をまきこんで西方へ移動したとき、その一部二〇万人は烏孫の西北にとどまり、方千里（約五〇〇㎞四方）の地に遊牧した。中国の史書は、かれらを悦般とよんだ（『魏書』西域伝）。五世紀中葉、柔然からのかさなる圧迫によって烏孫がパミール山中においこまれたころ、悦般も、パミールからさらに南方のトハーリスタンにむかって移動したと思われる。

この動乱のなかで、もとは長城の北にいて、アーリア系大月氏種、あるいは高車鉄勒種ともいわれるエフタル（漢名嚈噠）が、アルタイ山から南下し、于闐の西に出で、アム川の南の抜底延城に都をおいて建国した。その言語は柔然・高車やイラン系諸種族とはことなったという。かれらは、王位を世襲制にせず、兵士一〇万人を擁して、遊牧生活をおくった。勇敢な戦士たちのはたらきによって、その領域は、北は康居カザフスタン草原、東は于闐、莎車、南はイラン東北部一帯におよび、その間の小国三〇余国を貢納制によって支配し、大国と号した。悦般の匈奴種がそのなかに含まれていたとみてよい。

このエフタルは、四八五年までにグプタ朝インドのマールワー東部と中央インドの大部分を占領し、中間のパンジャーブとラージャスタンまで領有した。五四四年、かれらはインド諸侯の同盟軍に撃破されたが、その宗主であるグプタ朝もまもなく衰退していった。

インド人も、ギリシア人・ローマ人とおなじくかれらエフタルをフン（フーナ）とよび、ときに白フーナと称した。インドにあらわれたフーナは、のちにラージプートの三六氏族のひとつとして認められ、今日でもラージプートのなかにはフーナという称号をもつ人びとがいるという（シャルマ一九八五）。

一世紀末の匈奴の南北分裂は、南匈奴の長城内部への南遷をきっかけに東アジア世界の中心に位置した晋朝中国の分裂をまねいた。中国では、戦乱をさけて、華北から長江流域にむかって数十万の人びとが移住した。一方で北匈奴の西遷をひきおこし、ジュンガル、カザフ草原の諸種族をまきこんで、フン族のヨーロッパ世界への侵入とゲルマン人の「民族大移動」をひきおこした。さらにかれらは、中央アジアに建国したエフタルの一部としてフーナとよばれ、イラン東北部からインド中央部にかけて勢力を拡大し、グプタ朝を滅亡の淵においこんだ。

アルタイ語を話す匈奴の分裂と遷移の諸結果は、期せずしてのちの突厥、さらには大モンゴル帝国の版図を準備することとなった。

三、長い七世紀――イスラームとテュルクと唐と

アラビア半島西部の商業都市メッカの郊外にある岩山の洞窟で、クライシュ部族ハーシム家（氏族）のムハンマド（マホメット　五七〇?～六三二）が瞑想にふけっていた。六一〇年のある日、壮年にたっしていたかれは、突如唯一神アッラーフの啓示をうけた。預言者を自覚したかれは、宗教家としての生涯を開始した。かれがはじめたイスラームは、五〇年後には政治勢力としてウマイア朝（六六一～七五〇）、ついでアッバース朝（七四九～一二五八）をつくりあげ、西方世界に覇権をとなえるにいたる。

眼を東に転じよう。六一五年、隋の煬帝楊広（ようだい）（在位六〇四～六一七）は、山西省北部の雁門城で始畢可汗（シビル）（在位六〇九～六一九）ひきいる数十万のテュルク種突厥にとりかこまれていた。かれは、玉座のちかくまで矢が飛んでくるような窮地におちいった。救援の兵を募る詔書がただちに発布された。

山西省第一の都会であり軍事基地でもある太原に住んでいた一八歳の若者がこれに応じ、雁門をめざした。

李世民（五九八〜六四九）の初陣（ういじん）である。『旧唐書』は、かれの献策により、突厥が急遽退散したと記す。話としてはおもしろいが、これは言説である。注目すべきは、ここから東方世界に覇をとなえる大唐帝国（六一八〜九〇七）が第一歩を踏みだしたことである。

ふたつの勢力は、カリフの軍隊と皇帝天可汗の軍隊として、七五一年、タラス河畔であいまみえることになる。そこまでの経緯を、両勢力のあいだにあって躍動的な相互作用圏をつくったテュルク種突厥の動向をまじえて、観察することにしょう。

アラビア半島　イスラームのはじまり

六二二年、メッカの大商人たちから迫害をうけていたムハンマドは、もっとも信頼するアブー・バクルとともにメッカを脱出した。九月二四日、かれらはヤスリブの町に到着し、この地の弟子たちの出迎えをうけた。これが有名なヒジュラ（移住）である。ヒジュラののち、ヤスリブは、マディーナ・アンナビー（預言者の町）とよばれた。わたしたちになじみのメディナはそのなまりである。

またイスラーム圏では、このヒジュラの年の一月一日（西暦六二二年七月一六日）を紀元とし、一年三四五日からなる太陰暦、すなわちヒジュラ暦を公式の暦として用いるようになった。イスラームでは現在でも公式行事にはヒジュラ暦を用いる。

メッカからメディナに移住したイスラーム教徒はムハージルーン（移住者）、メディナのアラブで改宗したものはアンサール（援助者）とよばれ、当初その数はともに七〇名ほどにすぎなかった。のち六二七年ころまでに、増大したムハージルーンとアンサールがメディナでウンマをつくりあげた。ウンマは、唯一の神

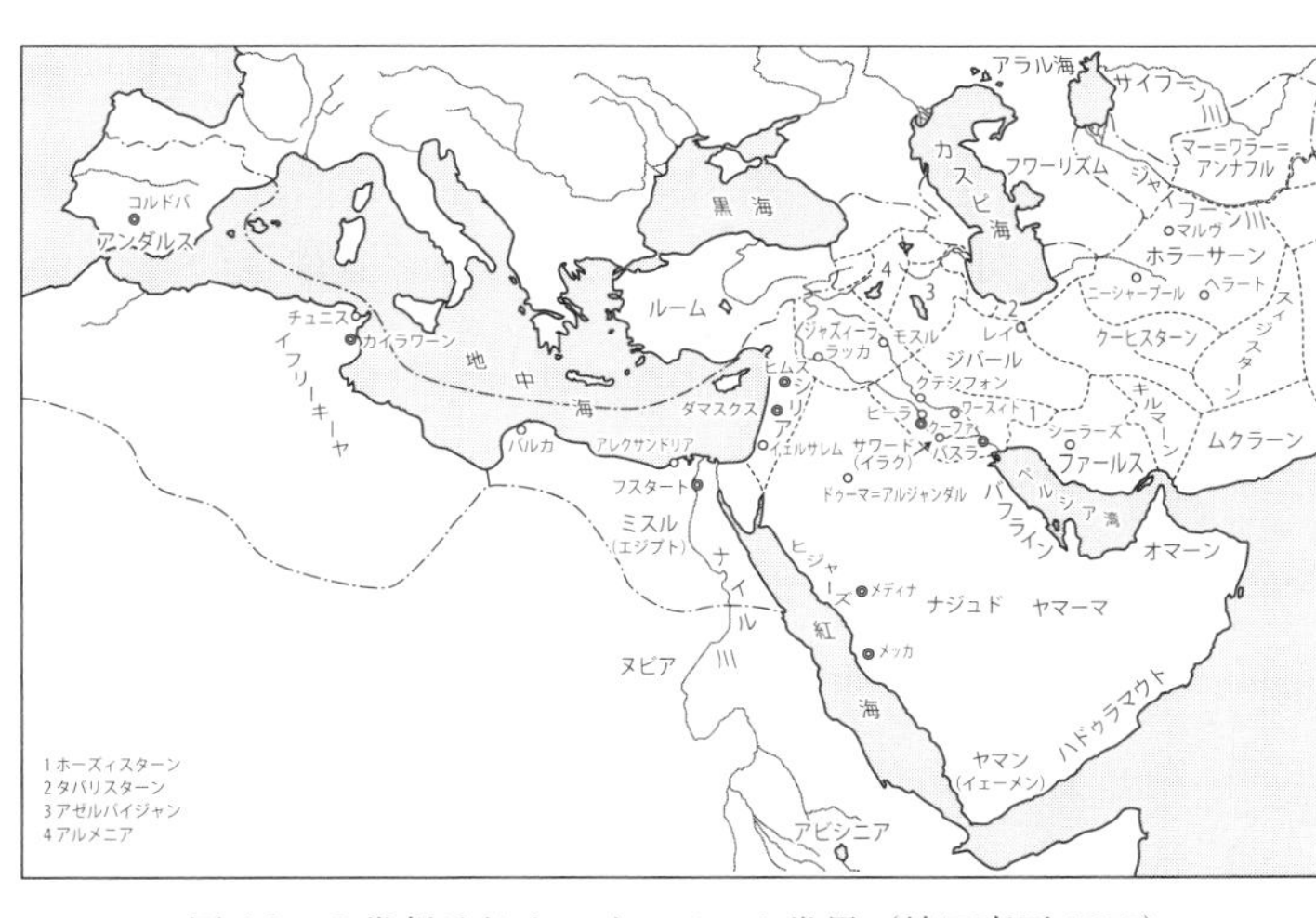

図 4-2　８世紀はじめのイスラーム世界（嶋田襄平 1977）

アッラーフを究極の主権者、預言者ムハンマドをその地上における代理人と認めるイスラーム教徒がつくった宗教共同体である。

イスラームは、六一〇年に神の啓示をうけた預言者ムハンマドが唱えはじめた宗教である。かれが神の啓示をうけ、その神の言葉を記録した一冊の書物が『コーラン（クルアーン）』である。イスラーム的なものは、すべてこの一冊に由来する。その『コーラン』によれば、真の信仰は、宇宙万物の創造者であり支配者である唯一の神に絶対的に服従する（aslama）ことであり、この動詞アスラマの行為名詞がイスラーム、能動分詞がムスリムである。ムスリムは、唯一神に絶対的に服従する人びとであり、イスラーム教徒を意味する。

神は、万物を創造し、自然には守るべき秩序、人類には従うべき規範をさずけた。人類が従うべき規範を『コーラン』ではシャリーアという。唯一神への絶対服従は現世では具体的にはシャリーアへの絶対服従であり、これが来世で天国の生活が保障される唯一の方法であった。当初メディナのウンマは、シャリーアの支配する唯一の場であった。

ひとたびウンマが形成されると、その存続のためにウンマを防衛する必要が生じ、信仰共同体としてのウンマは同時に戦士共同体となった。ヒジュラ暦八年（六二九／六三〇）、メッカの無血征服に成功したムハンマドは、その翌年からウンマとアラビア半島の諸集団とのあいだにつぎつぎと盟約をむすんでいった。諸集団の大半はアラブ遊牧民であったが、「啓典の民」とよばれたユダヤ教徒やキリスト教徒をも含んでいた。

こうしてウンマは盟約集団から租税（ジズヤ）を徴収し、ズィンマ（安全保障）を保証する事実上の支配者集団となった。ウンマが支配者集団になったのは、シャリーア支配の維持と発展のためであり、また盟約集団がウンマの支配をうけいれて利害を一致させ、自己の法としてシャリーアをうけいれていったからである（嶋田襄平一九七八）。

ムハンマドの死後、ムスリムであるアラブは大規模な征服にのりだし、広大なイスラーム帝国をきづきあげる。その原型は、ムハンマドがアラビア半島でつくりあげたウンマと盟約諸集団とがむすびつく政治的構成体（ジャマーア）にあった。支配共同体ウンマと盟約諸集団が形成するジャマーアの重層構造は、アラブの部族社会を地縁にもとづく支配従属関係である国家へ再編していく過渡的形態であった。

ジャマーアの大規模な拡大過程を追うまえに、やがてたがいに広大な相互作用圏を構築するユーラシア中央世界に眼を転じよう。

テュルクの帝国（イル）

匈奴がモンゴル高原に覇権を行使していたころ、その北方のバイカル湖南辺からアルタイ山北麓にかけて、丁零（丁令・丁霊）と漢字表記される遊牧民があった。これが史乗にはじめて語られるテュルク種族である。

匈奴のあとをついでモンゴル高原の覇者となった鮮卑、柔然の時代には、その一部が高車丁零（高輪の車両を乗用する丁零、狄歴（てきれき）・勅勒（ちょくろく））としてあらわれた。五世紀後半の高車族には、一二の部族があり、かれらは部族連合体として北魏や柔然と対峙した。

六世紀半ば、アルタイ山脈南麓には、柔然に従属し、柔然のために製鉄に従事するテュルク系阿史那部族が生活していた。五四六年、族長の土門（テュメン）（万人長の意）が抬頭し、ジュンガル盆地の鉄勒五万余落を降伏させてこの地域を支配下においた。これをかわきりに、かれは、鉄勒とともに東西を征討し、五五二年には柔然の阿那懐（あなかい）可汗を敗死させた。土門は、みずから伊利（イルリグ）可汗（国（イル）を支配する可汗　在位五五二〜五五三）と号し、突厥（とっくつ）（突屈）第一可汗国（イル）をたてた。

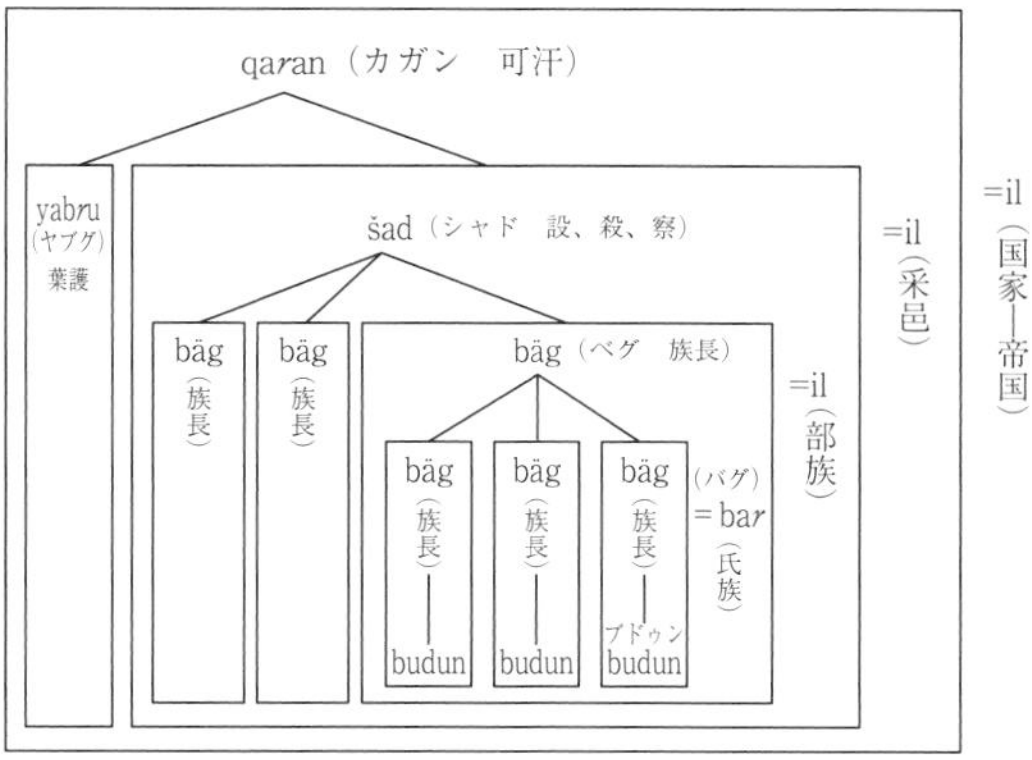

図 4-3　突厥の国家・部族構造（護雅夫 1967 に加筆）

突厥は、ベグ（族長）がひきいるブドゥン（民衆）によって構成されるバグ（氏族）が基礎的社会集団であった。このバグがいくつか集まってひとつのイル（部族）を編成する。イルの部族長もベグであり、氏族と部族のあいだに階層的な区別のない部族制社会であった。のちに東部突厥は三〇姓、西部突厥は一〇姓部落とよばれることがあった。当初の突厥は、ほぼ四〇部族からなる大部族連合体であったと思われる。

この部族制を基礎に支配氏族である阿史那氏一族がヤブグ（葉護）やシャド（設）、あるいはテギン（特勤、特勒）などと呼ぶ首

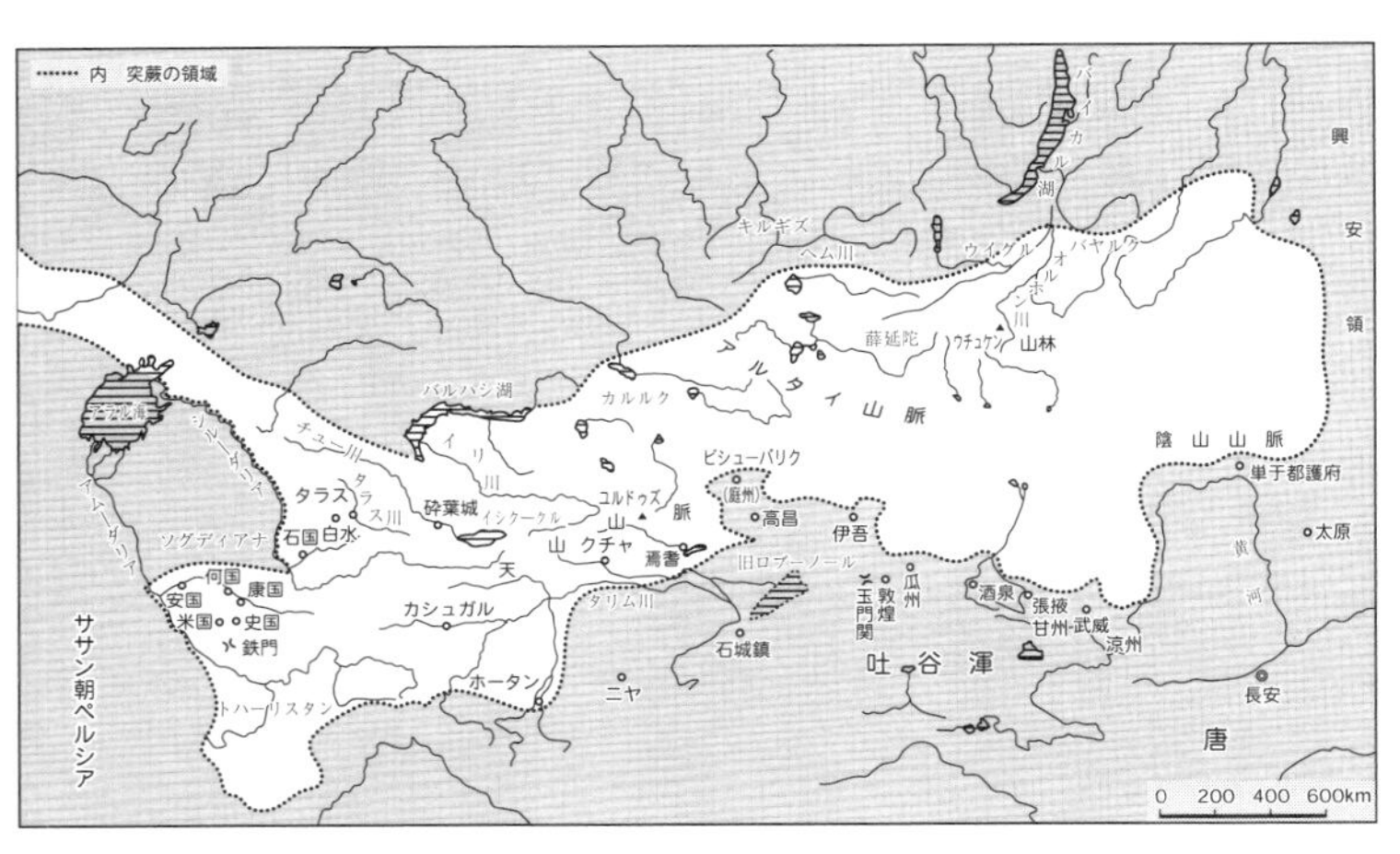

図 4-4　テュルク（突厥）帝国（護雅夫 1967）

長となって、諸部族を統合する部族連合を形成し、これら諸首長がひきいる部族連合が可汗のもとに一大統合を実現した。これが突厥である。これら突厥を構成する部族集団の各層次もイルと呼ばれ、その大統合体もイルと呼ばれた（護雅夫一九六七）。突厥はイルの重層的複合体である。

伊利可汗の死後、一代おいて可汗となった息子の木杆（ムハン）可汗（在位五五三～五七二）は、ジュンガル盆地からでて各地を征服し、東は興安嶺山脈から西はソグド地方南境の鉄門（テミル・カピグ）にいたる大領域を支配し、ウテュケン山麓に本拠を移して全テュルク族の統合を実現した。

木杆可汗からつぎの他鉢（タパル）可汗（在位五七二～五八一）にかけて、「その国は富強となり、中国をもふみにじる気概があった。北周（五五七～五八一）は和親関係を結んでいたので、毎年高級織物十万段をおくった。……北斉（五五〇～五七七）もその侵略を恐れ、倉庫を空にしてまでおくり物をとどけた。他鉢可汗は、ますます傲慢になり、その従臣たちをもこぞって、わが南方のふたりの息子が孝行者でありさえすれば、物資の不足を心配することはない、とまでいうようになった」

（『周書』異域伝）。北周・北斉は突厥と貢納関係にあり、父子関係によって従属していたのである。

土門が可汗と号してまもないころ、その弟シルジブロス（ディザブロスとも　漢語　悉点密、瑟帝米、イステミ可汗　在位?～五七六）は西方にむかって侵攻し、当初サーサーン朝ペルシアと協力してエフタルを滅ぼし（五六三～五六七）、かわって国際交易の中心地であったソグディアナのオアシス諸都市を支配し、アム川を境界線として今度はペルシアと対峙するようになった。

敵の敵は味方。シルジブロスは、サーサーン朝と戦争をつづけていた東ローマ帝国と攻守同盟をむすび、いくども使節団の相互派遣をおこなった。そのうち五六八年に東ローマから派遣されたキリキアのゼマルコス使節団は、シルジブロスの本拠地エクタグ（新疆ウイグル自治区クチャ北方のユルドゥス渓谷の地）を訪れ、シルジブロスの黄金の椅子や黄金でしつらえられた豪華な天幕の内部と大宴会の様子をしるしている（内藤みどり一九八八）。

図 4-5　突厥キョル・テギンの顔
（山田信夫編 1971）

突厥は、西方では東地中海世界ビザンツおよび西アジア世界ペルシアとのあいだに相互作用圏を形成し、東方では北朝・隋唐帝国との間に相互作用圏を構築した。この突厥帝国（イル）の北方周縁には、東ローマ帝国東境、南ロシア平原・カスピ海からさらに興安嶺山脈にいたるまでの地帯に、四〇に余るテュルク系鉄勒の諸部族が七群にわかれて分布し、突厥に従属していた（『隋書』北狄伝）。ここに史上はじめてユーラシア中央世界を大一統する突厥帝国が誕生した。彫りの深い紫髯緑眼の容貌をもち、ペルシア語を話すイラン系諸族がひしめいていたユーラシア中央世界の西部地域に平べったい顔をしてアルタイ語をしゃべるテュルク系諸族がはいりこみ、六世紀後半以降には住民のテュルク化がすすんだ。

隋唐帝国の形成と突厥の分裂

六世紀半ばに突厥がユーラシア中央世界に強大な統一帝国をきづき、分裂していた華北の北周・北斉政権を貢納関係によって従属させたことは、東アジア世界におおきな衝撃をあたえた。とりわけ三世紀以来、南北に分裂していた中国を刺激して、突厥に拮抗しうる権力の形成をうながした。

五八一年に突厥の他鉢可汗が死ぬと、突厥内部で可汗位をめぐって内紛がおきた。この年、すでに華北を再統合していた北周から譲りをうけて楊堅が隋（五八一～六一八）を建国した。文帝楊堅（在位五八一～六〇四）は、五八二年、大規模な戦争をしかけ、翌年突厥軍に大勝した。

一方でシルジブロスを継いだ西方の達頭可汗（在位五七六～六〇三）には特使を送って優遇し、離間策を講じた。五八三年、突厥は東西に分裂した。こののち突厥内部は、ほぼ一世紀のあいだ混乱がつづいた。文帝は、五八九年、南朝の陳（五五七～五八九）を征服して中国を再統一し、「天下大同」を標榜した。

第二代煬帝（在位六〇四～六一七）は、東突厥との連携を阻止するため、六一二年から三年間にわたり、百万人をこえる大軍をひきいて、みずから三度の高句麗遠征をおこなった。遠征は失敗し、土木事業で疲弊していた全国土で内乱がおこり、隋は滅んだ。

隋末の諸叛乱の中から、太原に起こった李淵（在位六一八～六二六）が抬頭し、唐（六一八～九〇七）を建国した。

メディナでウンマが構築されたころ、六二六年六月四日、唐の秦王李世民が長安城宮城の北にある玄武門でクーデタをおこし、兄で皇太子の李建成、弟の斉王李元吉を殺害した。その八月、かれは、父の高祖李淵から譲りをうけて第二代皇帝の位に即いた。のちに太宗（在位六二六～六四九）とよばれる李世民は、隋末の内乱をみずから平定して、実質的に唐王朝をつくりあげた人物である。

六二九年、東突厥では北モンゴリアと南モンゴリアのあいだで内紛が起こった。即位まもない唐の太宗がこれにつけこんで大軍を起こし、六三〇年、東突厥の頡利(イルリグ)可汗（国(イル)を支配する可汗、在位六一九～六三〇）をとらえて東方の阿史那政権を解体した。

このとき、支配下にあった東突厥の西北諸部族は、太宗に天(テングリ)可汗(カガン)の称号をおくった。天可汗の称号は、皇帝が西北テュルク諸族の可汗をかねる称号である。これ以後、代宗李豫（在位七六二～七七九）の時代にいたるまで、西北諸族に対する公的文書や冊命（任命書）には「皇帝天可汗」の印璽と称号が使用されつづけた。

唐はまた、内附した各部族を単位として四府六州の羈縻州を設置し、東部に定襄都督府、西部に雲中都督府をおいてこれら羈縻州を統括させた。こののちテュルク諸族のみならず、内附してきた周辺諸族や西域諸国をもふくめて、それらを羈縻州に編入したので、羈縻支配は拡大していった。それにつれて、天可汗の称号も西域に拡大した。[2]

一方西突厥は、隋末唐初の混乱期に勢力を拡大し、東はアルタイ山、西はカスピ海にたっし、玉門関より西方の諸国、すなわち西域はすべて西突厥に属するようになった。西突厥は、一〇部族にわかれて十姓部落と称した。これを五部ずつ左右廂（翼）にわけ、左廂を五咄陸部、右廂を五弩失畢部と称し、各部族に一名の首長をおき、全体を十設と呼んだ。左翼東部、中央可汗、右翼西部の三部構成は、匈奴以来の伝統的な遊牧社会の軍事編成である。

七世紀前半、達頭可汗の孫統葉護可汗の治世期に、西突厥は全盛をむかえた。かれは「勇敢で知略があり、攻戦にすぐれた。北は鉄勒を併合し、西はペルシアと敵対し、南は罽賓（カーピシー、ガズナ）と交戦し、すべてこれを帰順させた。騎兵数十万を擁し、西域に覇権をとなえ、もとの烏孫の地（ユルドゥス渓谷）を本拠地としたが、さらに石国の北の千泉にうつった。西域諸国の王にはみな頡利発（部族長の意）を授け、あわせて国ごとに吐屯一人を派遣して貢納物の徴収を監督させた」（『旧唐書』突厥伝下）。

統葉護可汗は、まもなく千泉からチュー川流域の砕葉に本拠をうつした。左廂の五咄陸部は砕葉以東、右廂の五弩失畢部は砕葉以西に位置した。

東突厥を滅ぼしたあと、唐の太宗は、さらに西にむかって侵攻する。六四〇年には、トゥルファン盆地の高昌国を滅ぼして西州とし、そこに安西都護府をもうけて西突厥に対する拠点とした。六四八年には安西都護府をさらに西方の亀茲（クチャ）に移した。

太宗を継いだ高宗李治（在位六四九～六八三）は、その政策をすすめ、六五七年、ついに西突厥を征服した。かれは、もとの西突厥一〇部を一〇都督府に改変し、崑陵都護府と濛池都護府にわけて統括した。さらに西突厥に従属していた諸族・諸国も都督府・羈縻州にあらためられ、唐の羈縻支配に服した。六六一年には、パミール以西、ペルシア以東の一六か国の王都を都督府とし、その支配下諸地域を州県とした。唐は吐火羅に石碑を建ててこの羈縻支配の業績を記念した。

身分		口分田（畝）	永業田（畝）	爵	官品	永業田
良・百姓	丁　男	80	20	親王		100頃
	中男（18～20歳）	80	20		正一品	60
	老男・廃疾等	40	—	郡王	従一品	50
	寡妻妾	30	—	国公	正二品	40
	老男・廃疾等戸主	30	20	郡公	従二品	35
	寡妻妾戸主	30	20	県公	正三品	25
	女丁・黄小中男戸主	30	20		従三品	20
	工商業者（寛郷居住）	40	10	侯	正四品	14
	道士・僧	30	—	伯	従四品	11
	女冠・尼	20	—	子	正五品	8
賤	太常音声人	80	20	男	従五品	5
	雑　戸	80	20		六品・七品	2.5
	官　戸	40（狭郷20）	—		八品・九品	2
	在牧官戸・官奴	10	—	百姓・丁男	口分田・永業田　1	

＊律令制には「均田制」の規定はない。

表4-2　唐代律令制給田規定（開元25年令・田令）

	役	租（粟２石〔60ℓ〕）	調（絹２匹・綿３両）	
正丁	正役20日	15日（租免除）	15日（調免除）	合計50日
	雑徭40日	30日（租免除）	30日（調免除）	合計100日（以上）

表4-3唐代租調役表

東アジア世界のなかの隋唐帝国

隋唐帝国　隋の文帝楊堅は、五八一年、即位と同時に、『周礼』に依拠する北周の制度をあらため、漢魏の旧制を基盤にして古典国制を再構築し、五八七年、新たに官人登用法として試験による科挙制を導入した。五八九年、南朝の陳を滅ぼし、天下を再統一した。かれは、南朝に伝承されていた漢代以来の楽制・礼制をもくみこんで「天下大同」の国制を構築した。

隋の国制は、開皇初年制定の開皇律令（律一二巻、令三〇巻）、開皇三（五八三）年の隋朝儀礼一〇〇巻、開皇一四（五九四）年の「開皇楽議」に定められた、法制と礼楽の相互補完によって制度設計がおこなわれ、運営された。

これら律令と礼楽は、のちに隋唐の歴代の皇帝ごとに修訂がくわえられ、玄宗の開元二五（七三七）年の律令格式（律一二巻、令三〇巻、式二〇巻、格一〇巻）、『大唐開元礼』一五〇巻（七四一年）の天下頒布で集大成にいたる。それらは、すべて開皇の国制をその骨格にして展開した基本法である。

隋唐の国制は、秦漢期同様、百姓（ひゃくせい）の家（世帯）を戸籍に登録することを基礎とし、(1)「給田の制」と称して、百姓・官人に対し、その身分・官位・爵位などに応じて、一頃（五・八ヘクタール）から一〇〇頃にいたるまでの差等をもうけて田土を支給する土地制度（表4-2）、(2)「賦役（租調役）の制」と称して、正丁ひとりあたり最大五〇日（雑徭＝軽徭役は一〇〇日）の力役徴発を基礎とする租税・徭役体系（表4-3）、(3)中央禁軍一六衛府を構成する全国約六〇〇か所の折衝府に所属する府兵と全国五八七か所以上の都督府・鎮・戍に所属する防人との二種からなる兵役を、たくみにくみあわせた百姓支配のしくみである。

それは、全国約一五〇〇県、および県を統括する約三〇〇府州からなる州県二級制の地方機構をつうじて、三省六部制（中書省・門下省・尚書省、尚書吏部・戸部・礼部・兵部・刑部・工部）を中核とする中央政府に戸籍をつなげ、ひるがえって皇帝・天子の命令のもとに天下百姓を統治する体制である。

七三二年の戸籍登録戸口数は、七八六万一二三六戸、四五四三万一二六五人であり、これが天下百姓である。この天下百姓は、皇帝が直接任命する一万七六八六人の高級官僚と各官司長官を通じて任命される五万七四一六人の下級吏員、総計約七万五千人の官吏によって支配された。このほか各官司・官庁の維持に必要なさまざまな公務労働があった。それらは色役（しょくえき）とよばれ、百姓のなかから義務的徭役として徴発され、その数は三〇余万人にたっした。

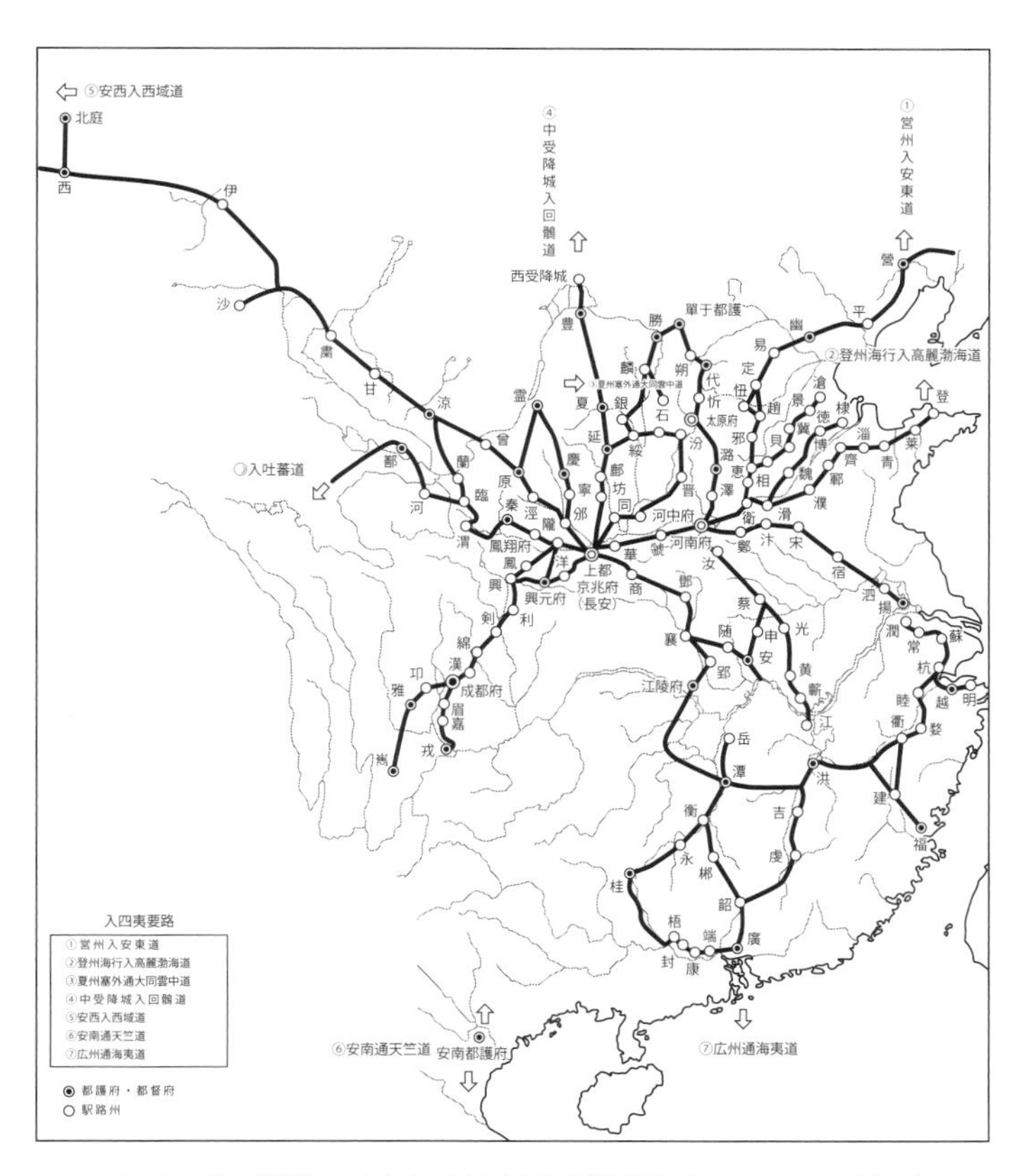

図 4-6　唐代駅道・四夷入貢起点図（荒川正晴 2010 により補筆）

隋唐期の国制は、礼制と法制との相互補完作用によって、皇帝以下約四〇万人におよぶ官僚・官吏・吏員が約八〇〇万戸の百姓を支配し、社会の統制と再生産とをすすめる政治的統合のしくみであった。

唐帝国の交通と世界的相互作用圏　この統制と再生産の政治的統合を交通関係からささえたのが駅伝制である。公用交通・通信制度である駅伝制は、中国でも戦国・秦漢時代からすでにかなり発達していた。唐代の駅伝制は、これを継承し、整備・拡充したものである。

唐の駅伝制は、駅制と伝制とをくみあわせた公的交通制度である。唐は、国都から四面関（関所）をつうじて四方にのびる六つの駅道をもうけ、都護府・都督府・州をむすぶ主要幹線道路とした。この駅道上に設置されたのが駅である。

駅は、基本的に三〇里（約一五km）ごとに設けられ、八世紀なかば、西京長安、東都洛陽の都亭駅を中軸に、天下全版図に一六三九か所（陸駅一二九七、水駅二六〇、水陸兼用八六、『大唐六典』記載の合計はあわない）設置された。駅には、駅長・駅丁をおき、駅伝馬・伝送馬驢・車乗・船のほか、宿泊施設がもうけられた。この駅道をつうじて、公的な財物・官吏・公使・科挙受験者・軍人・文書などがリレー式に伝送された。駅道のような幹線路からはずれる地方の県道にも同様の交通網がはりめぐらされ、伝送システムが整備された。これが伝制とよばれるもので、駅道上の駅制とあわせて駅伝制という（荒川正晴二〇一〇）。総じていえば、皇帝・中央政府の命令が地方に伝達され、地方の政務・情報が上申されるのが駅伝制である。人体にたとえていえば、神経系統と脈管系統に相当し、帝国と呼ぶ広領域社会を有機的に結合し統合するしくみであった。

この駅伝制の延長上に、周辺諸世界にのびる七つの主要陸路・海道があった。八〇一年撰述の賈耽（かたん）（七三〇〜八〇五）『皇華四達記』に記す経路で、東西南北の四都護府を起点とする。その概略を『新唐書』地理志は「入四夷路」として抄録する。七つの経路は、以下のとおり。

(1)営州入安東道　安東都護府（遼寧省遼陽県北）から渤海国王城（上京龍泉府　黒竜江省寧安県東京城鎮）へ通じる陸道。

(2)登州海行入高麗渤海道　新羅国王城・渤海国王城へ通じる海道・水道・陸道。

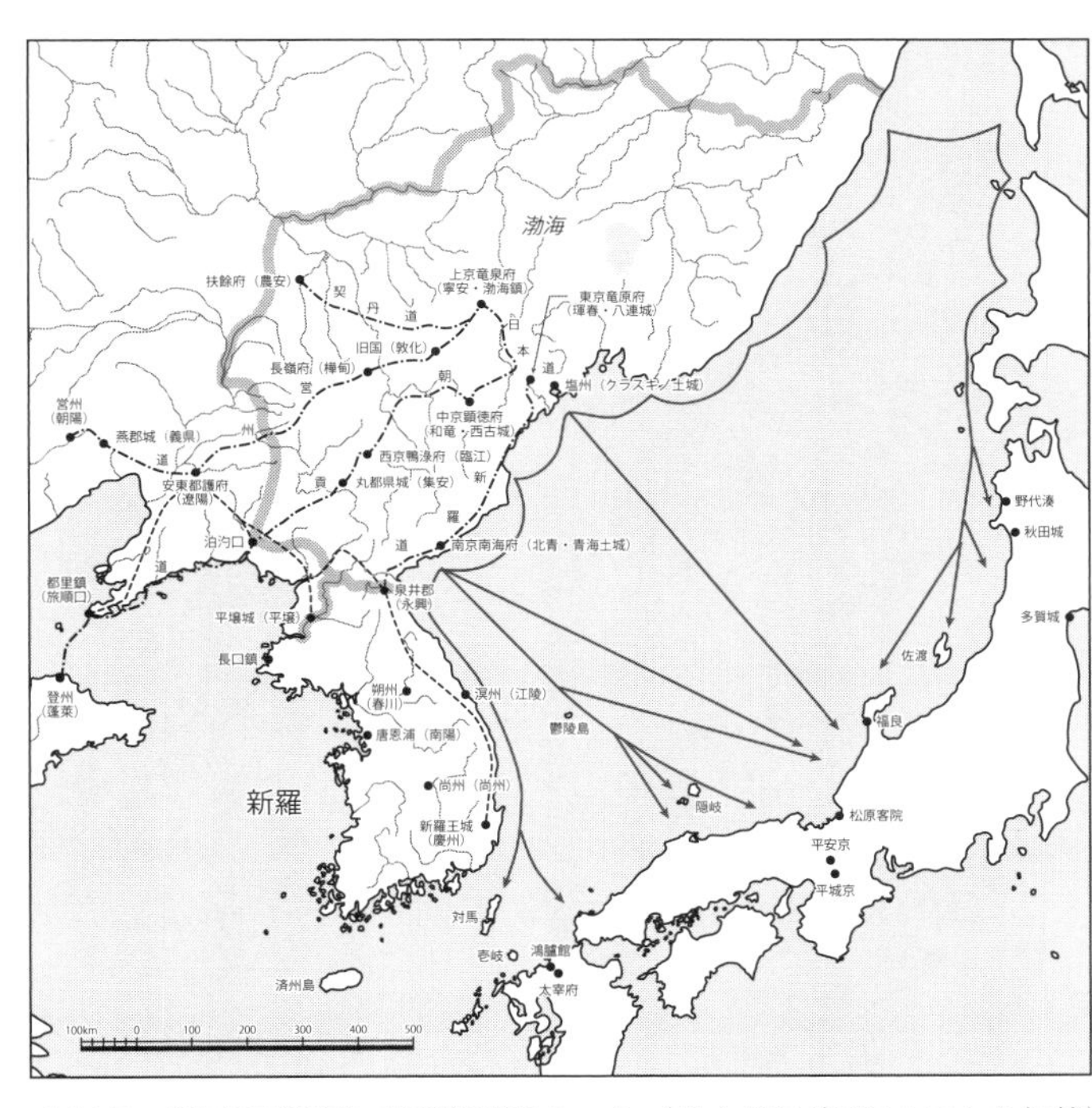

図 4-7　『皇華四達記』安東都護府ルート（鈴木靖民等 2014 により加筆）

上記二経路は、北東アジア境界領域と中国との相互作用圏を構成する（図4‐7）。

(3) 夏州塞外通大同雲中道　夏州（陝西省楡林県）を中心に、長城以北の黄河をはさむオルドス地域を横断する陸道。

(4) 中受降城入回鶻道　安北都護府中受降城（内モンゴル自治区包頭市付近）から北方ゴビ砂漠をこえて烏徳鞬山東麓の回鶻衙帳（オルドゥバリク）にいたるまでの陸道二経路。

上記二経路は、長城線の農牧接壌地帯における遊牧世界と定住農耕世界との相互作用圏を構成する。

(5) 安西入西域道　安西都護府（新疆ウイグル自治区亀茲）を中軸として、怛羅斯城、疏勒鎮、于闐鎮城、安西都護府西極辺の葱嶺守捉（旧羯盤陀国タシュクルガン）、焉耆、沙州（敦煌県）から蒲昌海（ロブ・

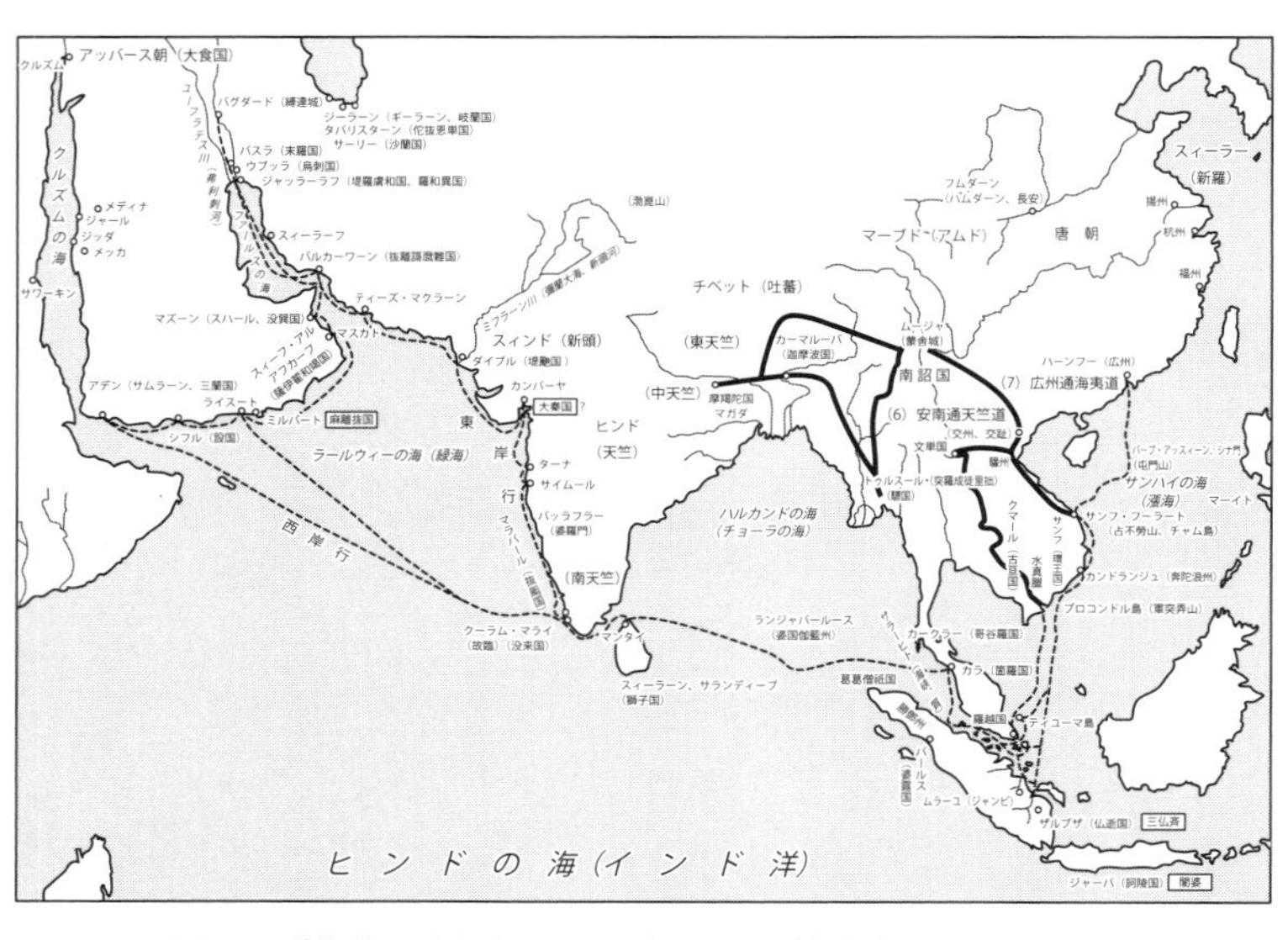

図4-8 『皇華四達記』インド洋ルート（家島彦一 2006 に加筆）

ノール）等をへて于闐へ（図4–9 一六一頁参照）。

(6)安南通天竺道　安南都護府（交州　ベトナム、ハノイ市）を起点に、南詔国羊苴咩城（雲南省大理市）、驃国（ミャンマー）、摩羯陀国（インド、ビハール州ガヤー・パトナー地域）、環王国（ベトナム中部）、文単国（陸真臘　ラオス、メコン川中流域）、水真臘（ベトナム南部メコンデルタ、カンボディア）、羅越国（マレー半島南端・マラッカ海峡）。

この経路は、安南都護府からの記述であるが、視点をかえれば、北の南詔（現雲南省）を起点として、南はマラッカ海峡、東はベトナムから西は東部インドにいたるまでの、海域をのぞく東南アジア境界領域の交通圏の存在を示している（図4–8）。南詔は、八五九年、唐の冊封体制を離脱して皇帝制に移行し、独立国家の道をあゆんでいた。

(7)広州通海夷道　広州（広東省広州市）からの南海交通路。①広州から佛逝国（シュリーヴィジャヤ、スマトラ島パレンバン）、訶陵国（シャイレンドラ、ジャワ島中部）へ、②マラッカ海峡箇羅国（マレー半島中部西岸）、哥谷羅国、獅子国（スリランカ）、没来国（南インド　故臨、クーラム・マライ）、弥蘭太河（インダス）河口南岸の提颶（ダイブル）、弗利剌川河口の烏剌国、さらに末羅国、王都縛達城へ、③没来国からアラビア海を航行して直接アラビア半島西南の三蘭国（アデン）、半島沿岸ぞいに航行してペルシア湾西岸の薩伊瞿和竭国、さらに烏剌国に到達し、東岸航路と合流（図4-8）。

上記の東西南北四都護府に発する七つの経路をふまえると、七、八世紀には中国・東アジア世界を中核とし、西方アッバース朝にいたるまでの政治的交通圏と東方からの世界の構造化（世界的相互作用圏）の存在したことがわかる。それは、広大な国際商業圏の存在を想起させる。そこで視点をかえて、西方アッバース朝からの世界の構造化にすすむべきであるが、そのまえに北東アジア境界領域のうごきについてみておきたい。

北東アジア境界領域の国家形成　さきにみた隋唐帝国の国制は、対外的にも大きな影響力を発揮した。隋が天下を統一し、東アジア世界にふたたび強大な中核国家が出現したころ、この動きとたがいに影響しあって、その北東地域と南西地域の諸族のあいだにも国家形成がすすんだ。北東境域地帯では高句麗・百済・新羅・倭国、南西地域のチベット高原では吐蕃が国家形成の最終局面をむかえていた。ここでは、北東境界地域をとりあげ、六六六年正月の泰山封禅儀礼による東アジアの秩序形成とその後の動向をおうことにしよう。

すでにみたように、ユーラシア中央世界では、六三〇年に突厥第一可汗国が滅亡し、六八二年まで唐の羈縻州支配下にあった。また六五七年には西突厥が唐に服属し、六六一年にはその支配下にあった西域諸国をふくめて羈縻州に編入された。

一方北東境界地域では、六六〇年、新羅の攻撃をうけて百済が滅亡した。百済の亡命政権をあとおしてその復興要請におうじた倭国は、六六三年九月、朝鮮半島西南の白村江で唐軍と同盟した新羅軍と海戦におよんだ。中国をまきこむ北東アジアの多国間戦争としては最初の戦争である。

結果は、唐・新羅連合軍が倭国・旧百済連合軍に大勝した。この戦勝ののち、新羅は朝鮮半島を統一し、すでに進んでいた唐制にもとづく国家形成をしあげていった。敗北した倭国でも律令制にもとづく国家形成をおしすすめ、七世紀末までには王権の名称を大王(おおきみ)から天皇にあらため、国号を日本とし、七〇一年には大宝律令を発布して律令国家を形成した。

多国間戦争に直接参加しなかった高句麗も数度にわたる唐の攻撃をうけて六六八年に滅亡した。唐は、首都であった平壌に安東都護府をおき、高句麗の旧領域を羈縻州県として間接統治した。安東都護府の羈縻支配は、契丹(キタイ)や新羅の侵攻もあって安定せず、六七六年、遼東に移転し、唐の半島支配は後退した。

この不安定な秩序のなかから抬頭したのが高句麗遺民といわれる大祚栄(だいそえい)の集団である。その集団は、高句麗滅亡後、営州(遼寧省朝陽市)に移住させられていたが、契丹の侵攻によって営州が陥落すると、ツングース系靺鞨(まっかつ)集団や他の高句麗遺民集団とともに、北方の故地へ移動していった。これらの集団を基礎に、大祚栄(在位六九八〜七一九)は、牡丹江上流の敦化一帯を拠点として自立し、六九八年、振国王を自称した。これがのちの渤海(六九八〜九二六)の建国である。

白村江の海戦とその結果は、今日の日本・朝鮮・中国東北部マンチュリアの領域を基本的に画定し、ともに各社会の実情に応じて律令をつくりかえ、その基本法を基礎とする国制によって社会を統合することになった。それは、ほぼ千年ののち、ヨーロッパ世界で国民国家形成の端緒となった、ドイツ三〇年戦争後のウェストファリア条約（一六四八年）の締結にも対比しうる結果であるといってよい。

泰山封禅――多国間秩序の形成

北東アジアの律令国家群の形成は、白村江の多国間戦争をきっかけとする。しかしより重要なことは、むしろその戦後処理と秩序再構築の過程にある。その過程の主要な事件となった、六六六年正月の泰山封禅儀礼の挙行に注目したい。これこそ東方世界からの、世界の構造化を礼制祭儀によって眼にみえるかたちにあらわした出来事である。その経緯をつぎにみることにしよう。

白村江の戦いが終結したのち、六六五年八月、新羅王金法敏（在位六六一～六八一）は、旧百済の扶余隆と百済熊津城で盟誓を挙行し、和睦と戦後処理をおこなった。おなじ年の九月から一二月にかけて、唐はその百済占領軍から二五四人の使節団を編成して倭国に派遣し、戦後処理と和睦をすすめた。倭国との盟誓がおこなわれたかどうか、史料がなく不明である。

これらの盟誓・和睦を主宰した劉仁軌（六〇一～六八五）は、新羅・百済・耽羅（現済州島）・倭国の使節団をひきい、翌年正月の泰山封禅に参加した。この封禅には、羈縻州に編入された突厥・于闐・波斯・罽賓（現アフガニスタン・ベグラーム）にくわえて烏長（北インド、スワート川流域）をはじめとする天竺諸国、崑崙（海域東南アジア諸国の総称）等が参加し、また劉仁軌に率いられた新羅・百済・耽羅・倭国の使者のほか、高句麗からも太子が派遣され、盟誓に参加した。それは、ユーラシア中央世界の東西突厥との戦後講和、北東アジア境界領域諸国との戦後講和を総体的にかねた盟誓祭儀となった。

その経緯をみよう。六六五年一〇月二八日、高宗李治は、東都洛陽を出発し、一二月一九日、泰山（山東省泰安市）に到着した。途中の道路には、数百里（一里約五〇〇m）にわたって儀仗隊がつづき、会同儀礼に参加する諸国・諸族の天幕、ウシ・ヒツジ・ラクダの群れが充満していたという。

六六六年正月元日、(1)泰山の山麓での昊天上帝祭祀（高祖・太宗を合わせて天を祀る。封祀礼）をかわきりに、二日、(2)山頂での玉策（上帝への感謝を記す冊書）の埋納（登封礼）、三日、(3)社首山での皇地祇祭祀（高祖后・太宗后を配祀して地を祀る。降禅礼）、五日、(4)朝覲壇での文武百官および周辺諸国・諸族との会同儀礼（朝覲礼）を挙行した。

祭儀終了の五日には、天下に大赦が下され、年号を麟徳から乾封と改元した。全囚人・政治犯を釈放し、また未納・滞納の租税を免除し、唐帝国の天下秩序が全面更新された。

封禅は、皇帝が天下泰平を昊天上帝に報告する最重要の祭祀儀礼である。これまで、秦の始皇帝、漢の武帝・光武帝の三人しか挙行できなかった。

四種の祭儀のうち、最後の会同儀礼は唐になってはじまった儀礼で、毎年元旦に挙行される元会儀礼の次第にならって実施した。元会と異なるのは、朝覲壇に方明という神位を設置し、これに対して参加者一同が皇帝を中心とする秩序の再構築を誓うところにある。

しかし、この秩序再構築の誓約は、ただちには実現しなかった。すでに見たように六六八年の高句麗滅亡を契機として北東境界領域がまた不安定化し、西南方面では六七〇年、吐蕃が西域の天山南路に進出し、唐の大軍を破って安西都護府を一旦廃止においこんだ（六九三年復置）。このような動きも影響して、羈縻州編入以後なんども独立運動をおこしてきた東突厥が、阿史那骨咄禄のもとに再結集し、六八二年、骨咄禄はイルテリシュ（国あつめたる）可汗（在位六八二～六九一）として即位した。モンゴル高原で突厥第二可汗国（六八二

〜七四四）が復興した。

このの ち、六九五年、唐を簒奪した周朝の女性皇帝、金輪聖神皇帝武曌（在位六八四〜七〇四）が神都洛陽南郊の嵩山で、また七二五年、唐の玄宗李隆基（在位七一二〜七五六）が泰山で封禅を挙行している。いずれも祭儀は乾封の封禅を踏襲し、文武百官・諸外国・諸族をあつめて天下泰平と中国皇帝への従属を盟誓した。

唐（周）は、ほぼ三〇年ごとに三度にわたって封禅祭祀を挙行し、天下を中心とする世界秩序を維持しようとこころみた。参加諸集団にはそれぞれの政治的動機や事情があり、封禅による秩序形成も一時的で永続しなかった。漢と匈奴との盟誓がなんどもくりされたように、くりかえしによる秩序更新が封禅祭祀、盟誓の特質である。

封禅祭祀は、ほぼ三〇〇年をへて、一〇〇八年に北宋の真宗（在位九九七〜一〇二二）も実施する。しかし盟誓による秩序形成のこころみは、その四年前の一〇〇四年に挙行された契丹・宋二国間盟約（澶淵の盟）にみるように、すでに対等な二国間会盟を主流とするようになっていた。さきにすすみすぎたようである。ここでまた、西方世界に眼をもどそう。

アラブ帝国――正統カリフ・ウマイア朝

正統カリフ時代　六三二年六月八日、ムハンマドが死んだ。そのあとをついでウンマの首長にえらばれたのは、アブー・バクル（在位六三二〜六三四）であった。かれは、「神の使徒の代理」という意味でハリーファ・ラスール・アッラーフと称した。これがカリフ制度のはじまりで、わたしたちになじみのカリフは、ハリーファのなまりである。

アブー・バクルは、カリフ就任直後にサワード（チグリス、ユーフラテス両河川流域の沖積平野）に遠征軍をおくり、さらにシリアへ向けて遠征軍を出発させた。これがアレキサンダーの征服、モンゴルの征服とならんで三大征服とよばれる大征服の開始である。

大征服は、第三代正統カリフ・ウスマーン（在位六四四〜六五六）時代にもつづけられた。その治世のなかばにあたる六五〇年までに、東はペルシアの大部分とアフガニスタンの西半分、北はカフカスおよびタウルス山脈の南麓にいたるまで、西はバルカ（キレナイカ）以東の北アフリカがカリフ政権の版図にはいり、大征服は終結した。ただこのあとも、八世紀初めまで北アフリカ、イスパニア（七一一）、コルシカ、サルディニア等の征服はつづく。

大征服の過程で、征服地の統治と征服のための基地とするため、征服地にはアラブの軍事都市ミスルが建設された。サワードのバスラとクーファ、シリアのダマスクスやヒムス、エジプトのフスタートがその代表である。ミスルには、アラビア半島各地から家族をひきいたアラブ遊牧民が移住し、ムカーティラ（戦士）として居住した。その数は、家族をふくめて一五〇万人と推定されている。ウンマの指導的な人びとがアラブ遊牧民の軍事力を利用して大征服を成功させたので、アラブは種族全体として新たに建設された帝国の征服者・支配者集団となった。

六五四年、大征服戦争の終了によって、戦利品収入の道を断たれ、低い俸給だけで暮らさなければならなくなったムカーティラの下級戦士たちが、バスラとクーファで総督に対する叛乱をおこした。これに対処していたカリフ・ウスマーンが、六五六年、エジプトのフスタートからおしよせた下級戦士の一団によって殺害された。アリーをはじめ、メディナの上層階級のうちウスマーンに不満をもっていた人びとが背後にいたと考えられている。

ウスマーンの死後、メディナは大混乱におちいった。六日後にやっとアリー（在位六五六～六六一）が第四代カリフに就任し、下級戦士たちは、所属のミスル（軍事都市）に帰っていった。

ウマイア朝　ウスマーンの死後、ウマイア家の家長は、シリア総督のムアーウィアであった。シリアのムカーティラたちは、一貫してムアーウィアに対する忠誠とカリフ・ウスマーンの血の復讐とを誓った。

六五七年、アリーとムアーウィアとのあいだで戦闘がおこり、勝敗が決しないまま調停にはいった。その過程で、両者がカリフとみなされる異常事態がおきた。六六一年、アリーがクーファで暗殺された。これにより、ムアーウィアが唯一のカリフと認められ、ここにシリアのダマスクスを首都とするウマイア朝がはじまった。以後一四代八九年にわたってウマイア家の一族がカリフを独占したので、これをウマイア朝（六六一～七五〇）という。

ムアーウィア（在位六六一～六八〇）の活動にかかわって、中国の『旧唐書』拂菻（ビザンツ）国伝は、六四三年・六六七年に拂菻王が使者を派遣して唐朝に貢納したことを記し、その間に「大食（アラブ）が強盛になって以来、しだいに諸国を侵略し、大将軍摩栧（ムアーウィア）を派遣してその都城（コンスタンティノープル）を攻撃してきたので、和約を結んで、毎年金・帛を納め、大食に臣属することになった」とつたえる。

アラブ軍のコンスタンティノープル包囲は六六九年にはじまり、アラブ艦隊の海上封鎖による攻防戦は、六七四年から六七八年にわたる出来事である。「ギリシア火」なる新兵器によってアラブ艦隊は大敗を喫し、根拠地をひきはらって撤退した。だから『旧唐書』の記事は、あべこべの不正確な記述である。ただこの出来事は、ビザンツ帝国がイスラーム勢力侵攻からの東方における楯となり、こののちヨーロッパ世界の形成にみちびく世界史的な事件となった（井上浩一一九八二）。この事件が東方にもかたちを変えてつたわったことに注目したい。

四人の正統カリフ時代からウマイア朝にかけて、その性格はアラブの大征服による征服王朝であり、その本質は支配者集団であるアラブによる異民族支配であった。そこで、この時期をアラブ帝国と呼ぶことにする（嶋田襄平一九七七）。ただ支配者集団に数えられるのは、ミスルに居住するムカーティラ（戦士）までであり、アラビア半島のアラブ遊牧民は除外され、ムカーティラの予備軍に位置づけられた。

ウマイア朝の社会は、支配者であるアラブのイスラーム教徒、征服地の原住民でイスラームに改宗したマワーリー、先祖からうけついできた信仰の維持を許されたズィンミー、および少数の奴隷からなっていた。租税は、基本的にハラージュ（地租）とジズヤ（人頭税）からなり、あわせると生産物のほぼ半分にあたると推定される。この重い租税は、征服地の原住民であるマワーリーとズィンミーだけが負担した。

ウマイア朝の政治目的は征服による領土拡大と租税徴収であった。これに対応して行政機構は、征服地からの租税徴収をおこなうディワーン・アルハラージュ（税務庁）とムカーティラの維持を目的とするディワーン・アルジェンド（軍務庁）が基本であった。この行政機構は、征服王朝の性格をよくあらわしている。

全国土は、当初シリア州、イランを含むイラク州、北アフリカを含むエジプト州、アラビア州の四州にわけられ、シリア州は直轄州であった。他の三州には、総督が任命され、軍事と行政の全権限をまかされた。

アラブは、征服にさいして旧支配者の行政上の慣行を踏襲し、その自治機構・徴税機構をそのまま継承することを方針とした。したがって帝国全体を統括する徴税機構も存在せず、カリフの直轄州の機構と同じも

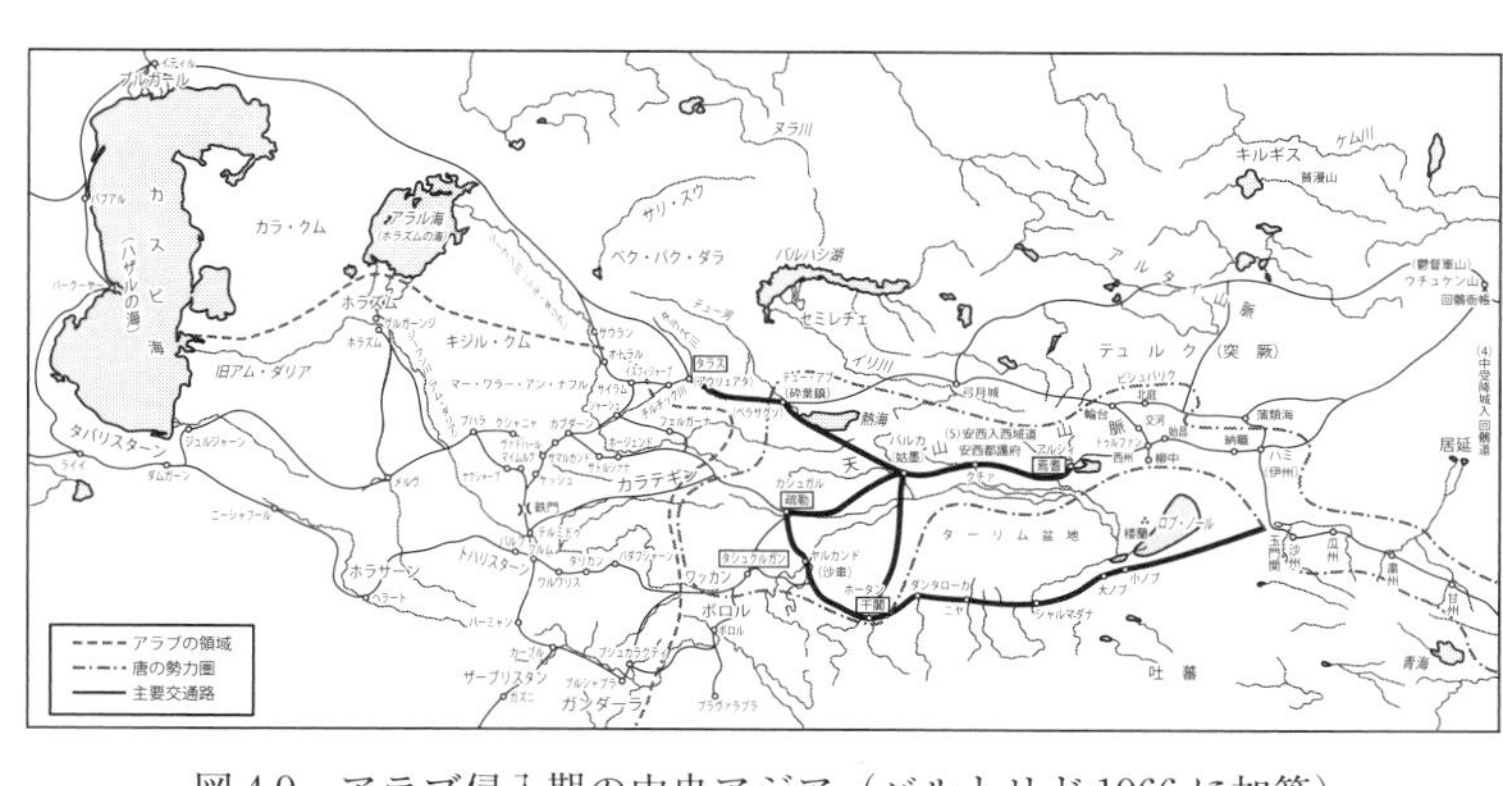

図 4-9　アラブ侵入期の中央アジア（バルトリド 1966 に加筆）

のが各地方に併存した。帝国の性格は、地方分権的であり、地域の連合体というべく、有機的に統合された集権国家ではなかった。

タラス河畔の戦い

アラブの大征服は、西アジアからユーラシア中央世界に人びとが侵入してきた最初の出来事であった。七世紀三〇年代に全アラビアを征服したのち、アラブ軍はビザンツ帝国のアジア領域とイランへ侵攻していった。六四二年のニハーヴァンドの戦いは、サーサーン朝ペルシアを壊滅のふちにおいこんだ。六五一年、アラブ軍は、メルブ、ヘラート、バルフの城壁下にあらわれ、和約の締結と高額の租税をとりたてた。メルブとバルフは、こののちアラブ軍がユーラシア中央世界のオアシス農耕地帯に侵出する戦略的要地となった。

七〇五年から七一五年におよぶクタイバ・イブン・ムスリム将軍の遠征はもっとも重要な軍事行動である。かれらは、七一二年にサマルカンドを占領し、マーワラーアンナフル（アムダリアの彼方の地　西トルキスタン、旧ソグディアナ）をサーサーン朝ペルシアの東方境域であったホラーサーンに併合した。メルブが全ホラーサーンの中心都市となり、サマルカンドはマーワラーアンナフルの中心都市となった。この出来事は西トルキスタンをオリエント・西アジア世界にむすびつけることになった。

アラブの遠征軍は、さらにシルダリアの東方地域、チルチック渓谷、アラル海アム川河口流域のホラズムにまでおよび、ステップに接する農耕地帯を占領することになった。中国側の史料は、天可汗皇帝玄宗にあてて、七一九年二月に、安国(ブハラ)王篤薩波提(トゥサボティ)、倶密(クミドゥ)国王那羅延(ナーラーヤナ)、康国(サマルカンド)王烏勒伽(グルカ)がそれぞれに異密屈底波(エミール・クタイバ)による侵攻と徴税に対する救援を要請し、七二七年に、吐火羅(トハラ)葉護(ヤブグ)が、その後の大食(アラブ)による重税と支配から解放することを要請する外交文書を伝えている（『冊府元亀』九九九）。唐朝からは、慰撫する内容の返書がとどけられただけであった。

七三〇年代のおわりころ、アラブ軍は、西突厥の遺衆二〇万をまとめあげて西トルキスタンに覇権を行使していた突騎施(トゥルキッシュ)部首領蘇禄(スール)をシルダリア河畔に破り、テュルク諸族に決定的な分裂をひきおこした。モンゴル高原では、七四四年、北方からのウイグルの攻撃によって突厥第二可汗国はほろびる。さらに七五一年のタラス河畔の戦いは、最終的に西トルキスタンがイスラームの支配下にはいることを決定づけた。

タラス河畔の戦いは、その前年一二月に、石国(タシュケント)王との和約にそむいて、安西節度使高仙之（？〜七五五）が石国を襲撃し、王とその民衆をとりこにしたうえ、老人・子供を皆殺しにして、宝石・黄金その他財物を自分のものにしてしまったことにはじまる。

翌正月に高仙之(こうせんし)が長安に入朝し、捕虜にした突騎施可汗・吐蕃酋長(とっばんしゅうちょう)・石国王・竭師(カシュガル)王を献上すると、玄宗は、石国王を斬刑に処した。石国の王子が西域諸国にのがれ、高仙之の残虐・貪欲をあからさまに告げたため、諸国が高仙之を恨み、ひそかに大食(アラブ)の兵をひきいて安西節度使を攻撃することになった。

これを聞きつけた高仙之は、蕃・漢三万の兵をひきいて、タラス城までやってきた。そこで大食軍と遭遇したのである。五日間のにらみあいのあと、葛羅禄部（カルルク）がねがえって唐軍を挟み撃ちにしたため、高仙之が大敗を喫し、数千人をのこして全滅したと、『資治通鑑』はつたえる。高仙之は夜にまぎれて窮地を脱した。

この戦役の結末は、わかりにくいことが多い。大敗を喫した高仙之は唐朝から何の処分も受けていない。アラブ軍もそこからさらに北方の草原地帯や東方の東トルキスタンに侵攻することはなかった。

しかしこの戦役は、その後の形勢にとって重大な意義をもたらした。唐朝がこのオアシス都市地域に設定していた羈縻州を放棄し、こののち中国王朝が西域支配に手をだすことをやめたことがそのひとつである。

もうひとつは、その裏がえしになる。シルダリアを境界線として南方の西トルキスタンはイスラーム圏、北方草原はテュルク系カルルク部の勢力地帯となった。九世紀には、マーワラーアンナフルは純粋のイスラーム社会とみなされ、その住民は異教徒に対する聖戦（ジハード）に参加している。そのころには、イスラーム神学校が各地に創設されるようになった（バルトリド一九六六）。

イスラーム帝国——アッバース朝

アッバース家運動　タラス河畔の戦いにさきだつこと三〇年ほど前、過激シーア派[3]の一派であるラーワンド派が、預言者ムハンマドの叔父アッバースの子孫であるアッバース家のムハンマドをかついでウマイア朝打倒の運動をおこした。これがアッバース家運動とよばれる革命運動のはじまりである。その中心地になったのはホラーサーンであった。

七四三年にムハンマドが死に、長子イブラーヒームがアッバース家当主となった。かれは、腹心の部下アブー・ムスリム（?～七五五）をホラーサーンに派遣した。アブー・ムスリムは、七四七年六月、ホラーサーンの首都メルブ近郊の農村で黒旗をかかげ、農村に定住させられていたアラブ部族民を革命軍ホラーサーニーに編成して、武装蜂起にふみきった。

七四八年二月、メルブを占領したアブー・ムスリムは、つづいてイラクに攻め入り、七四九年九月にクーファ入城をはたした。その一一月末、ホラーサーニーは、獄死していたイブラーヒームにかわり、その弟アブー・アルアッバース（在位七四九～七五四）にカリフとしての忠誠の誓いをおこなった。ここにアッバース朝が成立した（七四九～一二五八）。ホラーサーニーは、アッバース朝の常備軍となった。

教科書では、アッバース朝の成立を七五〇年とする。それはウマイア朝最後のカリフ・マルワーン二世がエジプトでうちとられた年である。アッバース朝に即していえば、七四九年の成立が妥当であろう。

ちなみに、中国史料のひとつは、このアッバース家運動を中心に大食に関する情報をつぎのようにつたえている。

隋の開皇年間、大食族のなかに狐列(クライシュ)部族があり、代代酋長であった。狐列(クライシュ)部族にはまた両氏族があり、ひとつは盆泥奚深(ハーシム)、もうひとつは盆泥末換(マルワーン)といった。奚深家の子孫に摩訶末(ムハンマド)なる者（ムアーウィアなるべし）がおり、勇敢で知略があり、民衆が擁立して君主とした。かれは東西に征戦し、三千里の領土を拡大し、あわせて夏臘、一名彡(さん)城を克定した。摩訶末ののち一四代にして末換(マルワーン)（二世　在位七四四～七五〇）にいたった。かれは、その兄伊疾(イブラーヒーム)を殺してみずから君主となり、また残忍であったので、民衆はかれをうらんだ。

呼羅珊(ホラーサーン)木鹿(メルブ)の人並波悉林(アブー・ムスリム)が義兵をおこし、応じる者にはみな黒衣を着用させた。旬月の間に兵士は数万にふくれあがり、軍鼓を鳴らして西に行進し、末換を生け捕りにして殺害した。かくて奚深家の阿蒲羅抜（アブー・アルアッバース）をさがしだし、かれを君主に立てた。末換（マルワーン）以前を白衣大食といい、阿蒲羅抜以後をあらためて黒衣大食といった。阿蒲羅抜が死ぬと、その弟阿蒲恭拂（アブー・ジャーファル）（在位七五四～七七五）を立てた。……恭拂が死ぬと、子の迷地（マフディー）（在位七七五～七八五）が立ち、迷地が死ぬと、子の牟栖（ハーディー）（在位七八五～七八六）が立ち、牟栖が死ぬと、弟の訶論（ハルーン）（アルラシード　在位七八六～八〇九）が立った。……（『旧唐書』大食伝等）。

革命の功労者が事後弾圧されるのは、歴史の規則性のひとつである。アブー・ムスリムはまもなく暗殺され、シーア派は、穏健派・急進派にかかわらず、正統派のアッバース朝によって弾圧・忌避され、両者の溝は深まっていった。

イスラーム国制　ジャマーアに代表される部族連合、地域連合的性格が強かったウマイア朝と異なり、アッバース朝は、「神の代理人」としてのカリフ神授観念を確立し、カリフの意のままに動く強力な軍隊と中央集権的な官僚制による支配をおこなった。

アッバース朝は、サーサーン朝の政治文化を受け継いだ。官僚制のトップにはワズィール（宰相）をおき、ディワーンと呼ぶ各行政官庁にはペルシア人・アラブ人ムスリムが官僚として勤務した。地方行政は、カリフが任命するアミール（総督）やカーディー裁判官によってすすめられた。

イスラームは、預言者ムハンマドの出自が示すように本質的には商人の宗教であり、都市の宗教であった。イスラームの宗教学者であり、政治的な一大勢力でもあるウラマーの六〇・六％は商人出身であった。

多数のムスリムが受容するイスラーム信仰の内容がシャリーアの法体系にくみこまれ、アラブ人ムスリムと非アラブ人ムスリムであるマワーリーとの差別も解消され、全ムスリムの信仰共同体としてのウンマが成

シャリーア　イスラーム法

シャリーアは、イスラーム法をいう。シャリーアは、本来「水場への道」、砂漠のなかで水飲み場につうじる主要道路を意味した。砂漠では水は生命の源である。そこから、シャリーアは神が人間のために開いた道、永遠の生命の源につうじる道、人間が人間として歩むべき正しい道を意味するようになった。それは、人間の共同体のモラル、つまり人間を道徳的に規制する社会生活の規範体系であった。

イスラーム法は、神の意志そのものを命令と禁止の体系として形式化したものであり、本性上宗教法ではある。しかし、イスラームでは聖と俗の区別を立てないので、宗教法とはいえ、人びとの日常生活のすみずみまで規制力がおよぶ。

具体的には、第一に宗教的儀礼の規則、たとえばメッカ巡礼の仕方、ラマダーン月の断食の仕方、日に五回の礼拝の仕方などがある。つぎに、民法や親族法にあたる家族的身分関係として、結婚、離婚、再婚、持参金、遺産相続、扶養義務などを律する細かい規則がある。そのつぎには商法関係にあたる取引の正しい方法、契約の結び方、支払い方法、借金の仕方、借金返済の方法などの規則がある。つぎは刑法関係で、窃盗、殺人、姦通、詐欺についての規定がある。

さらには、食べものや飲みもの、衣服、装身具、薬品の飲み方、香料の使い方、あいさつの仕方、女性と同席し会話するときの男性の礼儀、老人に対する思いやりのあらわし方、孤児の世話の仕方、召使のとりあつかい、はては食事のあとのつま楊枝の使い方、トイレットの作法まである（筒井俊彦一九九一）。

シャリーアの社会生活にかかわる部分は、『儀礼』『礼記』に記す儒学の礼制にはなはだ近似する。

立した。

アッバース朝の支配階級は、アラブ戦士層のムカーティラを基礎とする支配者集団にかわって、都市居住者であるワズイール、ディワーン各長官クラスの高級官僚、指揮官クラスの高級軍人、大地主、大商人、精神的指導者である大法官ウラマー層であった。かれらは、基本的に農村の農民が支払う租税ハラージュ、あるいは小作料によってやしなわれた。

アラブの種族的、部族的性格がつよかった正統カリフ制・ウマイア朝の時代をアラブ帝国とよび、種族にかかわりのないイスラーム国制を実現したアッバース朝をイスラーム帝国として区別しておきたい（嶋田襄平一九七七）。

イスラーム国制とは、換言すればイスラームの家（ダール・アル・イスラーム）の法観念にもとづく国家である。それは、ムスリムの王権が統治し、ウンマ（イスラーム信徒共同体）を支配共同体とし、イスラーム法シャリーアが施行される領域であり、キリスト教・ユダヤ教などの異教徒を包摂し、ジズヤとハラージュの支払いにもとづいて異教徒支配をおこなう政治領域である。

イスラーム国制すなわちイスラームの家（平和の領域）と区別されるのが戦争の家（ダール・アル・ハルブ）である。それは、異教徒の王権が統治し、イスラーム法が施行されず、ジハード（聖戦）の対象となる政治領域である。イスラーム国制には、ヨーロッパ人が区別するようなイスラームとヨーロッパの対比はない。イスラームの家と戦争の家との区別だけである。

イスラームの世界的相互作用圏　ウマイア朝によるイベリア半島から中央アジアにいたる世界帝国の形成は、端から端まで自由な商品流通を可能にした。香料・宝石・高級織物などの特産物だけでなく、大衆消費

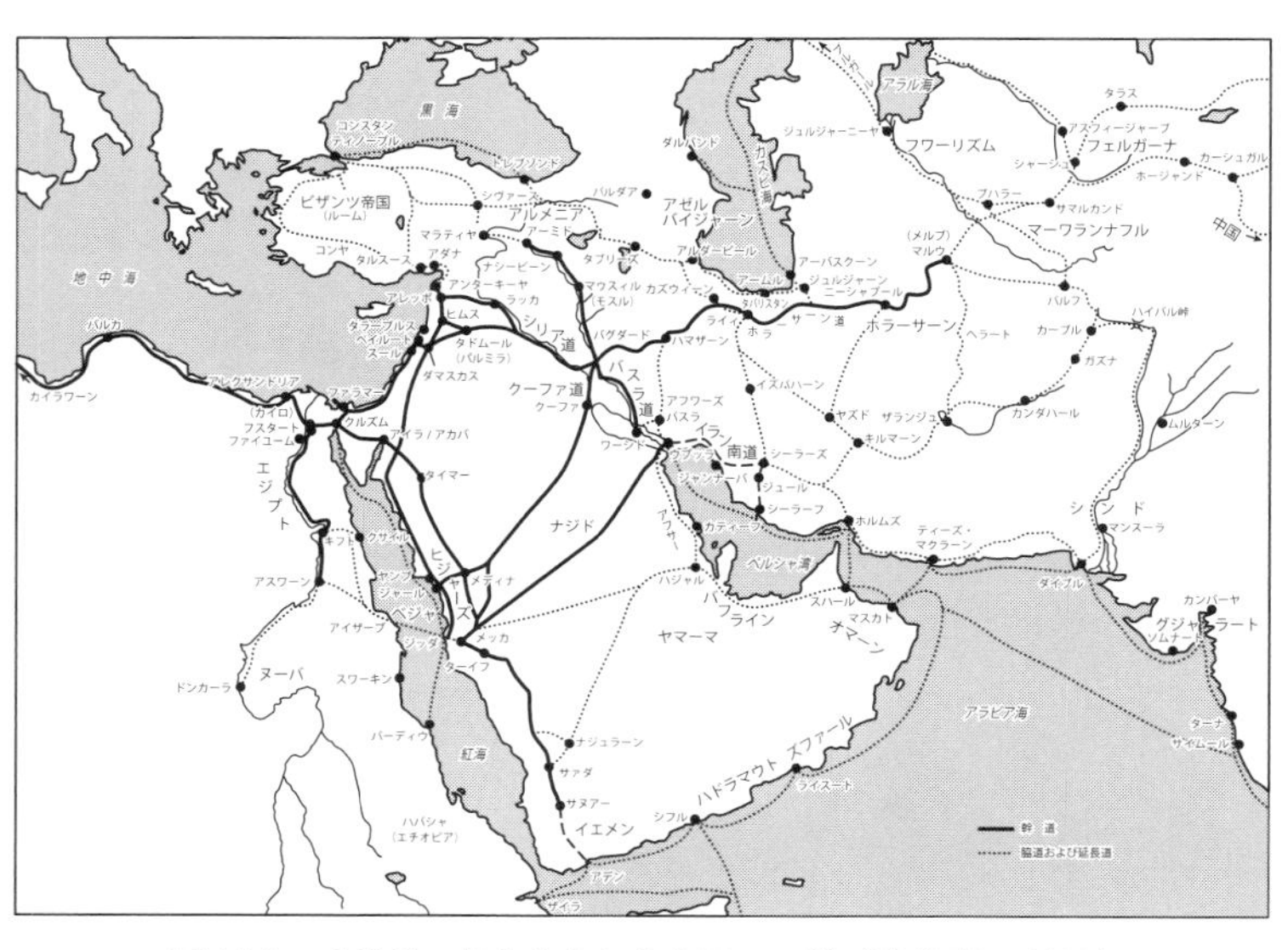

図 4-10　バグダードを中心とする四つの道（家島彦一 1991）

の商品である穀物・繊維製品が交易された。また海域陸域をつうじた遠隔地交易は各地の産業を発展させた。

アッバース朝は、商品流通などの経済的交通だけでなく、広大な支配領域の政治的支配をおこなう目的から、バグダードを中軸に放射しまた集中する駅逓（バリード）網を構築した。バリード網は、円型都市であるバグダードの四つの城門を起点とする四つの街道、すなわちホラーサーン道、バスラ道、クーファ道、シリア道によって構成される道路網と宿駅制度である（図4‐10）。駅逓は、東イスラーム圏では原則として二ファルサフ（一二km）、西イスラーム圏では四ファルサフごとに配置され、総数は九三〇地点におよんだ。

バグダード東門のホラーサーン門を起点とするホラーサーン道は、ハマザーン・ライィ・メルブをむすぶ直轄道であり、中央アジア・中国辺境地方に対する軍事的・政治的支配をおこなうためにもっとも重視された。その他の街道からも、バスラを起点としインド洋に展開する海上交通路（バスラ道）、メディナ・メッカからさらにアデンにつうじるクーファ道、シリアから北アフリカのエジプト・イフリーキア・マグリブにつうじるシリア道があり、さらにサハラ砂漠を横断してガーナ王国にまで到達した。

バリードは、中央政府の命令文書を地方総督に送り、地方総督の報告書を中央政府に届けることを主目的とした。その統括官庁であるバリード庁（ディワーン・アル・バリード）の長官はカリフによる勅任であった。バリードは、アッバース朝の中央集権体制を支える重要な機能をはたした。

バリード網の整備は、同時に私的な交通・長距離交易・文化交流などにも大きな影響をあたえた。視点は異なるが、九世紀半ばのイブン・フルダーズベは、『諸道・諸国の書』のなかで、七世紀末から八世紀初頭にかけて、フランク族の地を出発点とするユダヤ人商人の国際的大商業の旅程を大略つぎのように記述している。

海路：ファラマ→クルズム（スエズ地峡）⇩メディナ・メッカ→紅海⇩インド⇩中国

海路：アンティオキア（シリア）⇩ユーフラテス河⇩バグダード⇩ペルシア湾オマーン⇩インド⇩中国

陸路：イスパニア⇩モロッコ・北アフリカ⇩エジプト⇩ダマスクス（シリア）⇩ファールス・キルマーン（イラン南部）⇩シンド・ヒンド（インド）⇩中国

陸路：東ローマの背後⇩スラブ族居住地⇩ハザール王国（可薩突厥〔カザールテュルク〕）首都イティル⇩カスピ海⇩バルフ・マーワラーアンナフル（中央アジア）⇩中国

帰路は、コンスタンティノープルをめざすか、ライン河沿岸地方「フランク族の王の居住地」へ

それは、イスラーム帝国の成立によって、バグダードを中軸とするバリード網をこえて、インド・中国か

らイスパニアまで、ユーラシア草原からスーダンにいたるまで、陸域・海域を包摂する世界的商業経済圏が形成されたことをしるしている（家島彦一一九九一、ピレンヌ他一九七五）。それは、誕生したばかりのヨーロッパ世界をふくめて、西方アッバース朝を中心とする初期的な世界の構造化と一体化を示している。

李世民とムハンマド

七五一年のタラス河畔の戦いは、太宗李世民にはじまる唐帝国からの東方世界の構造化と預言者ムハンマドにはじまるイスラーム、アッバース朝からの西方世界の一体化とがくしくも邂逅した、その接点でおこされたものである。この二つの世界的相互作用圏は、ユーラシア中央世界のオアシス都市領域を含みあいながら、長安とバグダードとをふたつの中心とするゆるやかな楕円の世界を表現している。それは、ユーラシア中央世界の草原領域を完全に含んではいないが、陸域・海域を含む初期的な世界の一体化を表現し、いくつかの変動を含みつつも八世紀半ばまでに完成した。

本格的な変動のはじまりは、八四〇年のウイグル帝国の離散によるユーラシア中央世界の分裂、黄巣の叛乱（八七五〜八八四）による東アジア世界の分裂と海域アジア国際商業網の形成に淵源する。

ムハンマドとシャルルマーニュ、あるいはヨーロッパ世界の誕生

タラス河畔の戦いは、イスラーム圏の東方展開によって生じた戦争である。イスラームは、その西方展開でも重大な結果をもたらした。それは、ヨーロッパ世界の誕生である。

歴史世界としてのヨーロッパとは、「ギリシア・ローマの古典文化の伝統と、キリスト教と、ゲルマン

民族の精神と、この三つが歴史の流れのどこを切ってみてもからみあっているもの」である（増田四郎一九六七）。ただし、東ヨーロッパについては、ゲルマン諸族にかえてスラブ諸族をいれる必要があるだろう。

ヨーロッパ世界の形成については、ピレンヌテーゼという有名な学説がある。

ちょうど百年前の一九二二年、フランスの歴史学者アンリ・ピレンヌ（一八六二〜一九三五）は、古典古代から中世への転換とヨーロッパ世界の誕生とを結合させて論じた（ピレンヌ一九六〇、一九七五）。その中心となる論点が、イスラームの大遠征である。その内容をかいつまんで紹介しよう。

地中海世界・ヨーロッパ世界では、八世紀の末に、経済・政治などあらゆる分野で、伝統的秩序の完全な転倒がおきた。ヨーロッパの文明が、地中海の沿岸地域、その中枢であるイタリアから、文明世界の最北端に野蛮状態でとりのこされていたライン河とセーヌ河とにはさまれたカロリング帝国に移った。地中海共同世界を脱することにより、西ヨーロッパは、すなわちカロリンガ・ヨーロッパは、別のひとつの世界を形成する。

ヨーロッパ中世の形成は、通常いわれるように、蛮族のローマ帝国侵入による西ローマ帝国の滅亡を原因とするものではない。カロリング朝に先行するメロビンガ・フランクにおいても、あらゆる分野でローマ的伝統はいきつづけた。逆転がおきたのは、イスラームの侵入により、地中海世界の統一性が破壊されたからである。

ムハンマドのイスラームに起因する地中海世界の統一性の破れがシャルルマーニュ（カール大帝、在位七六八〜八一四）のヨーロッパを生んだ、というのがテーゼの主旨である。

ピレンヌテーゼについては、今日にいたるまでその具体的な諸論点について様ざまな検証と批判がなされている。その内容の紹介は、本巻の主要な対象からはずれるので、しばらくおく（批判の諸論点についてはピレンヌ一九七五参照）。

わたしたちがここで確認すべきは、八世紀最後の年、八〇〇年一二月二五日のクリスマスに挙行されたローマ教皇レオ三世によるシャルルマーニュの戴冠、西ローマ帝国の復活が、オクシデントとオリエントの拡大再版であり、ヨーロッパ世界とイスラーム圏との対立を含む相互作用圏の形成を象徴する出来事だったことである。

草深い周縁に位置したヨーロッパ世界にとっては、その東方世界はイスラーム圏であって、さらにその東方には無関心、というより未知の領域であった。のちになって、ヨーロッパ人にとって、意外な方向から、イスラーム圏の東方になお文明世界のあることを告げられた。それは、一三世紀はじめのモンゴル軍の大遠征である（サザーン一九八〇）。

〈注記〉

1、古典国制は、日本古代史家吉田孝の定義による。吉田は、「歴史のなかでその後の国制や文化の基礎となり、のちの時代から何らかの規範意識をもって回顧される国制や文化を『古典的』と定義」する。日本のばあい、それは、①五畿七道諸国（大八州（オオヤシマ））を領域とし、②天皇を核とし、摂政・関白、院（上皇）、征夷大将軍などがその権力を代行する支配体制、③その基礎となるイエ（血縁を基礎とする広義の企業体）の制度、④ヤマト言葉（母音は五つ）、かな文字と漢字の併用による言語文化、⑤宗教意識の基層としての神仏習合の成立と『古今集』に代表される自然観・美意識の形成を指標とする日本に独自の国家のしくみの成立である。ヤマトの古典的な国制・文化の枠組みの成立は、平安時代前期である（吉田孝一九九七）。

2、羈縻州とは、ウシやウマをつなぎとめるように、唐に内附した周辺諸部族・氏族の族長・首長、あるいは国王を世襲制の州刺史や都督に任命し、部族・氏族の社会統合形態を温存してその自治を認めることをいう。唐は都護府・都督府を設置してこれら羈縻都督府・羈縻州を統括した。唐の羈縻支配は、北東アジア境界領域、四川省西部から雲南・貴州省・広西省・広東省の西戎や南蛮とよばれる諸種族に対しても展開した。西方・南方周辺の諸種族に対する羈縻州支配は北宋期にもひきつがれた。玄宗の開元年間（七一三〜七四一）には八〇〇余の羈縻州があり、北宋の元豊期（一〇七八〜一〇八五）には三九八の羈縻州県をかぞえた。

3、第四代カリフ位をめぐる抗争のなかで、アリーに味方したものをシーア・アリー（アリー党）、ムアーウィアに味方したものをシーア・ムアーウィア(ムアーウィア党)とよんだ。ムアーウィアが権力を握ったので、ムアーウィア党の意味がなくなり、シーアといえば、シーア・アリーとなった。シーア・アリーは、ウマイア朝打倒をめざす少数派反対勢力となった。シーア派の起源はここにある。

イスラームの立場として、『コーラン』の精神をシャリーア（イスラーム法）にしあげ、外面的な社会政治機構にまで発展させた正統派ウラマーたちに対し、内面的視座を重視し、事物の存在の深層を非合理的直観によって把握しようとする人びとをウラファーと呼ぶ。この内面化された宗教を第一義とするウラファーたちのつくりあげたイスラーム文化のありようがシーア派である。正統派ウラマーがシャリーアを中心概念とするに対し､ウラファーたちの中心概念はハキーカとよばれる「内的真理」「内面的実在性」である。正統派（スンナ派）とシーア派は外面重視と内面重視の立場から対立しながらイスラームの文化をつくっていった（井筒俊彦一九九一）。

第五章

地域世界の分裂と一体化

九世紀から一一世紀にかけて、世界はふたたび大変動期に入った。世界各地で、中核になる国家や王朝が分裂し、また権力の交代がおきた。東アジア世界では、唐宋変革期と呼ぶ社会変動期にあたる。[1] ユーラシア中央世界も、八四〇年のウイグル帝国の瓦解以後、分裂期に入り（図5―1）、西アジアや地中海世界南域でもアッバース朝の名のもとで実質的な諸国分裂がおきた（図5―2 一九四頁）。

この分裂・変動期のなかから突如として生まれてくるのが大モンゴル帝国（ウルス）である。ヨーロッパ世界西部・地中海世界・南アジア世界・海域アジアをのぞいて、陸域の大半を含む世界制覇が実現し、東方からの世界の一体化が進展した。それまでの変動の過程をおうことにしよう。

一、長い一〇世紀――陸域世界の分裂と海域アジアの一体化

八〇〇年のクリスマスの日、西方のフランク王国でローマ教皇レオ三世によって、シャルルマーニュの戴冠式が挙行された。それは、ヨーロッパ世界の誕生を象徴する出来事であった（ピレンヌ一九六〇）。

それから四〇年後の八四〇年、モンゴル高原のウイグル帝国が突如崩壊した。ユーラシア中央世界は混乱におちいり、ふたたびテュルク系、モンゴル系諸部族が各地に分立した。このうごきのなかで、モンゴル高原の西、カザフスタン草原一体に遊牧していたテュルク系オグズ、テュルクメン諸族が、さまざまなかたちでシルダリアを境界とする農牧接壌地帯をこえ、定住農耕地帯であるマーワラーアンナフルにはいっていった。

その中の一部族が、そこを跳躍台として、一〇五五年、アッバース朝核心部であるバグダードにはいり、

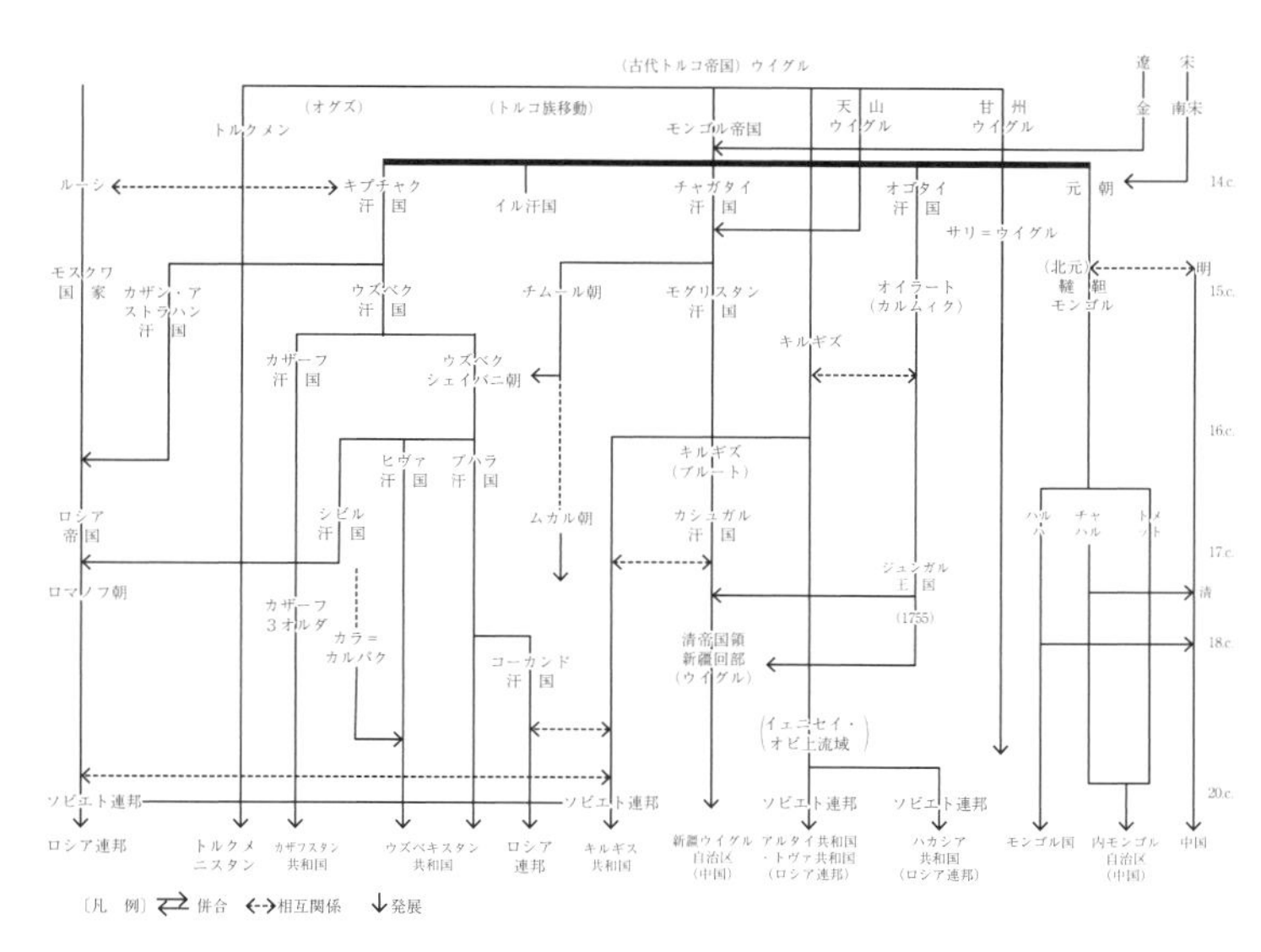

図 5-1　中央ユーラシア草原史の系譜（佐口透 1966 に加筆）

カリフの玉座のうしろでセルジューク朝をたてた。かれらの別動隊は、さらに西方に展開してシリア、小アジアを占領した。

かれらは、一〇九六年の夏のある日、ニカエア（ニケア）で、十字形の赤い布を衣服に縫いつけ、貧弱な装備を身につけた一群の兵士に出逢った。兵士は、みずからをフランクとよんだ。地元のテュルク人・アラブ人は、かれらをアル・イフランジ（フランジ）と呼ぶようになった。

テュルク人は、十字の裂（きれ）をつけたフランジの軍隊を一蹴してビザンツ領におしもどした。これが翌年に本格化する十字軍のさきがけであった。こうしてヨーロッパ世界と西アジア世界、テュルク・イスラーム圏は、世界史上はじめて相互作用圏を構築することになった。本節では、すこし回り道をしながら、この相互作用圏形成までの歴史的推移をみることにしよう。分裂から一体化への動きである。

ユーラシア中央世界の変動

七五五年、華北で安史の乱（七五五〜七六三）が勃発した（後述）。その平定に功績のあったモンゴル高原の回鶻（ウイグル）帝国とチベット高原の吐蕃（トッバン）帝国とが勢力を拡大した。両国は、唐帝国が後退したあと、東トルキスタンやパミール以西の土地の領有をめぐって争った。その結果、八世紀後半以降、ユーラシア中央世界東部から東アジア世界にかけて、三国鼎立の様相を呈した。

そのウイグル帝国と吐蕃帝国が九世紀半ばにあいついで分解した。

西ウイグル国（天山ウイグル王国）　モンゴル高原では、数年前からひきつづく自然災害のなか、支配者層のあいだで内乱がおこり、八四〇年、北方からキルギス族が侵攻し、首都オルドゥバリクを襲撃して可汗を殺害した。こうして、あえなくウイグル帝国は崩壊し、ウイグル支配者集団は各地に離散した。

そのうち、西走した一五部族は、甘粛、トルファン方面へ、さらにその西のジュンガリアからカザフスタン東部にいたカルルク族の領内にはいった。その後の消息は中国史書から消える。一〇世紀末にふたたび姿をあらわしたときには、西ウイグル国（天山ウイグル王国ともいい、中国史書では高昌回鶻）と呼ぶべき国にかわっていた。

宋から高昌国に派遣された王延徳は、九八四年の帰朝報告のなかで、師子王（アルスラハン）と呼ぶ王権のもとに、王庭である北庭（ビシュバリク　夏季）と高昌（ホーチョー）（西州　冬季）のほか、カラシャール（焉耆）などを中心都市とし、南は于闐（コータン）国、西南は大食（アラブ）・波斯（イラン）、西は雪山（ヒンドゥークッシュ）・葱嶺（パミール）に接する地域、すなわち東部天山北麓・ジュンガリア南辺のステップ地帯、ユルドゥス盆地、トルファン盆地などを領有し、そのうちに南突厥・北突厥・大衆熨・小衆熨・様磨・轄禄（カルルク）・黠戛司（キルギス）・末蛮・格哆族・預龍族など、諸族を統合する王国のすがたを記述している（『宋史』外国伝六「王延徳使高昌記」)。

この西ウイグル国は、王族はステップで馬の放牧をおこない、依然として遊牧民の生業をのこしている。しかしウイグル人民衆は、古くからこの地域につたわる灌漑農耕に従事し、定住農耕民に変化しつつあった。ウイグルは、一一世紀後半には、定住農耕民となった。

カラハン朝　これよりさき、西ウイグル国の西、ジュンガリア・カザフスタン東部には、西突厥の別部であったカルルク部族連合(三姓葛邏禄)があって、当初西ウイグル国の従属下にあった。九世紀中葉には、カルルク族は独立し、ベラサグンに本拠をおいてカラハン朝(九四〇ころ～一二一二)を建国した。

カラハン朝は、伝説によれば、九六〇年、二〇万帳のテュルク族をこぞって、イスラームに改宗した。テュルクがイスラーム化した最初期の事例となった。ムスリム・テュルク可汗は、アルスラハン(獅子王)の称号を用いた。

カラハン朝は、勢力圏を拡大し、東方ではカシュガル(疏勒)を拠点にしてクチャ(亀茲)やコータン(于闐)まで支配した。それは東トルキスタンにイスラーム圏が拡大する端緒となった。南方では、セミレチエから進んでサーマーン朝を攻撃し、九九九年にこれを滅ぼして東西トルキスタンにまたがる大国を構築した。

こうして一〇世紀末には、マーワラーアンナフルにいたるまでテュルク系諸族が支配する土地となり、のちにはアムダリアを境界線として、その北側をテュルク人の土地・トゥーラーン、その南側をペルシア人の居住地・イランとすることがほぼ確定した。

その政治社会を活写するのは、改宗後ほぼ一世紀をへたイスラーム暦四六二年(西暦一〇六九／七〇)に、ベラサグンのユースフ・ハス・ハージブがカラハン朝の王タブガチ・ボグラ・ハンのためにテュルク語で書いた教訓詩『クダドゥグ・ビリク（幸福になるための知恵）』である。
『クダドゥグ・ビリク』には、テュルク系カラハン朝の社会について、カラ・アム（平民階級）、タプクチ（学者階級）、支配階級の三階級があると記述する。平民階級には商人（サティクチ）・農民（タランチ）・牧畜者（イグディシチ）を含み、学者には賢者（アレヴィ）・医者（オテチ）・呪術師（アプスンチ）・占星師（ミュネジム）を含み、支配階級には王（ハン）・大臣（ワズイール）・将軍（スバシ）・書記官（ビティクチ）・使節（ヨラオチ）・護衛兵（カプクチ）がふくまれている（ラティモア一九五一）。

ここには定住化したイスラーム・テュルク系の国家の典型が示されている。

西方のオグズ諸族　これら諸王国とならんで、その北方草原・森林地帯には、西方では黒海からウラル山脈にかけてオグズカンを始祖と称するテュルク系オグズ諸族、類族のキプチャク族が部族社会を形成し、遊牧していた。のちにオグズ諸族は、農牧境界線であるシルダリアをこえてたえまなく南下し、西トルキスタンから西アジアにまで散開し、小アジアにまで展開していく。テュルク系オグズ族の移動については、アッバース朝の解体と深く関連するので、のちにふたたびとりあげることにしよう。

東方のテュルク・モンゴル系諸族　モンゴル高原東部には、ジャライル族、タタール族、メルキト族など、モンゴル系諸族が部族連合体を形成して遊牧していた。モンゴル高原西部では、ケレイト族・ナイマン族・オングト族・キルギス族などが首長制部族連合体を形成して遊牧していた。

これら諸族は、西方のオグズ諸族と異なり、ウイグル帝国以来のウイグル・テュルク文化を継承し、ネストリウス系キリスト教（一〇〇二年以降）、マニ教、仏教を信奉し、あるいは儒学を受けいれ、初期文明化した遊牧民が多い。

ユーラシア中央世界の草原・森林地域には、突厥のような統一王権は出現せず、一二世紀末までテュルク系・モンゴル系諸種族の分立する世界となっていた。

東アジア世界の変動

安史の乱　東アジア世界の中核であった唐帝国が九世紀後半期に衰退しはじめた。華北を舞台とする安史の乱（七五五〜七六三）がそのはじまりである。それは、范陽節度使（現北京市）安禄山（七〇五?〜七五七）が盟友史思明（七〇五?〜七六一）とともに、イラン系ソグド人、テュルク系、モンゴル系、ツングース系諸種族に出自する軍将・兵士たち一五万をひきいて起こした叛乱であった。

安史の乱は、主として唐朝支配層内部の権力争いであり、戦争は長安・洛陽両都を中心に河北・河南地域を舞台とした。唐朝・叛乱軍ともに、軍将・戦士の主力はテュルク・モンゴル系の周辺諸族が担った。そのために中国社会内部に根柢的な影響をあたえるよりも、むしろ北東アジア境界領域の諸種族が唐朝権力の軍事部門におおきな影響をおよぼし、北東境界領域と河北の軍事編成をなかば独立した節度使体制に変化させた。やがてそれは、キタイ（契丹・遼　九一六〜一一二五）、ジュルチェン（女真・金　一一一五〜一二三四）の境界領域をまたぐ建国をみちびいた。

両税・専売法の成立　安史の乱の最中から終息後にかけて、政治秩序の再建過程のなかで、こののちの千年を規定する税財政改革がおこなわれた。

第一は、七五八年に創設された塩の専売制であり、のちには茶・酒などにもおよんだ。その収入額は、唐朝財政のほぼ半数にたっした。宋代以後、清朝にいたるまで、一定の政府統制のもとに商人に販売させる方法をとったので、塩商人が政商として大発展し、政治経済のみならず、文化にも大きな影響力を行使するようになった。

第二は、七八〇年にはじまった両税法である。玄宗の開元年間（七一三～七四一）には、正税の租調役制のほかに、様ざまな租税がかけられるようになり、安史の乱後にはいっそう複雑になった。そこでこれらの租税を廃止してひとつにまとめ、農民の土地所有を認めたうえで、各戸の所有地と資産にもとづき、夏と秋の二つの納入期限をもうけて穀物と銭額（主として銭額相当の絹）とを徴収した。夏税・秋糧とも呼ぶ両税法は、銀納による一条鞭法が全国的に施行される一六世紀末まで、正税の位置をしめた。

安史の乱後、全国土の約五〇道に設置された節度使（節鎮）体制と両税・専売制によって、唐朝は、ほぼ一世紀にわたって小康状態をたもった。

黄巣の叛乱　中国社会の根柢をゆるがし、唐朝を滅亡にみちびき、さらに東南アジア境界領域とアジア海域全体にまで影響をおよぼしたのは、九世紀後葉の黄巣の叛乱（八七五～八八四）である。

黄巣の叛乱は、各地の郷村社会内部で群発した破産農民を主体とする草賊・群盗の延長線上に発生した。八七五年五月、長垣県（河北省濮陽県東北）で、王仙芝（?～八七八）が数千人の群衆を率いて叛乱をおこした。ついで黄巣（?～八八四）が、これも数千人の群衆を率いてこれに呼応した。

二人は年少のころから、専売制になっていた塩の密売に従事する商人であった。とくに黄巣は任侠をこのみ、儒学の素養があった。しばしば科挙の進士科を受験したが合格しなかった。いわゆる落第の秀才である。こののち太平天国の洪秀全（一八一三～一八六四）にいたるまで、落第の秀才が叛乱軍の首謀者・参謀となることがままみられるようになる。それは、科挙制の拡大を裏から写しだす魔法の鏡である。

黄巣たちの勢力は、重税に苦しむ河北の民衆の積極的な参加をえて、数か月のあいだに数万人になった。華北各地でも千人単位、数百人単位の草賊・群盗が横行した（『資治通鑑』二五二）。八七六年には衆三〇万、のちには五〇万、六〇万と自称するようになり、当然、中国全土の諸階層をまきこみ、全土を流動する動乱となった。

八七九年、広州まで侵攻したのち、反転して北上し、八八〇年一二月、黄巣は長安にはいって皇帝に即位し、国号を大斉、元号を金統とした。その後、みかぎった部下朱温（朱全忠、のち唐を簒奪して後梁太祖　在位九〇七〜九一二）の裏切りもあって勢力がじり貧となり、八八三年正月、テュルク系沙陀族の李克用（りこくよう）等が長安を奪回し、黄巣は東方へ脱出した。翌八八四年六月、泰山東南の狼虎谷に逃げこんだところで、斬首され、叛乱の本体はここに終息した。

一〇年におよぶ叛乱は、安史の乱後、内地にまで設置されるようになった節度使の独立化を一挙にすすめた。さらに八七九年の広州への侵攻の際には、広州在住のイスラーム教徒・ユダヤ教徒・ネストリウス派キリスト教徒など外国商人・居留民二〇万人（一二万人説もある）を殺害し、アジア海域を舞台とする交易に深刻な打撃と変容をもたらした。

五代十国　唐朝崩壊後の五代十国（九〇七〜九六〇）の分裂期は、黄巣の叛乱によって独立化した節度使を基礎にする軍事支配体制の時代である。華北中原（中国）にあいつぎ出現した梁・唐・晋・大遼・漢・周の六政権は、唐代後半期以来の道制（約四〇道）に節度使・州県制をうめこむ節鎮（藩鎮）体制を編成した。六代の「中国」王朝は、自立した周辺部諸節度使（十国その他）に対しては、天下の名のもとに貢納制を媒介とするゆるやかな複合的分権秩序を構築した。

これよりさきの九三六年、石敬瑭は、キタイ・遼の援軍によって、後晋（九三六〜九四六）の皇帝に即位した。かれは、そのみかえりとして、キタイに長城地帯の燕・雲等十六州を割譲した。これによりキタイは、地方統治に節鎮体制をとりこむことになり、その後のキタイ国制にすくなからぬ影響をあたえた。

宋の独裁君主政治　中原の節鎮体制のなかからうまれ、天下をほぼ統一したのが、趙匡胤（太祖、在位九六〇〜九七六）の宋王朝（九六〇〜一二七六）である。ただ、長城線の農牧接壌地帯にある燕雲十六州はキタイから回収できず、またのちには甘粛・陝西にタングト族の西夏（一〇三八〜一二二七）が建国して宋と対峙した。東アジア世界の全体からみれば、依然分裂状態にあったと言える。

玄宗の開元年間以降、軍制・財政構造の変化にあわせるため、塩鉄転運使、度支使、枢密使、節度使、観察使など、総じて使職と呼ぶ官司がつぎつぎ設置され、従来の律令官制を代替し、また並立するような雑然とした体制がうまれた。

宋朝は、これら使職を再編統合して、中書門下（宰相府）・三司使（財政府）・枢密使（軍事府）を筆頭に中央官僚制を整備した。太祖趙匡胤は、また科挙の最終試験に皇帝が試験官となる殿試を導入した。第二代太宗趙光義（在位九七六〜九九七）は、天下統一をほぼ完成し、科挙合格者を急増し、文官官僚ポストを拡大して皇帝のもとに集権官僚体制を構築した。

一方、統一過程のなかで節度使がもつ軍事権力を中央に集中し、中央には枢密使が統括する当初四〇万人、のちに一〇〇万人の禁軍体制を構築した。あわせて、地方州・軍の管轄下には禁軍の軍事行動をささえる兵站業務、禁軍の補充にそなえる予備部隊、辺境防備にあたって禁軍と交替勤務する防衛部隊としての役割を果たす廂軍を設置した。中央禁軍・地方廂軍が密接に連携しあう統一軍制を構築し、節鎮体制を克服した。

それとともに、節度使の地方州支配をあらためて、九九七年段階で全国に一五の路を設置し、転運使を路の統括官とし、府・州・軍・監に階層化された地方行政の監察と兵站業務を遂行する体制を構築した（島居一康二〇一二）。

統治構造からみた唐宋変革は、八世紀半ばにはじまり九世紀半ばから一〇世紀半ばにかけて最高潮をむかえた節度使の複合的分権秩序から中央集権官僚体制と禁軍・廂軍二重連携構造をもつ統一軍制のうえにたつ君主独裁政治、皇帝専制の制度国家への転換である。

これら統治機構は、一〇八〇年から一〇八二年にいたる元豊官制改革によって、『大唐六典』に記述する三省六部の隋唐国制に回帰する形で位置づけなおされた。漢魏の古典国制が隋唐の国制を経由して元豊官制に継承されたといえる。この元豊官制は、唐宋変革に一段落を告げるとともに、元・明・清へとつづく歴代王朝の統治機構の母体となった（梅原郁一九八五）。

北東アジア境界領域の変動

北東アジアでも、マンチュリアでは渤海国（六九八～九二六）から契丹（キタイ）・遼朝（九一六～一一二五）へ、朝鮮半島では新羅から後三国（後高句麗、後百済）分立をへて高麗（九一八～一三九二）へ国家権力が移行・交代し、日本でも一一世紀後葉の院政期には、権門体制と呼ぶ権力編成の転換があった。以下、北東アジア境界領域に出自するキタイ、ジュルチンの動向を観察しよう。

キタイ・遼　キタイは、大興安嶺山脈南麓のシラムレン河（遼河）とラオハムレン河合流点、マンチュリア西南部の草原地帯に遊牧・狩猟するモンゴル系種族がたてた国である。迭剌（デラ）部部族長の耶律阿保機（八七二

〜九二六）が九〇七年、キタイ諸部族を八部部族連合体に統合して可汗を称し、さらに南に隣接するラオハ・ムレン河上流のモンゴル系奚族五部連合を服属させた。九一六年、かれは、皇帝に即位し、キタイ・遼を建国した。

その後かれは、モンゴル高原に遠征して西方にも影響力を行使し、ついで東方の渤海を滅ぼし、その故地に東丹国を設置し属国とした（九二六）。しかしまもなく、旧渤海人や女真族の抵抗にあい、九二八年には東丹国をまるごと遼東平原に移し、さらにこれを廃止して直接統治した。遼東平原には漢人の大規模移動がおこり開発がすすんだ。渤海旧領マンチュリアには旧渤海人や女真族の諸勢力がのこって占拠し、やがて金の勃興を準備した。

キタイは、南方でも五代の中原王朝と長城線の農牧接壌地帯をめぐって対立した。五代十国を統合した北宋とも燕雲十六州をめぐって抗争をつづけ、宋を圧倒した。一〇〇四年、キタイは大挙して南下し、二か月後には黄河北岸にある澶州に到達した。宋の第三代真宗皇帝趙恒（在位九九七〜一〇二二）も親征にふみきって、キタイ軍にさきだつこと二日まえに澶州に到達していた。

にらみあいのなか、和平交渉がすすめられ、一二月にはキタイ・宋両皇帝から誓書と呼ぶ文書を交換して盟約を結んだ。主要な内容は、両国を兄弟関係として対等を認めること、国境は現状維持すること、交易場（榷場）をもうけて貿易すること、後周が奪回していた瀛州・莫州の再割譲を拒否する代わりに、その代償として歳幣絹二〇万匹・銀一〇万両を毎年キタイに送ること、および境界地帯の紛争を回避するための諸条項などであった。澶州にちなんで、これを澶淵の盟と呼ぶ。

重視すべきは、この盟約が両国を兄弟関係、すなわち対等とし、こののち一二〇年間におよぶ平和をもたらしたことである。政治的交通の安定は、両国間の交易関係を活発にした。宋からは、茶・絹のほか、南海交易でえた香料・犀角・象牙などが、キタイ・遼からは、ウシ・ヒツジ・毛皮・人参が輸出された。交易場の公的貿易のみならず、禁制品の馬や専売品である塩の密売を含む私貿易もさかんになった。

かくして両国は、ともに南朝・北朝と認めあう南北朝体制を構築した。

さきにふれたように、キタイは燕雲十六州を領有し、また州県制をしいていた渤海を征服した。このことによりキタイは、節鎮体制、州県制下にある定住農耕地帯の漢人・渤海人をも支配することになった。

そこでキタイは、歴史家が二重（二元）体制と呼ぶ統治機構をつくって、遊牧民と定住農耕民とに対応する複合的支配をおこなった。キタイは、遊牧民に由来する祭儀・習俗とともに、唐の礼楽・祭儀を用いて支配の正当化をはかった。言語は、契丹語と漢語とを用い、文書行政でも、契丹語を表記するために大字・小字の契丹文字を創作して、漢文と併用した。

キタイは、農耕民を統治するために、中国の節鎮体制・州県制を採用して南面官の機構をつくった。これに対しキタイなど遊牧諸族を統治する機構を北面官とよんだ。たとえば、軍政民政の最高機関である枢密院は、北枢密院と南枢密院とにわけられた。燕雲十六州や旧渤海の州県は南枢密院が管轄し、唐末以来の節鎮―州県体制を継承した。やがてそれは皇帝直属の斡魯朶（オルド）（行宮）所属州県にも拡大されていった。

ジュルチン・金　一二世紀にはいると、キタイ・遼が衰微しはじめ、マンチュリアの北方にひろがる森林地帯で生活していた狩猟農耕民のツングース系ジュルチン（女真）族が抬頭してきた。

ジュルチン族は、多数の部族にわかれ、キタイに従属する部族を熟女真、キタイの勢力外にある部族を生女真とよんだ。この生女真のなかの完顔（ワンヤン）部が周辺のジュルチン族を統合し、さらに完顔阿骨打（アクダ）（一〇七五〜

一一二五）の時代になって、キタイ領に侵攻するようになる。かれは、マンチュリア南部の農業地帯である遼東にいたるまで領土を拡大し、キタイ・奚・熟女真・渤海・漢人を支配下においた。一一一五年、かれは上京会寧府（吉林省阿城県南付近）で帝位につき、大金国を建てた（〜一二三四）。

阿骨打は、猛安・謀克制をさだめ、勃極烈（ボギレ）を政務の統一機関とする国制整備をおこない、女真文字を制定した。猛安・謀克制は、三〇〇戸で一謀克、一〇謀克で一猛安を組織し、一謀克＝兵士一〇〇人、一猛安＝兵士一〇〇〇人の軍団を編成する行政的かつ軍事的組織である。それは、女真の部族的社会統合を国家による社会統合にあらためたもので、金朝一代の基本制度となった。

猛安・謀克制は、当初すべての支配領域に適用された。のちに華北まで領土をひろげ、州県制によって漢人を統治するようになると、すべての漢人を州県制によって統治し、猛安・謀克制はジュルチン人・キタイ人だけに適用する政治組織とした。キタイ・遼の二重体制は、ジュルチン・金の国制にも継承されたのである。

第二代太宗完顔晟（せい）（在位一一二三〜一一三五）は、対外拡張をすすめ、一一二五年にはキタイ・遼を滅ぼし、さらに一一二七年、北宋をたおして淮水以北の華北を領有するようになった。一一四二年、金と杭州臨安に都をおく南宋とのあいだに和議がむすばれ（皇統講和）、国境を淮水中流で確定すること、宋は金に臣事すること、宋は金に歳貢として銀二五万両・絹二五万匹を貢納することなどをとりきめた。南北朝が淮水線を国境として継承されたといえる。

西遼・カラキタイ（**黒契丹**）　一一二四年、滅亡に瀕したキタイ支配者層のなかから、耶律大石（一〇八三〜一一四三）が二〇〇人ほどの騎馬軍団をひきいて鎮州可敦城に到達し、ここで周辺諸族から一万あまりの部隊を編成した。かれは、最終的にキタイ回復をあきらめて西行を決意し、ゴビをこえて西域諸国の征服にむかった。

かれは、一一三一年、カラハン朝の首都ベラサグンにフスオルドの本拠地をたて、グールカーンに即位し、西遼・カラキタイ（一一三一〜一二一一）を建国した。グールは、カーンのなかのカーン（大カン）を意味する。ペルシア風にいえば「諸王の中の王」であり、国家が地方諸王権のうえに、貢納関係をつうじて成立していることを表現する。

かれはまた、一一四一年には、サマルカンドで一〇万のホラーサーン・セルジューク軍をやぶり、サマルカンドを副都として、ほぼカラハン朝とかさなる東西両トルキスタンを支配領域とした。西ウイグル国、カラハン朝はその属国となった。しかし一二一一年、ナイマン部のクチュルクによって権力をうばわれた。

東南アジア境界領域の変動

東南アジア境界領域でも、中国の唐宋変革期に符節をあわせるかのごとく王権・国家の交代が継起的におこった。同時に、政権構造の変化との相互関係のなかで海域アジアの交易構造にも変化がおこった。ここでは海域アジアの変動を中心に東南アジア境界領域の変動をみることにしよう。

マラッカ海峡を中心とする島嶼部海域は、紅海・アラビアから中国・日本海にいたるアジア海域の境界領域として、ひとつの結節点になっていた。

八世紀初頭から、一五世紀末にヨーロッパ人がアジア海域に来航するまで、アラブ人・ペルシア人がアジア海域の交通・通商の中心的な担い手であった。この大勢のなかで、九世紀末から一〇世紀半ばにかけてひとつの変化があった。それは、インドから中国に航行するアラブ商人が中国船に便乗するようになり、一四世紀にはインド・中国間を往来する船舶がほとんど中国船に限られるようになったことである（桑原隲蔵一九三五）。

その理由には、いろいろ指摘がある。ひとつは中国船が堅牢な構造をもつ大型船になったこと、一一世紀末一二世紀初には羅針盤を用いるようになり、より安全な航海が可能になったことである。このような技術的な問題に加えて、九世紀末の黄巣の叛乱をあげることができる。すでにみたように黄巣は、八七九年、広州に侵攻し、広州在住の外国商人・居留民二〇万人を殺害した。このことが、九世紀末から一〇世紀初にかけて、アラブ・ペルシア商人が拠点を広州からマレー半島中部西岸のカラ（ケダ　箇羅国）に拠点を移すきっかけになり、中国船の進出にとっては追風となった。では、このなかで島嶼部海域はどのように変化したのか。

室利仏逝―シュリーヴィジャヤ王国　六七〇年代から、スマトラ島南部のパレンバン地方に本拠をおくシュリーヴィジャヤ王国（中国史書の室利仏逝、尸利仏誓）が抬頭し、さかんに唐に朝貢（交易）した。この国には、千人余りの僧がおり、中国求法僧は、この地に一、二年とどまり、言葉や仏教規範を学んでのちインドにむかうことをよしとした。唐の義浄（六三五～七一七）もその一人。かれは、インド求法の帰途、シュリーヴィジャヤに八年間（六八七～六九四）滞在し、釈迦雞栗底について学び、経論を筆写し、今日につたわる『南海寄帰内法伝』四巻・『西域求法高僧伝』二巻を著わした。

この国は、王船を所有し、海上交易と略奪によってさかえ、義浄が帰国したのち、六九五年から七六七年まで最盛期をむかえた。海行一五日のマラユ（末羅瑜）を併合し、ジャワ島中部のシャイレンドラ王国に遠征し、中部・西部スマトラ・マレー半島・クメール・チャンパに交易網を拡大した。

シャイレンドラ王国　一方六四〇年以降、訶陵国(カリンガ)からたびたび唐に朝貢使節がくるようになっていた。ジャワ島中部に本拠をおくシャイレンドラ王国である。この国は、シュリーヴィジャヤの遠征・略奪をうけて一時衰退していたが、八世紀後葉から九世紀半ばにかけて中国への朝貢を再開した。これによって復興したことがわかる。

シャイレンドラ王国は、七六〇年ころから七八〇年にかけて、シュリーヴィジャヤを併合した。その後ジャワ艦隊は、安南都護府（ハノイ　七六七）、チャンパ（七七四、七七八）、クメール（アンコール朝　七六七〜七八七）、マレー半島（七七五）をつぎつぎに襲撃し、略奪をくりかえすようになった。

シャイレンドラ王国は、ジャワ島の地方王権との戦闘にやぶれ、九世紀半ばに本拠を王妃の故国パレンバンに移し、シャイレンドラ・シュリーヴィジャヤ王国をたてた。ジャワ島にのこった人びとは東部ジャワにシャイレンドラ国をつくった。

三仏斉—シュリーヴィジャヤ新王国　シャイレンドラ・シュリーヴィジャヤ王国は、唐最末期の九〇四年、はじめて三仏斉と称して中国に朝貢する。シュリーヴィジャヤ新王国といってよい。この国は、パレンバンのほかマレー半島西海岸のカラ（ケダ　箇羅）を第二の中心地として繁栄し、マラッカ海峡からジャワにいたるまでを支配下におき、海上貿易を牛耳った。

北宋末の朱彧(しゅいく)『萍洲可談(へいしゅう)』（一一一九年撰）は、「この国は中国の真南の海上にある。西方の大食(アラブ)まではなお遠いので、中国商人は、大食におもむくにあたり、三仏斉にいって船を修理し、荷物を積みかえる。各地から遠方の商人が集中するので、最盛との評判だ」と紹介している。

南宋の周去非『嶺外代答』（一一七八年撰）は、広州南方から極西（大西洋）にいたるまでの海域交通の交易センター（都会）を六つあげる。第一は三仏斉、中国広州から見て正南諸国の都会、その南は大海。第二は闍婆（ジャバ）、東南諸国の都会、その東は大海。第三は占城（チャンパ）・真臘（クメール）、西南窊裏（シャム湾岸）諸国の都会。第四は遠方の大秦国（王は麻囉弗と称す。西インド・グジャラート地方の港市、カンバーヤ？）、西方遠方諸国の都会、大食（アラブ）商人の集合する居留地。第五はさらに遠方の麻離抜国（アラビア南岸オマーンのミルバート）、大食諸国の都会、西に陸行して麻嘉（メッカ）国につうじる。第六はその外方の木蘭皮（モロッコ　ムラービト朝？）、極西諸国の都会である。

ここに市舶司を設置する明州・杭州・泉州・広州等の中国海港都市、さらに日宋貿易をになった博多などをくわえれば、一二世紀後半には、各地の海上交易センターを中核として、日本・朝鮮半島・中国から地中海モロッコにいたるまでの諸国（港市）をむすぶ海上交易網がすでに成立していたことがわかる。

そのなかで三仏斉国については、「南海中にあって、諸国海上交通の要衝である。東はジャワ諸国より、西は大食（アラブ）、インド西南岸　故臨（クーラム・マライ）にいたるまで、すべて三仏斉国を経由して中国にいく。この国に産物はないが、人びとは戦闘に習熟し、薬を飲むので刀傷を負うことはない。水陸の戦闘に勇猛でひるむことなく、ゆえに隣国はみな服従する。外国船が境域を通過してその国にはいらなければ、かならず軍隊をさしむけて殺しつくす。故にその国には、犀・象・珠璣・香薬が豊富である」（『嶺外代答』二、三仏斉国）と述べる。

かくして三仏斉は、海上交易・海賊を生業とする国であることがわかる。属国にはスマトラ島に詹卑（ジャンビ）国、マレー半島東岸に仏羅安（パッタルン）国などがあり、仏羅安国王は三仏斉から派遣された人物であるという。三仏斉は、マラッカ海峡の港市連合体の中核、覇権国であった。

島嶼部の変動は、域内交易をめぐるシャイレンドラ王国とシュリーヴィジャヤ王国との競合を中心に、西方インド南部のチョーラ朝、大陸部の南詔・大理王国、チャンパ、アンコール帝国をもくみこんだ相互作用圏の形成のなかで生じた。この動きはアジア海域の中国・アラブ間の交易構造にも大きな影響をもたらし、中国から北アフリカモロッコにいたるまでの海域世界の一体化に大きく貢献した。それは一五～一七世紀の大交易時代の到来を準備したのである。

西アジア世界の変動

アッバース朝の分裂　アッバース朝は、カリフ・ラシード（在位七八六～八〇九）の時代に最盛期をむかえた。しかし、実際にはラシードの時代からすでにカリフの主権がおよぶ範囲は縮小しはじめていた。それぞれ成立の事情をことにするが、地方的感情や宗教的利害が原因となって、アッバース朝内部に諸王朝が分立した。

さらに一〇世紀にはいって、アッバース朝カリフの主権が衰退すると、各地方に派遣されていた総督（アミール）たちが独立政権を建てるようになった。その大部分は、中央アジアの草原からきたオグズ系テュルク人のマムルーク（奴隷兵）出身者であった。アミールもまたテュルク人奴隷をやしなって中核部隊を編成し、各地に地方権力を形成した。アッバース朝の領域は、こうしてアミールの地域権力が分立して急速に細分化していった。具体的にみることにしよう。

西方北アフリカでは、モロッコのフェスを首都とするイドリース朝（七八八～九八五）、アルジェリアとチュニジアにアグラブ朝（八〇〇～九〇九、首都アッバーシーヤ）があいつぎ建国した。イドリース朝は、シーア派が最初にたてた王朝である。

東方では、ラシードの死後、二人の息子のあいだで深刻なカリフ後継者争いがおきた。最終的に勝利し

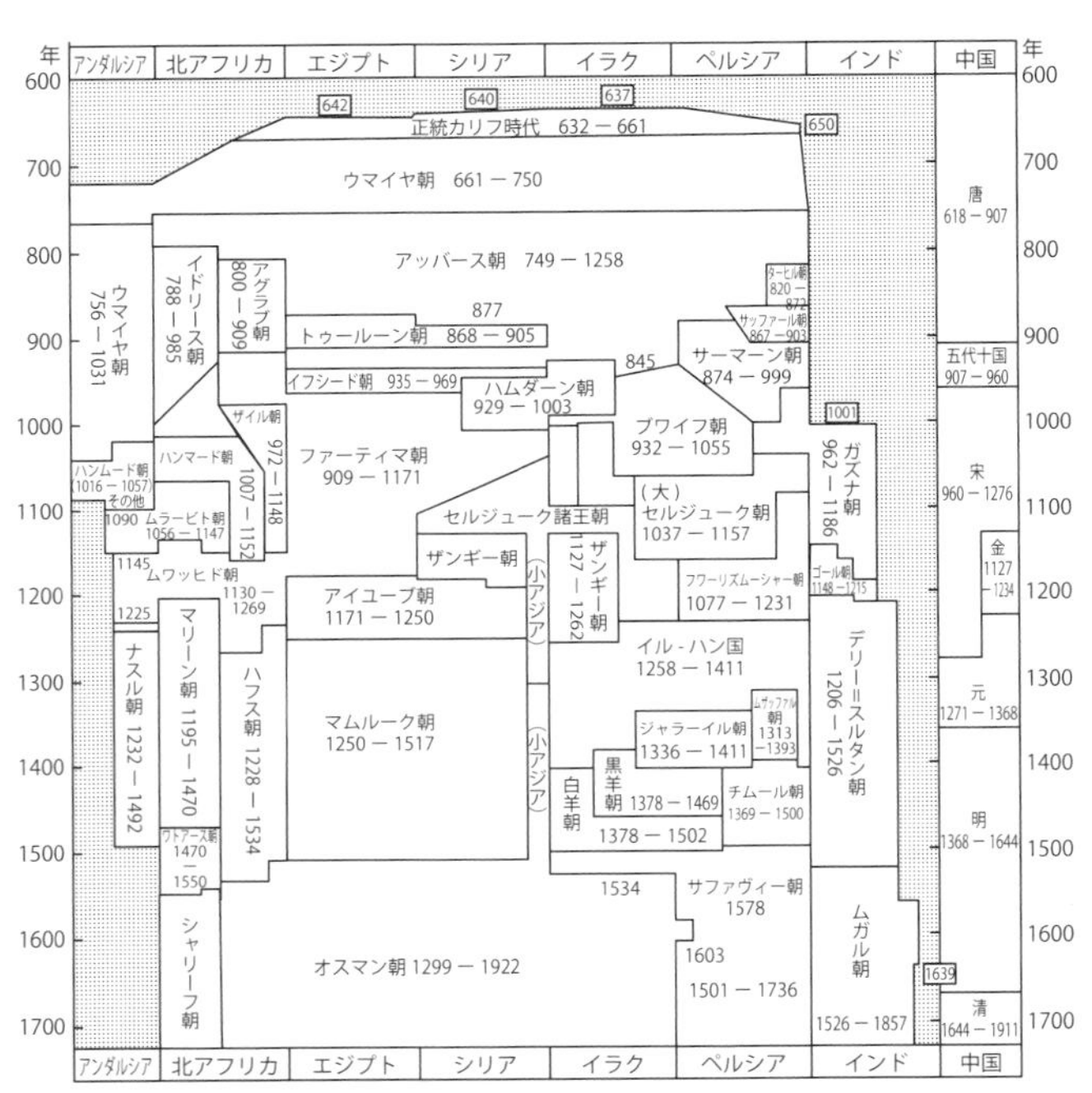

図 5-2 イスラーム王朝表（嶋田襄平編 1970 に加筆）

たのはカリフ・マームーン（在位八一三〜八三三）であった。それはペルシア人の将軍ターヒル・ビン・アルフサインの助力によるものであった。八一九年、その恩賞としてホラーサーンの総督に任命されたターヒルは、八二二年、金曜日の礼拝に読みあげるフトバ（説教）のなかでカリフの名前を読みあげることをやめた。これは事実上の独立宣言であった。かれの死後、息子のタルハが父のあとを継ぎ、ホラーサーンに半独立のターヒル朝（八二〇〜八七二）が成立した。

　その後アッバース朝領内で、ペルシア人のサッファール朝（八六七〜九〇三）とサーマーン朝（八七四〜九九九）、エジプトのトゥルーン朝（八六八〜九〇五）とイフシード朝（九三五〜九六九）、シリアとイラク北部を支配したハムダーン朝（九二七〜

一〇〇三）など半独立王朝があいつぎ成立した。これら諸王朝の君主は、「預言者の家族」であるアッバース家のカリフの宗教的権威を否定せず、その称号も地方総督とおなじアミールを称した。

ザンジュの叛乱　八六九年から一四年間にわたって、これら帝国辺境の半独立王朝とは性格をことにするザンジュの叛乱がおこった。叛乱は、ザンジュと呼ぶ黒人奴隷を中心に都市の下層民をもまきこみ、八七一年にはバスラを陥落し、南イラク地方を支配下にいれて独立王国をつくった。

かれらは、バスラの近くにムフターラという首都を建設し、アッバース朝にならった中央政府と地方組織をつくりあげた。しかし、八七八年以来反撃に転じたアッバース朝の軍隊に敗れ、八八三年に滅亡した。

ファーティマ朝　これらのうごきのなかにあって、アグラブ朝をたおしてチュニジアに建国したファーティマ朝（九〇九〜一一七一）は、過激シーア派であるイスマイール派の教義を用い、国初からカリフを称して、正統（スンナ）派のアッバース朝と対峙した。

初代カリフ・ウバイド・アッラーフ（在位九〇九〜九三四）は、アリーとムハンマドの娘ファーティマとのあいだに生まれたフサインの子孫であると自称した。これがファーティマ朝命名の根拠となった。これは、同じハーシム家内部のアッバース家に対するアリー家の誇示であり、宗教的には正統派とシーア派の対立となってあらわれた。

ファーティマ朝は、当初から海軍力の維持と地中海貿易に力をいれ、九六九年にはエジプトを征服してフスタートの北に新首都カイロを建設した。これにより、ヒジャーズ地方と紅海航路の支配を確実にし、地中海、インド洋、内陸エジプトをむすびつける交易がさかんになった。フスタートからは大量の宋元時代の中国陶磁器が出土し、エジプト・北アフリカが食糧庫であるだけでなく、世界交易の中心となったことをつたえる(三上次男一九六九)。

一〇世紀末には、イタリア商人によるエジプト交易がさかんになり、カイロ・フスタートを結節点とする地中海・インド洋貿易は、アイユーブ朝(一一七一~一二五〇)をうけついだマムルーク朝期(一二五〇~一五一七)に最高潮をむかえた。西方世界の中心は、ファーティマ朝の成立を転機として、バグダードからカイロへ移行したのである。

軍事支配体制の形成　アッバース朝(七四九~一二五八)の三七代、五一〇年間のうち、カリフがまがりなりにも主権を行使していたのは、軍事・行政・財政に関して一切の権限をもつアミール・アルウマラー(最高位の将軍の意)の職が出現する九三六年までである。九四六年のブワイフ朝(ペルシア人　九三二~一〇五五)のバグダード入城によってカリフ体制は事実上崩壊した。

ブワイフ朝は、軍人に俸給を支給するかわりに小規模な土地の徴税権を授与する軍事イクター制を創出した。ブワイフ朝にとってかわったオグズ系テュルクのセルジューク朝(一〇三八~一一五七)は、軍事イクター制と農民に対する行政権を認める行政イクターとを統合し、世襲イクター制とした。農民に対する徴税権と行政権とを結合する土地所有形態がイスラーム社会を規定するようになった。

アッバース朝は、領内諸王朝の分立のはてに帝国であることをやめ、世襲イクター制の拡大のもとに、軍人が軍事・行政・財政の最高責任者となり、軍人みずから租税徴収権をにぎる軍事的支配体制に転換していった。

かくして九四六年以後は、アッバース朝カリフの玉座のうしろで、ブワイフ朝の世襲職となったアミール・アルウマラーが、一〇五五年以後はセルジューク朝のスルタンが、バグダードに君臨して軍事的支配体制を構築し、かれらがカリフにかわって主権を行使するようになったのである（嶋田襄平一九七七）。

テュルク系遊牧民の侵入とムスリム化

アッバース朝カリフの主権が衰退した一〇世紀は、かえってイスラーム圏が再拡大する時期であった。それはテュルク人の農耕地帯への進出とイスラームへの改宗とによってもたらされた。いいかえればテュルク・イスラーム圏の拡大である。その様相について、はやくからテュルク人と相互作用圏を形成していた帝国辺境のサーマーン朝を中心に観察しよう。

サーマーン朝　ホラーサーンとマーワラーアンナフルとを支配したサーマーン朝（八七四〜九九九）は、「イラン人のイラン」の復興であり、第二代イスマイール（在位八九二〜九〇七）のとき、ブハラを首都とし、正式にアミールを称した。かれらは、その北方境界であるシルダリア方面までをすでにイスラーム圏の前線にしていた。

シルダリアは、テュルク系遊牧民とイラン系定住農耕民とが相互作用圏をつくって交通・交易する農牧接壌地帯のひとつである。交易をつうじて遊牧民は食糧のムギや織物を手にいれ、定住農耕民は牧畜の産物であるウマや肉を獲得した。季節的なキャンプ地の集団移動をともなう遊牧民との交通・交易は、おうおうにして略奪・侵入に転化した。

オグズ系遊牧民の侵入に苦しめられたサーマーン朝は、異教徒から辺境を防衛することを条件に、かれらにシルダリア中流沿いの土地に移住することを許した。一方でペルシア人商人の商業活動をつうじて、草原地帯に散開していたオグズ諸族の教化がすすんだ。同時にテュルク人奴隷も重要な交易品となった。

サーマーン朝は、アッバース朝と同様にすぐれた戦士であるテュルク人奴隷（マムルーク）をすこしずつ親衛隊に編成するようになっていた。部族的統合から分離して交易売買されたテュルク人奴隷をふくめて、部族ごとイスラームに改宗したオグズ集団（テュルクメン）は軍人としてしだいに西アジア世界に展開していった。

ガズナ朝　サーマーン朝は、親衛部隊だけでなく、地方統治をもテュルク系の軍人にまかせた。王家はつねにテュルク人にとりまかれることとなった。ホラーサーンの軍司令官であったテュルク人奴隷出身のアルプテギン（?～九六三）とその奴隷で女婿となったスブクテギンが、アフガニスタンのヘラートに知事として赴任し、ガズナを本拠として自立した。これがガズナ朝（九六二～一一八六）である。かれらは、サーマーン朝の弱体化に乗じてホラーサーン地方を支配し、インド辺境をイスラーム化し、また北方のカラハン朝と対立した。サーマーン朝は、カラハン朝との闘争のうちに滅んだ（九九九）。

ガズナ朝は、スブクテギンの子マフムード（在位九九八～一〇三〇）の時代に最盛期をむかえた。一〇一〇年までにパンジャーブ地方の大半を占領し、一〇一八年には北インドの中核地域であるカナウジを陥落した。北インドを支配していたプラティハーラ朝（七二五～一〇三六）が滅亡の危機におちいった。

しかし、マフムードが死ぬと、ガズナ朝は急激におとろえ、一〇五〇年ころには、南下してきたセルジューク族に敗れて、マーワラーアンナフルからイランにいたる領土を失ない、パンジャーブ地方の一部を領有するにすぎなくなった。

ただ、これがインドにおけるムスリムの組織的な支配の端緒となり、のちのゴール朝（一一四八～一二一五）、さらにデリーを首都とする五つのイスラーム王朝（デリー・スルタン朝　一二〇六～一五二六）にひきつがれ、ムガル帝国（一五二六〜一八五七）に展開していく。

セルジューク朝　セルジューク族は、ユーラシア西部草原にいたオグズ族の一氏族集団であった。一〇世紀末にアラル海北方からシルダリア河口地方に移動し、イスラームに集団改宗した。その後カラハン朝とガズナ朝とのあいだをぬって勢力をのばし、短期間にホラーサーンの支配権をにぎった。一〇三八年、トゥグリル・ベク（在位一〇三八〜一〇六三）は、ニシャプールに入城し、セルジューク朝を建国した。

かれは、その後も西進をつづけてアッバース朝の領土を蚕食し、一〇五五年、ブワイフ朝をたおしてバグダードに入城した。ときのカリフ・カーイム（在位一〇三一〜一〇七五）は、トゥグリル・ベクに「権力」を意味するスルタンの称号を授けた。これは、テュルクとイスラームとの結合を象徴する出来事となった。

セルジューク朝は、ペルシア語を「公用語」とし、ペルシア人官僚とマムルーク常備軍を用いて国家機構をととのえ、各地に独立するアミールたちを統合し、その忠誠のうえにスルタンの権力を行使した。それは、前述したように世襲イクター制を基盤とする軍事支配体制であった。

セルジューク朝は、その後小アジアの東部に進出し、一〇七一年、ヴァン湖西北のマンツィケルト付近で、皇帝ロマノス四世（在位一〇六八〜一〇七一）ひきいるビザンツ軍を破り、はじめて小アジアにイスラームの覇権を確立した。

テュルク族にかぎらず、遊牧民は分節的な部族制を統合の基礎とし、分権的傾向が強い。セルジューク朝も、バグダードの大セルジューク家を中心にいくつかの分家に分裂した。そのうち小アジアに君臨したものは、コニヤを都とするルーム・セルジューク朝である。

さきに進むが、一二四三年、モンゴル軍の侵攻のあと、ルーム・セルジュークは分裂し、小アジアにはテュルク人の群小侯国が乱立した。最後のイスラーム帝国となったオスマン帝国（一二九九～一九二二）は、この群小侯国のなかからおこったのである。

一二世紀までには、現在の東西トルキスタンから、アフガニスタン、パキスタン、イラン、さらにアナトリア（小アジア）にかけて、テュルク・イスラーム圏が拡大していった。その拡大は、西方からあらたな運動をよびおこした。

十字軍あるいはフランジ戦争

マンツィケルトの大敗は、ビザンツ皇帝やコンスタンティノープル総主教の危機感をいやましにつのらせた。かれらは、西ヨーロッパの騎士たちやローマ教皇に切迫した書簡を送って、救援をたのむようになった。一方聖地パレスチナのキリスト教巡礼者は、聖地で異教徒からうけた屈辱を声高にうったえるようになった。

教皇ウルバヌス二世（在位一〇八八～一〇九九）は、一〇九五年、フランスで開かれたクレルモンの教会会議で、キリスト教世界の危機をうったえ、テュルク人を聖地エルサレムから排除することを支援するよう、よびかけた。

さらにウルバヌス二世は、東方へ向かう者はその目印として、十字架をかたどった赤い紀章を身につけるよう命じた。この東方遠征は、十字架を意味するフランス語 croix から croisade（十字架を運ぶの意）とよばれるようになった。これがヨーロッパ史にいう十字軍のはじまりである。

十字軍の運動は、一〇九六年にはじまり、一二九一年にキリスト教徒がシリアの最後の軍事拠点をうしなうまで、約二百年にわたり、八回の高揚期をふくめて断続的におこなわれた。

第一次十字軍は、一〇九九年六月七日、エルサレムに到達し、四〇日間の包囲のあと、危害を加えない約束で、城門をあけさせた。このあと二日間で、七万人（約四万人との説あり）のムスリムやユダヤ教徒が虐殺された。十字軍は、おびただしい流血と恐怖とをのこして、エルサレム王国の樹立を宣言した。のちアンティオキア公国、エデッサ伯領、トリポリ伯領をあわせて、四つの十字軍国家がこの地域に定着した。

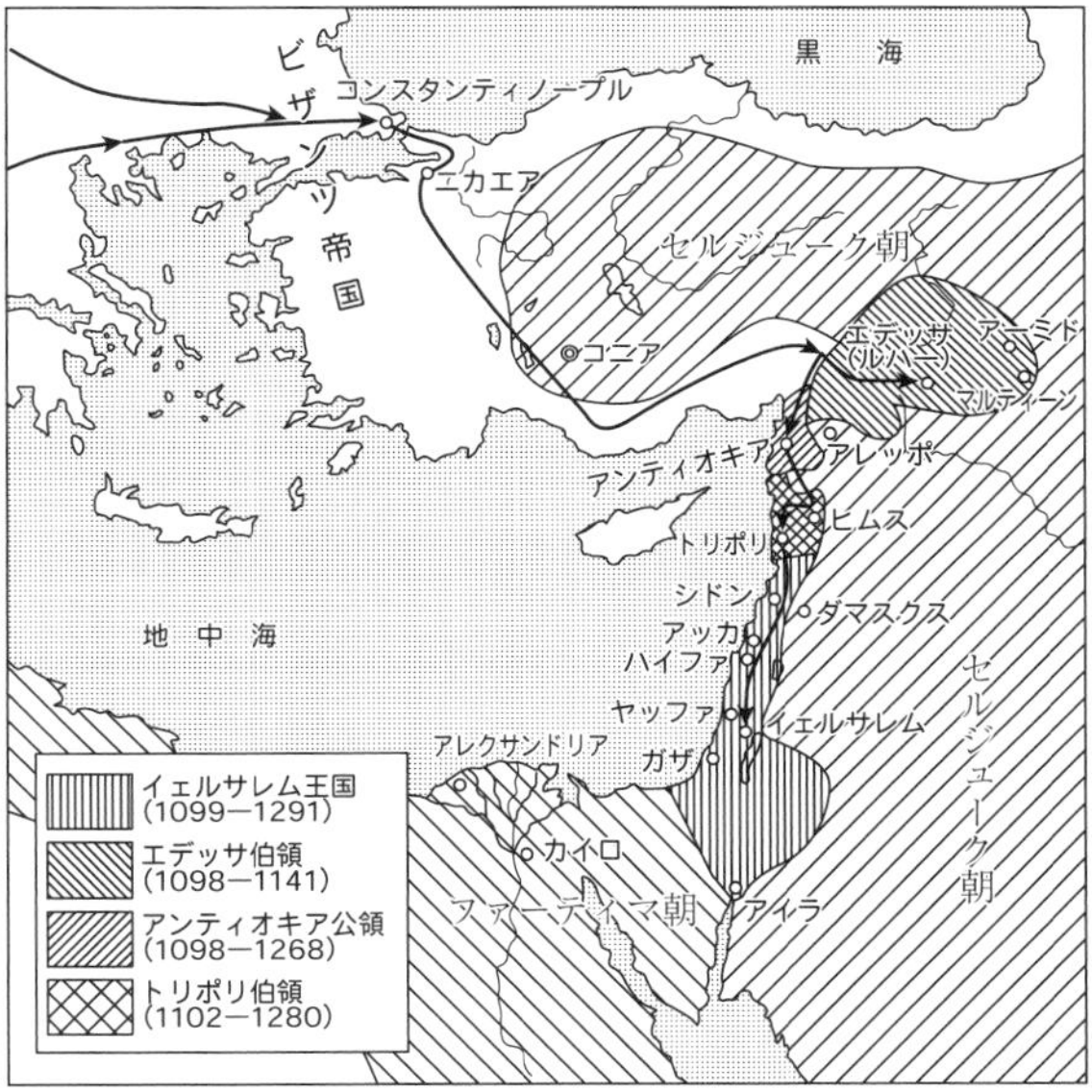

図 5-3　第一次十字軍関係図（嶋田襄平編 1970 に加筆）

ムスリムは当初、その背後にキリスト教の聖地奪回という言説のあることを理解できなかった。勇猛果敢のフランジ（フランク）による流血と略奪は、自然災害とおなじく、あらがいようのない災難にみえた。シリアに侵攻中の正統派セルジューク軍の目的は、アッバース朝カリフのもとに全イスラーム世界の統合を実現するために、シーア派のファーティマ朝を攻略することにあった。セルジューク軍、エジプト軍ともに、フランジの闖入（ちんにゅう）にほとんど注意をはらわなかった。

エルサレムの大虐殺のあと、フランジの侵略を宗教戦争と位置づけて抵抗を呼びかける声がおおきくなっていった。一一〇五年、ダマスクスの学者スラミー（アリー・ビン・ターヒル）が『聖戦論』を著わし、戦いの目的は第一に人と財産と命とを守り、のこった土地を保全すること、第二にフランジを殲滅し、その占領した土地を奪回することであると明記している（前嶋信次一九七〇）。ムスリムからみれば、二百年におよぶ十字軍は、フランジ戦争と呼ぶべき宗教戦争であった。

十字軍・フランジ戦争の世界史的な意義は、ヨーロッパ世界と西アジア世界・イスラーム圏とが、地中海世界を介して、はじめて相互作用圏をつくりだしたことにある。この相互作用圏のなかで、シリアでの戦争をよそに、シチリアとアンダルシアを経由して、イスラームが受容し、咀嚼し、再創造した、ギリシアに由来する文化・科学が翻訳をつうじてヨーロッパ世界に導入された。それは、一二世紀ルネサンスとよばれ、やがて一四世紀にはじまるイタリアルネサンスをみちびくことになった。

二、長い一三世紀——モンゴルの征服地と非征服地域

眼を東に転じよう。一二二〇年代から一四世紀なかばにかけて、タタールの平和と呼ぶ一時代が到来した。それは、北東アジアの境界領域に発した小さなモンゴル部族が、モンゴル高原を統一し、やがて西はハンガリー平原、小アジア東部、イランにいたるまで、東は中国・朝鮮半島、ロシア沿海州にいたるまでを征服し、空前絶後の大世界帝国をうちたて、旧世界の半ばあまりを一体化した時代である。

視点をかえて、征服されなかった領域をみれば、なお西ヨーロッパ世界、地中海世界、アフリカ、シリア・アラビア半島、南アジア世界、東南アジア境界領域、台湾、琉球、日本列島にいたるまでの広大な領域がつ

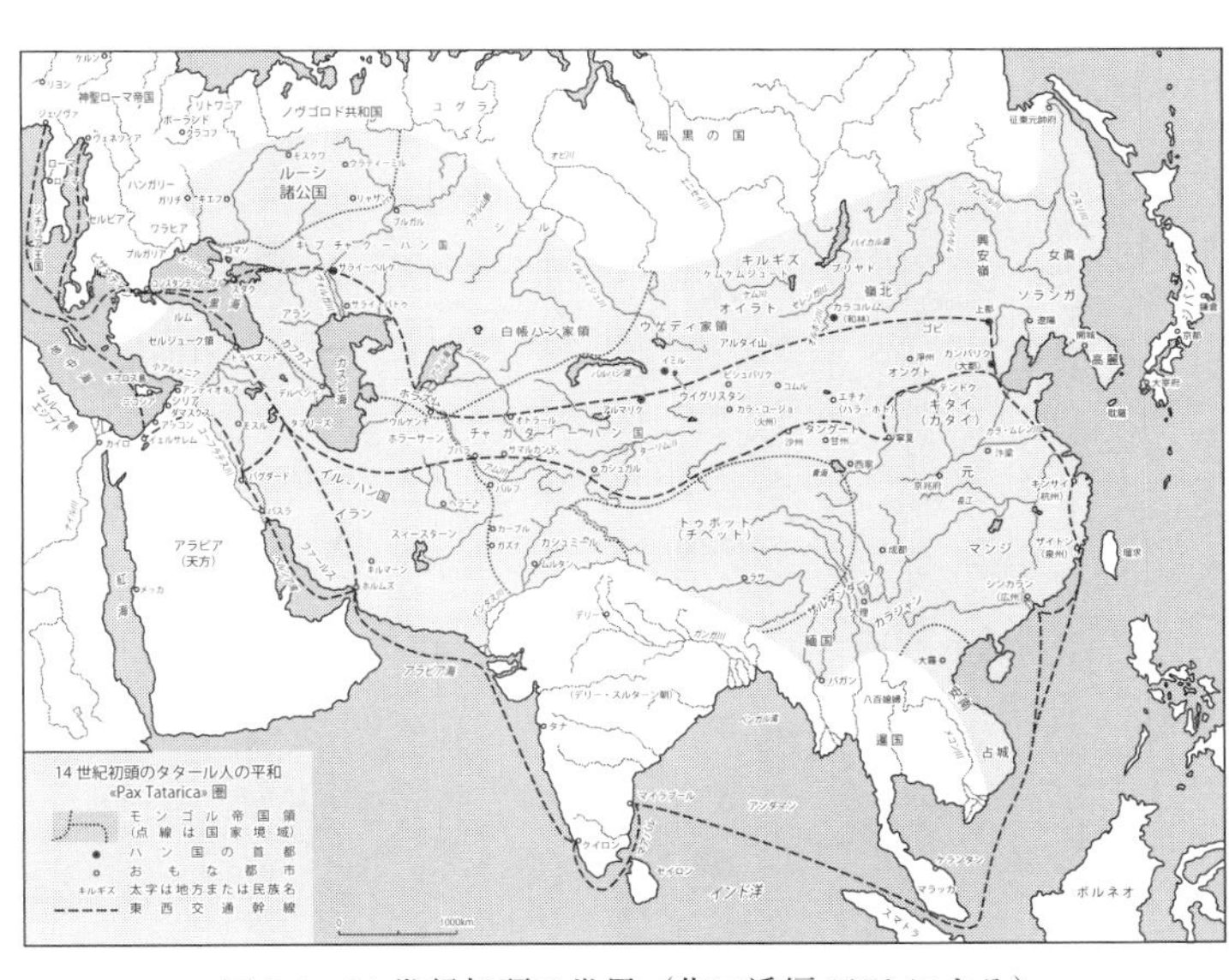

図 5-4　14 世紀初頭の世界（佐口透編 1970 による）

らなっている。この領域は、西のマムルーク朝のカイロ、インド西北部グジャラートの諸港市、東南アジア島嶼部の諸港市、広州・泉州・杭州などの中国の海港を結節点とし、海域交通をつうじて、もうひとつの世界的な相互作用圏を形成した。二つの領域は、モンゴル帝国崩壊後、異なる道筋を歩みはじめる。

大モンゴル・ウルスの形成

部族間戦争　一二世紀の中葉、モンゴル高原には、数多くのモンゴル系・テュルク系の遊牧部族が散開していた。そのうちモンゴル高原東境のアルグン河支流オノン川とシルカ河支流ケルレン川の両川流域にはモンゴル部族が遊牧生活をおくっていた。このオノン川流域のデリウン・ボルダクで、「蒼き狼」の子孫テムジンは生れた（一一五四、一一五五、一一六二、一一六七など諸説あり）。

父をタタール部族に毒殺されたテムジンは、おさなくして母と幼少の弟妹をかかえ、ケレイト部族の庇護

一二世紀ルネサンス

一二世紀ルネサンスとは、西ヨーロッパ世界がイスラーム文明と接触し、イスラームのすぐれた成果を吸収・消化し、その後の知的離陸を獲得した大変革期を指していう。

そのときまで西ヨーロッパは、ユークリッド幾何学の体系、天動説の数学的体系を精緻にしあげたギリシア最高の天文学者プトレマイオス、さらにはアルキメデス、ヒポクラテス、ガレノスはおろか、アリストテレスの著作もほとんど知らなかった。

ヨーロッパの学者は、よくギリシア以来三千年の西欧文明という。しかしギリシア科学は、いったんとだえた。とだえたギリシアの科学・学術は、その九五パーセントがビザンティンにいった。それらは、アラビアにはいっていった。

いいかえれば、ギリシアの学術のよいものは、ローマには五パーセントほどしかはいらなかった。ボエティウスがラテン訳した、わずかなギリシア学術の断片、それにプリニウスやイシドルスによって保存された百科全書的な二流の知識しかはいらなかった。ギリシアの本当の学術は、ローマ人には理解できなかった。だからヨーロッパ世界にもつたわらなかったのである。

一二世紀になって、西ヨーロッパはアラビア、ビザンティンを介して、ギリシアの第一級の学術とはじめてであう。そこでやっと文明の仲間いりをする。ヨーロッパは、それまで世界文明史のまったくの辺境にうずくまっていたといえる。一二世紀になってはじめて、かれらはアラビア語を一生懸命勉強し、アラビアの科学や哲学の文献をラテン語に翻訳し、またギリシア語からも翻訳した。この大運動をつうじてギリシアやアラビアの進んだ学術の成果をわがものとし、その後の発展の知的基盤を獲得することとなった。

一二世紀以後における西欧文明の知的前進は、めざましいものであった。ふたつ例をあげよう。まずトマス・アクィナス（一二二五～一二七四）等によるスコラ哲学の形成がある。一般にスコラ哲学はアリストテレスとキリスト教とをむすびつけたものといわれる。そのアリストテレスは、一二世紀から一三世紀にかけて、はじめはアラビア語、のちにはギリシア原典からラテン語訳されたものをうけいれた。その後一三世紀にアラビア的に解釈されたアリストテレス、すなわちアヴェロエス主義がパリ大学を席巻する。このアヴェロエス主義とは異なった方向で、しかもアリストテレスをうけいれてキリスト教を革新した人びとのなかにトマスがいた。アラビアからの刺激をうけつつも、かれはそれをこえてヨーロッパ思想の地盤をつくりあげる独創的な仕事にふみだしたのである。

また一三世紀には、オックスフォードでロジャー・ベイコン（一二一四～一二九四）がでてくる。かれは、一一世紀のアラビアの科学者アルハーゼン（イブン・アル・ハイサム）の光学を勉強した。光学は、演繹的な学問で、いくつかの公理をもうけて数学的に構成していく。それと同時に物理学であるから、経験科学でもあるという特性をもつ。ベイコンは、光学をモデルにして、数学的で経験的な科学の方法論をつくりだす。これはのちに、ガリレオの科学方法論にもつながっていく。

ふたつの事例からもわかるように、ヨーロッパの学術・文化は、アラビア世界の学術をとおしてしだいに自立していった。この運動の出発点が一二世紀であり、ヨーロッパ史の大きな転轍点である。それを可能にしたのが、アラビアからの文明移転だといってよい（伊東俊太郎一九九三）。

をうけて苦難の生活をおくった。そのなかにあってテムジンは、父の死後分散していた部族民を集めていき、メルキト部族を倒し、まもなく一部族連合の長に推戴された（一一八九ころ）。

そののち一二〇二年、テムジンは、二度目の征討で仇敵タタール部族を滅ぼし、翌一二〇三年、これまで手をたずさえてきたケレイト部族と戦って、これを討滅した。かくて東モンゴリアはテムジンが掌握することになった。

のこるは、西方アルタイ山麓のナイマン部族であった。テムジンは、ナイマン部との戦闘を遂行するため、軍制を刷新した。遊牧民の古典軍制は、一〇人、一〇〇人、一〇〇〇人、一万人に階層化された部族戦士の集団からなり、それぞれに十人長、百人長、千人長、万人長をおいた。テムジンは、この部族制を直接の基礎とする軍制をあらため、新しい再編部族集団を基礎とする軍制に改編した。

第三章で述べたように、一二世紀のモンゴル社会では、オボク（氏族）の長老、血縁系譜上の長者とはべつに、ノヤン（主君）と呼ぶ軍事指導者・軍事首長があらわれ、力をもつようになった。ノヤンは、他氏族集団から分離し、結集してきたノコル（友、同志）と呼ぶ従士や隷属民をひきいて武装集団を編成し、各種の小戦争・略奪をおこなった。ノヤンはまた、従士・隷属民の母体となるアイル集団を単位とする遊牧経済を大規模に展開した。

テムジンは、軍事的に成長する過程で、これらノヤン―ノコル集団を様ざまなかたちでつぎつぎに結集していった。かれは、一二〇四年、ナイマン部族との決戦を前に、自分に忠誠を誓うこれらノヤン―ノコル集団を再編して百人長、千人長に任命し、また交替制（ケシク）によってテムジンの身辺をまもる親衛軍団（ケシクテン）を組織した。

重要なことは、この軍制が、アイル集団を基礎にするとはいえ、単一の氏族や部族からきりはなされたところに成立し、部族制・首長制をこえて遊牧国家、帝国を形成する基盤となったことである。

テムジンは、この再編軍団をひきいて、南方のオングト部族とむすんでナイマン部族を討ち、族長タヤン・カンをとらえた。さらに西方に逃れたタヤン・カンの子クチュルクとメルキト部族を討つため、アルタイ山脈をこえて西進し、のちに東トルキスタンを手にいれることになる。

イエケ・モンゴル・ウルス　一二〇六年、遊牧諸部族との戦争を勝ちぬいたテムジンは、モンゴル高原の全遊牧民を統合し、オノン河畔でチンギス・カン（在位一二〇六～一二二七）に推戴され、大モンゴル・ウルス（一二〇六～一三六八）の首長となった。

チンギスは、モンゴル族の信仰するシャーマニズムの光の精霊に由来し、カンは五世紀以来使用されてきた遊牧社会の首長の称号である。カンの称号は、こののち王族たちにも用いられた。そこで、大首長についてはカーン（カハン）と称し、両者を区別した。カーンは、「カンのなかのカン」、大カンを意味する。ウルスは、ひろく人間の集団を意味するが、このばあいには部族制をこえた政治統合体を指している。

このときチンギス・カンは、クリルタイ（大集会）をひらき、先述の再編軍団を一層整備し、ミンガン（千人隊）を基礎とする、あらたなモンゴル・ウルスの軍事・行政組織を構築した。

かれは、支配下すべての遊牧民を対象に、最小の単位をモンゴル語のハルバン（十、十人隊）、一〇のハルバンをジャウン（百、百人隊）、一〇のジャウンをミンガン（千、千人隊）、一〇のミンガンをテュメン（万、万人隊）とし、それぞれハルバン・ノヤン、ジャウン・ノヤン、ミンガン・ノヤン、テュメン・ノヤンを長とする十進法軍事編成の騎馬軍団を構築した。モンゴルには歩兵はいない。

それは、人間の集団からみれば、千人の兵士の供出を義務づけられたミンガン・ノヤンを首領とするあらたな再編部族（アイマク）の形成である。この再編部族は、千人隊長を首領（ノヤン）とし、その一族を上層部とし、捕虜人口を下層部とする集団であり、ユルト（テント小家族世帯）‐アイルの諸集団が遊牧する一定範囲の遊牧地ヌトックをもっていた（川本正知二〇一三）。

チンギス・カンは、こうして軍団を総計九五個のミンガンに改編し、自分とともに部族戦争を戦ってきた親兵たち八八人をミンガン（千人隊）の司令官に任命した。[2]

一二〇四年につくられた親衛隊（ケシクテン）は、ミンガンの成立とともに規模を拡大し、侍衛部隊八〇〇〇、箭筒士隊（せんとう）一〇〇〇、宿衛士隊一〇〇〇からなる一万人の部隊となった。親衛隊員は、ミンガン・ノヤンたちの子弟から編成し、世襲的に交替して大カンの身辺に奉仕した。それは、中軍のなかの大カンの中軍、すなわち大中軍とよばれた。

親衛隊員は、のちにはミンガン・ノヤンを継いで、ミンガンを統治することになる。それゆえ、ミンガンはケシクテンを中核にして、その外延に展開する軍事制度であるといえる。ミンガン（千人隊）制とケシクテン制との相互連携が大モンゴル・ウルスの基盤となった。

かくして、この時期の正規軍総兵員数は、一〇万五〇〇〇人をかぞえた。のちにオイラート部・契丹・女真のミンガンを編入して、チンギス・カンの没年時には、一二万九〇〇〇人になった。

ついでチンギス・カンは、統合した全遊牧領地（ヌトック）をみずからのアルタン・ウルク（黄金の氏族）の共有財産とし、その一族のあいだで領地を分割する遊牧国制をつくりあげた。かれは、金国遠征まえの一二〇七年から一二一一年ころ、諸弟・諸子に分封を実施してウルスをたてさせ、モンゴル・ウルスを左翼軍・中軍・右翼軍からなる遊牧国家として組織した。

すなわち、チンギス・カンは、直轄する中央ウルス（コルン）に一万名の親衛軍団を配置し、これを中軍とした。中軍をはさんで、東方の興安嶺山脈の西麓ぞいにカサル、オッチギン、カチウンの三弟にミンガン群を分封して三ウルスをたて、これを僚友ムカリにゆだねて「左翼の万戸」軍とした。一方西方のアルタイ山脈ぞいにジュチ、チャガタイ、ウゲディの三子にミンガン群を分封して三ウルスをたて、これを僚友オボルチェにゆだねて、「右翼の万戸」軍とした。

かくしてミンガン・ケシクテン軍団を根幹とするこれら三つの諸軍、六ウルスが、すべてチンギス・カンを唯一の結び目として軍事的に結合する遊牧国家、大モンゴル・ウルスが成立した。

大征服戦争

大モンゴル・ウルスの軍事行政組織をたてたのち、チンギス・カンの各方面への征服戦争がはじまった。チンギス・カンの即位（一二〇六）から、第二代オゴディ（在位一二二七～一二四一）、第三代グユク（一二四六～一二四八）をへて、第四代モンケ（一二五一～一二五九）にいたる約五〇年間は、大征服戦争期であり、また一二二七年に世を去ったチンギス・カンの遺言とイエケヤサ（一二二六年のクリルタイで完成　チンギス・カン大法典）の権威によって、大カンのもとに政治的統合を維持した時期である。

この時期に、モンゴルの大カンたちは、中央アジア諸国、南ロシアのキプチャク草原を征服し、ルーシーの諸公国を属国とし、ポーランド・ハンガリー・神聖ローマ帝国の一部に侵入し、イラン北部を占領した。

東方では、タングト・西夏（一二二七）、金朝（一二三四）を滅ぼし、中国の華北から西北地域を領域にくみいれ、南宋への侵攻を開始した。

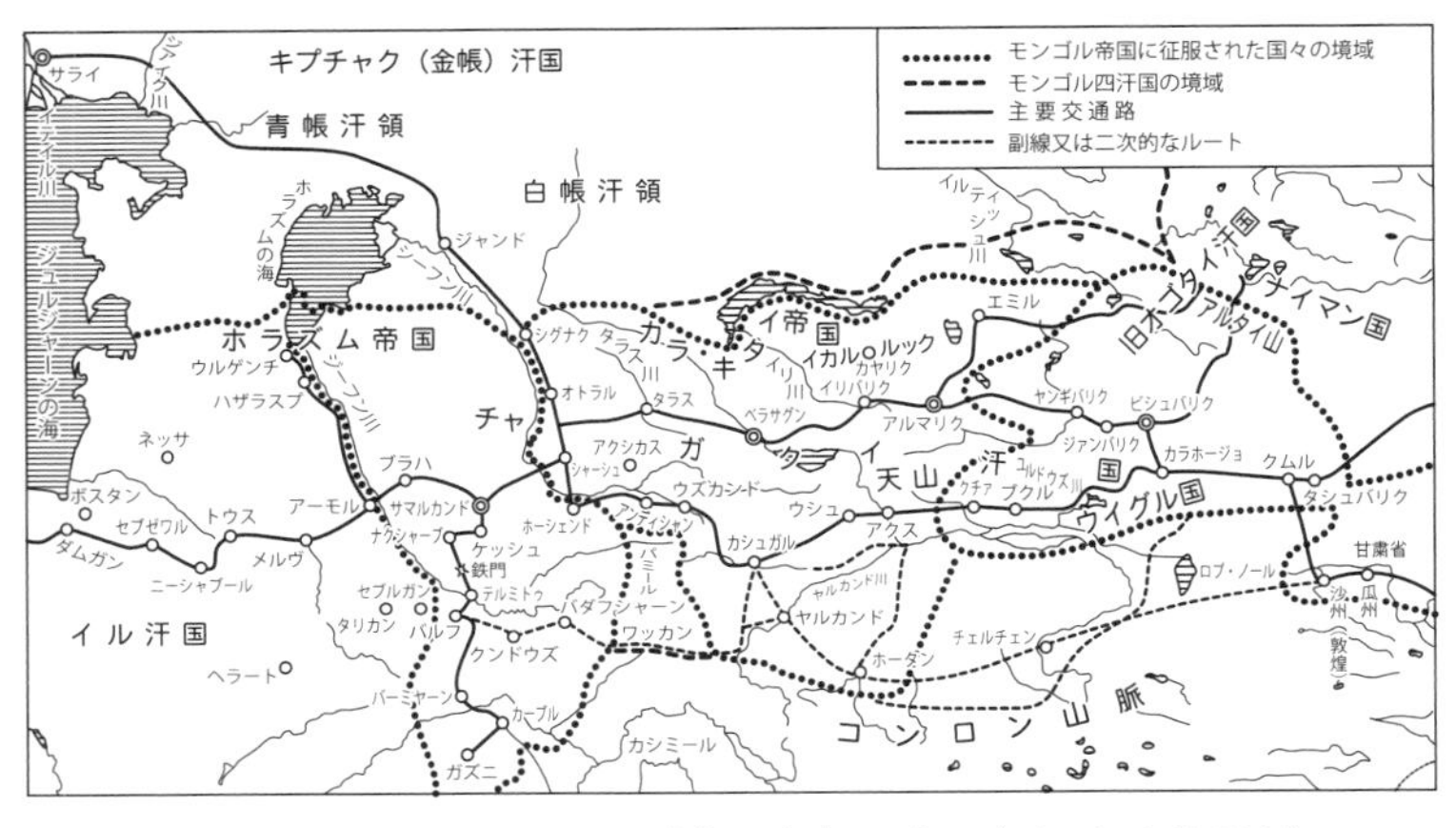

図 5-5　大モンゴル・ウルス時代の中央アジア（バルトリド 1966）

領土の再分封と西方四カン国　この間、チンギス・カンは、一二二五年、西方遠征から帰ったのち、ユーラシア中央世界に拡大した領土を諸子・諸弟に再分封し、それぞれ独立のカン国をたてさせた。オノン・ケルレン両川流域のモンゴル本土は自分の領地とし、末子トゥルイに継承させることにした。イリ川西北のイミル（エミル）を中心とするナイマン部の故地ならびに西北モンゴリアを第三子オゴディ（オゴディ・カン国）に、カラキタイの故地、東西トルキスタンを第二子チャガタイ（チャガタイ・カン国）に分与した。南ロシア草原に駐留中の長子ジュチにはキプチャク草原（のちに金帳カン国）をあたえることにした。これが、のちのイル・カン国をくわえて、西方四カン国の基盤となった。

オゴディ・カーン　チンギス・カンのあとを継いだ、第二代オゴディは、一二三六年から一二四二年にわたって、ジュチ家のバトゥの指揮のもとに、ほとんどすべてのモンゴル諸王侯が参加して、キプチャク草原・ルーシー・東ヨーロッパ遠征を実施した。遠征中の一二四一年、オゴディが死去したため、遠征軍はモンゴル本土に帰還した。

その結果、さらに西方への領土拡張はなくなった。農耕社会であるルーシー諸公国は、バトゥを事実上の建国者とする金帳カン国（ジュチウルス　一二四三年建国、首都サライ）の属国となり、一二四〇年代より約二五〇年間「モンゴルの軛（くびき）」につながれることとなった。またカフカス地方がバトゥの支配下にはいって、黒海の東岸・北岸までが大モンゴル・ウルスの領域となった。

オゴディ・カーンは、一二三五年、オルホン川上流にカラコルム城を建造して首都とし、首都を起点に各地への公道をひらき、沿道に駅伝の制度をととのえ、これをジャムチ（站赤）と称した。ジャムチは、モンゴル語で「ジャム（道路）を管理する人」をいい、通常馬行一日行程ごとに駅舎をおき、各宿駅にジャムチン（駅長）とウラガチン（馬夫）二〇人とをおいて管理にあたらせた。各駅には付近の人戸一〇〇戸からなる站（たん）戸制を設定し、站戸には駅馬・車両・食糧などを提供させ、使節・官吏・軍馬の往来、官物・貢納の輸送などに利用した。

ジャムチの利用者は、大カン（皇帝）・諸王侯・中書省その他の官庁からの各種の許可証を携帯する必要があり、牌子（パイザ）と呼ぶ各種許可証を付与された使臣や外国の使節には交通にともなう特権が保証された。

駅伝制は、唐帝国・アッバース朝でも述べたように、広大な領域をもつ帝国支配の実現に必須の基盤装置であった。ジャムチもこれら世界史上の駅伝制を継承した装置であり、モンゴル・ウルスの政治的、経済的、文化的交通関係を根底からささえ、帝国支配の一体性を担保する制度となった。

オゴディはまた、耶律楚材（やりつそざい）（一一九〇〜一二四四）などの契丹（キタイ）人のほか、征服地の学者・文化人を任用して行政機構をととのえた。また定住地の占領地域については、中央から各都市にダルガチ（鎮守する人の意代官）を派遣し、管内の治安・徴税にあたらせ、またタマチと呼ぶ駐屯軍を配置し、叛乱を防止した。

モンケ・カーン　オゴディィ・カーンの死後、大カン位をめぐって、チンギス・カン一族内であらそいが生じた。オゴディィの子グュクをおすオゴディィ一門とトゥルイの長子モンケをおすトゥルイ一門・バトゥ一門とのあいだに間隙が生じた。

新カンはグュクにきまったが、三年足らずで死去（一二四八）した。また、おなじ構造であらそいが再燃し、カン位の空白期がつづいた。一二五一年、オノン河畔でひらかれたクリルタイで、最終的にモンケが大カンに推戴された。これ以後、元朝にいたるまで、大カン位は、トゥルイ一門が独占することになった。この一族間の対立抗争は、大モンゴル・ウルスを分裂にみちびく底流となった。のちにオゴディィの孫ハイドゥが、チャガタイ・カン国、金帳カン国と同盟し、モンゴリア本土の領有をめぐって、クビライ・カーンの元朝と戦った三十数年の動乱（一二六六～一三〇三）もそのひとつのあらわれである。

モンケ・カーンは、統治機構改革を実施し、華北・トルキスタンの支配を確実にするとともに、戸口調査を実施して税制を改革した。モンケは、オゴディィ死後約一〇年にわたった空白を埋めて内部統一を回復すると、オゴディィにつづく外国遠征を実施した。

モンケは、次弟クビライをチベット・大理・安南の征服にむかわせ、第三弟フラグをイスラーム諸国の平定に派遣した。

フラグは、イランに侵入し、一二五八年、バグダードを陥落し、最後のカリフ・ムスタースィム（在位一二四二～一二五八）を処刑した。つづいてシリアを攻略したが、モンケ・カーンが南宋攻略中、四川省で病死（一二五九）したとの報をうけ、アゼルバイジャンにひきあげた。

かれは、モンゴリア本土において兄クビライと弟アリク・ブカとのあいだに大カン位をめぐる争いがおこっていることを知って帰国を断念し、イランにとどまることを決意した。かれは一二六三年にクリルタイをひらき、クビライの宗主権を認めつつ、事実上独立のイル・カン国を創始した。

タタールの平和

注目すべきは、大征服戦争をつうじて、これまで東方世界の知らなかったヨーロッパ世界（フランジ）が西域の外に存在することを認識するようになったことである。見方をかえれば、ヨーロッパ世界が眼のまえにあるイスラーム圏の外に、なお異なる文明が存在することを理解したともいえる。

モンゴル軍は、一二三七・三八年の冬季作戦でロシアの諸都市を占領した。その年、シリアのイスマイール派教団からフランス・イングランド王へ使節が派遣され、モンゴル軍に共同で対処するよう要請があった。これによって、西ヨーロッパ世界は、東方モンゴルについて、はじめて信頼すべき情報に接することとなった。一二四一年、ポーランド・ドイツ連合軍がワールシュタット・リーグニッツで大敗した。ハンガリー王ベーラ四世から、神聖ローマ帝国フリードリヒ二世はじめ、ヨーロッパの諸王あてに、救援要請の書簡がとどいた。西ヨーロッパ世界は、事態の深刻さをようやく理解するようになった。

そうこうするうちに、教皇インノケンチウス四世（在位一二四三～一二五四）は、モンゴル人にキリスト教世界への攻撃を停止させ、モンゴル人にキリスト教を伝道し、モンゴル人の事情・意図をさぐるために使節団を派遣することをきめた。これにより、教皇が派遣したプラノ・カルピニのジョン修道士（旅行期間一二四五～一二四七）、そのあとフランス王ルイ九世が派遣したルブルクのウィリアム修道士（旅行期間一二五三～一二五五）など、フランシスコ、ドミニコ修道会による東方伝道がおこなわれ、西ヨーロッパ世界と大モンゴル・ウルスとのあいだに交通がつうじた。かれらの活動によって、ヨーロッパは、モンゴルの生活様式、宗教・習俗、宮廷・オルド、法制・裁判、ネストリウス教徒やイスラームの存在など、よりはひろく、より正しい知識を手にいれるようになった。[3]

こうして一三世紀半ば、ヨーロッパ世界は、世界史上はじめて東方世界の大モンゴル・ウルスとの相互作用圏を構築することになった。

中国の正史にはじめて西域仏郎機（フランジ）が登場するのは、一三四二年七月のことである。「是の月、拂郎国（フランク）が異馬を貢納した。馬の体長一丈一尺三寸（三・五m）、高さは六尺四寸（一・九八m）、身体の色は純黒、後脚の二つの蹄（ひづめ）は皆な白い」（『元史』四〇順帝本紀至正二年条）とある。

西方からの馬の貢納は、漢の武帝の天馬（大宛（フェルガーナ）の汗血馬）獲得の故事にもとづく、太平のあかしである。最後の皇帝トゴン・テムル（在位一三三三～一三六七）は、ヒゲが黄色く眼の青い馭者がひくこの天馬の図を描かせ、諸臣に賛をつくらせた。そのひとつ欧陽玄（一二八三～一三五七）の「天馬頌」序には「漢の武帝は二〇万の兵を発して、わずかに大宛（フェルガーナ）の馬数匹をえただけだが、このたびは一兵をも煩わさずに、天馬がやってきた。みな皇上（カーン）の文治がゆきわたったからだ」と述べ、「天馬の来たる時、昇平（太平）に庶（ちか）し」（『圭斎文集』一）とうたいあげている。四半世紀ののち、朱元璋（明の太祖洪武帝　在位一三六八～一三九八）の軍団が北上してきたとき、トゴン・テムルはモンゴリアにのがれ、元朝は滅亡するのだが。

フランジからの天馬の到来は、一三世紀中葉にはじまるヨーロッパ世界と東方世界との相互作用圏の、ひとつのしめくくりをあらわしたものであるといってよい。ただ一方で、西欧世界による東方認識の出発点になったことも忘れてはならない。

こうして一二二〇年代から一四世紀半ばにいたるまでタタールの平和とよばれる一時代が画されたのである。

大元ウルス

モンケの急死をうけて、クビライ（世祖、在位一二六〇～一二九四）は、一二六〇年、機先を制して南モンゴルで即位し、中統という中国風年号をたてた。クビライは、カラコルムで即位したアリク・ブカ（?～一二六六）との四年にわたる継承戦争に勝利し、開平府（現内モンゴル自治区のドロン）を夏の都の上都とし、金の中都の北東郊外に接して新都城を建設し、大都（カンバリク、現北京）と名づけ、これを冬の都とした。一二七一年には、儒学の古典『易経』の「大なるかな乾元（天道の意）」にもとづいて、「大元」の国号をさだめた。これに旧来の国号をかさねて「大元大モンゴル国」を正式国号とした。それまでの中国王朝の名称は「天下を領有する称号」（『漢書』王莽伝）として、王朝創業者が最初に封じられた侯国等の地名を用いた。「大元大モンゴル国」（中国風にいう元朝）は、モンゴルの社会観に中国儒学の世界観を加上して創造したものである。

クビライは、中国王朝の伝統的な官制を継承した。ただ中央政府では尚書省を廃止し、行政府たる中書省のもとに六部を配置した。官制を運営する諸官職には、モンゴルの有力者や親衛隊からとりたてられたカーンの近臣がしめ、遊牧国家の伝統をうけつぐ側近政治がおこなわれた。

地方官制については、宋代の路・府・州・県の地方行政機構をうけつぐとともに、従来の行政官のほかに達魯花赤をおき、軍事関係の業務にくわえて一般行政の監督をおこなわせた。また遊牧領主の所領も州県制のなかにくみこまれた。

注目すべきは、広域行政を担う機関として行省がおかれたことである。大元ウルスは、大都とその周辺地域を「腹裏」（ほぼ現在の河北・山東・山西三省）と称して中書省が直轄し、腹裏の外側には広域ブロックごとに中書省の地方出先機関として行中書省（行省）を設置し、路以下の地方行政機構を統括した。行省は、明清以後の省制の起源であり、今日の中国の省もここに由来する。

一二七六年、クビライは、南宋を征服して中国本土を領有し、五代以来およそ四百年の分裂に終止符をうった。教科書・概説にでてくる一二七九年の南宋滅亡は、広東ににげのびた残存勢力の幼帝趙昞が崖山で入水し、名実ともに滅亡した年である。

統合を達成したとはいえ、モンゴル政権は、旧金国領に由来する華北をキタイ（漢語では漢地）とよび、南宋領の江南を蛮子に由来するマンジとよんで、領域認識をことにした。地方行政機構は統一的に施行されたが、税役制度は漢地と江南で異なった。漢地では税糧（丁税もしくは地税）と科差（絲料・包銀）を徴収し、江南では夏税・秋糧を徴収する唐代後半期以来の両税法を踏襲した。

またクビライは、海外経営と外国貿易とに力をそそぎ、国庫の資金を用いて船舶をつくり貨物を積み、遠く海外に通商した（『元史』食貨志二、市舶条、桑原隲蔵一九三五）。大元ウルスが陸域交通の一体化をすすめ、すでに形成されていた海域交通と連結させたことにより、海陸をめぐる世界交通の一体化が実現した。それは、マルコ・ポーロの『東方見聞録』に記すとおりである。

大カンとその宮廷は、初期にはネストリウス教徒から政治的教養を吸収し、この教徒のもつ言語文化、行政・官房技術を利用して帝国統治にあたった。またイスラーム、とくにオルタク商人と呼ぶ商人組合の財政および税務技術を利用して占領地の財務にあたらせるとともに、一般行政にもかかわらせ、モンゴル帝室一族の経済生活を向上させた。

西域のイル・カン国、金帳カン国（ジュチウルス）、チャガタイ・カン国では、財務や行政は実質的にイスラームの掌中にあり、これがモンゴル王家のイスラーム化につながった。

東アジアでは、元朝のフビライは、儒学を基調とする伝統的な国制を継承することによって帝国統治の安定をはかった。元朝建国後停止されていた科挙も、一四世紀はじめに再開された。

チンギス・カンが創始し、四代の後継者たちがつくりあげた大元ウルスは、西はルーシー、北はイェニセイ川上流、東は朝鮮・中国にいたるユーラシア大陸の半ばをこえる領域の種族・文化・宗教・政治・経済を混成する世界帝国であった。

その統治は、西アジア世界のネストリウス教、イスラーム、東アジア世界の儒学によって実施された。そうしてそれらをつらぬく政治原理は、シャーマニズムと「永遠なるテングリ（天）」の世界観とチンギス・カンのヤサ（大法典）に示す指導理念であった。

〈注記〉

1、一九二二年、内藤湖南（一八六六～一九三四）が「概括的唐宋時代観」を公刊した（内藤湖南一九二二）。かれは、それまでひとつの時代とされてきた唐宋期にメスを入れ、八世紀中葉から一〇世紀にかけて政治・経済、学術・文化の諸領域で深刻な時代変革があることを論じた。

湖南は、人間の諸活動を文化とみる独自の文化史観から、中国史のあゆみを三世紀までの古代、八世紀中葉までの中世、一〇世紀以後の近世の三期に区分した。そのうち、四世紀以来、政治と文化の担い手であった貴族層が没落し、皇帝が独裁の権力を行使する君主独裁政治がうまれ、一方で庶民が文化の担い手となりはじめた宋代を、清朝にまでいたる近世のはじまりと認識した。この学説は、かれが指導した京都大学の学生・後学たちによってうけつがれ、のちに唐宋変革論とよばれるようになった。

2、ミンガンを基軸とするモンゴルの軍事行政組織を教科書や概説では千戸制と呼ぶ。兵士をだす天幕の小家族世帯を戸と呼ぶのは、定住農耕民の家（小家族世帯が多い）を戸ととらえる『元史』記述者（漢人）の意識を反映している。

チンギス・カンは、親族へのミンガン分与にあたって、人口調査によって作成したキョキョ・デプテル（青冊）と呼ぶ戸籍簿を作成している。中国諸王朝の戸籍は、農民世帯（家）を居住地の県に登録する。モンゴルは、土地ではなくミンガン部族に登録する（川本正知二〇一三）。戸籍による人間の把握はおなじでも、本質的なちがいがある。

戸籍・青冊に登録する小家族世帯を社会統合の基礎とすることは、遊牧社会と定住農耕社会とに共通する国家の規定を考えるうえで重要な指標である。しかし、遊牧社会の天幕（小家族世帯）まで漢語の戸で表現すると遊牧社会に独自の国家のしくみを中国的な国家にひきつけて理解するという危うさをのこす。千戸制の漢語表記には特別の注意が必要である。

3、カルピニとルブルクの旅行記は、護雅夫訳『中央アジア・蒙古旅行記　カルピニ　ルブルク』（桃源社、一九七九年）に、要をえた解説とともにおさめられている。

終章

「近世」のはじまり——長い一六世紀

本章では、一六世紀から一八世紀までの「近世」世界、すなわち一四世紀半ばの大元ウルスの崩壊から一七世紀の「近世」諸帝国の分立・連鎖にいたるまでを概観して、本巻のしめくくりとしたい。

大モンゴル・ウルスが征服した世界と征服されなかった領域との間で、「近世」は異なる位相転換をむかえる。非征服地域の多くは、ヨーロッパ列強の植民地・従属地域に転換し、征服地域のユーラシア中央世界はロシア帝国、女真・金をうけついで北東アジア境界領域に興起したマンジュ・大清帝国の属領・従属地域に転換していく。以下、帝国連鎖の代表であるオスマン帝国の「近世」とその北側に位置したユーラシア中央世界の「近世」を中心に、東西の力の位相転換を観察することにしたい。

アジアにおける「近世化」[1]「近代化」についての本格的な叙述は、本シリーズの第三巻でおこなわれる。本章は、そのつなぎの位置をしめる。

一、「近世」帝国の世界連鎖

一六世紀初頭のアジアを西から順にみていこう。すると四つの帝国の連鎖とでもいうべき状況が眼にはいる。

バルカン半島を含む東部地中海世界からイラクにかけてオスマン帝国（一二九九～一九二二）が広大な領域をひろげる。その東の西アジア世界には、イランを中心にサファヴィー朝（一五〇一～一七三六）がある。さらにその東の南アジア世界には、生まれたばかりのムガル帝国（一五二六～一八五七）がある。

オスマン、サファヴィー、ムガルの三つの帝国は、ムスリムの王権がイスラーム法によって統治するダール・アル・イスラームの法観念にもとづくイスラーム国家である。また、その創業過程と対外交通において新たな技術である火薬と銃器・砲器とを用いた「火薬帝国」でもあった。銃砲の使用は、軍事面における「近世帝国」の特色である。

そうしてその東北方、東アジア世界には明朝中国（一三六八～一六四四）があり、これは儒学礼制にもとづく国家であった。

以下に、その代表として直接的にヨーロッパ世界と相互作用圏を形成し、最初に位相転換が起きたオスマン帝国をとりあげよう。

オスマン帝国

オスマン・ベイリック　小アジアのルーム・セルジューク朝（一〇七五／七七～一三〇八）が崩壊にむかいつつあるころ、小アジアはキリスト教徒とイスラーム教徒が混在して無秩序状態にあった。この混乱期をのりきるためにオグズ系遊牧集団のなかにガーズィーという新しいかたちのイスラーム戦士が生れた。「聖戦の戦士」とよばれるように、かれらは戦士であるとともに宣教の士でもあった。

ガーズィー戦士集団の拠点をウジといい、その統率者をウジ・ベイとよんだ。かれらは、なお遊牧生活をおくっていた。有力なウジ・ベイは、各自の占領地を地盤としてベイリックとよばれるテュルク系君侯領をつくりはじめた。こうして小アジア西部には、大小さまざまのベイリックが分立した。オスマン・ベイ（一二五九ころ～一三二六）を創建者とするオスマン・ベイリック（一二九九～一九二二）もそのひとつであった。オスマン・ベイリックの創立については、一二九九年のほか、一三〇〇年、一三〇八年などいくつかの説がある。

一四世紀の第一四半世紀には、小アジアをはさんで、東にはなおイル・カン国があり、西にはビザンツ帝国があって、にらみあっていた。この両大国間の無秩序な緩衝地帯に、テュルク系オグズ集団のベイリックがひしめきあっていたのである。

オスマン国家　オスマン朝は、他のベイリックを吸収しながら、第三代スルタン・ムラト一世（在位一三六〇～一三八九）からスルタンの称号を用い、エディルネに首都を置き、官僚組織・税制・国庫を整備し、ビザンツ宮廷から儀式・典礼をとりいれた。

第四代スルタン・バヤズィト一世（在位一三八九～一四〇二）は、西方のヨーロッパに侵攻するとともに、東方のガーズィー・ベイリック（君侯領）をほとんど併合し、諸ベイリック領内に分散していたテュルク系住民とその居住地をひとつのオスマン国家に融合した。スルタン・ムラト、スルタン・バヤズィトの両代の間にオスマン朝は国家形成の段階にすすんだ。

バヤズィトの電撃的な拡大は、最盛期にあったティムール朝との衝突をまねいた。両雄並び立たず。一四〇二年、アンカラ近郊の大戦で、バヤズィトは大敗を喫した。かれは、捕虜となってサマルカンドまで連行され、自死した。

敗れたオスマン朝は、分裂の危機に直面し、消滅するかにみえたが、まもなく復活する。勝利をえたティムール帝国のほうが、かえってティムールの死後（一四〇五）またたくまに分裂し、アフガニスタン西部の小国に転落していった。

ティムール朝が軍事カリスマによってつくられた軍事優先の遊牧国家であるのに対し、オスマン朝のほうは、デヴシルメ、イェニチェリ軍団をはじめ新しい政治社会秩序を構築していたからである。

オスマン朝の政治社会秩序　多種族・多宗教を包括するオスマン国家の支配構造・政治秩序は、支配秩序としての(1)スルタン・カリフ制、(2)イスラームの神学・法学者であるウレマー層、(3)スルタンの行政上の代理者である大宰相ウェズィラザムを筆頭とする高級官僚、(4)軍事支配層としてのベイレルベイとサンジャクベイの存在、ならびに社会秩序にかかわる(5)ミレット制、(6)デヴシルメ、(7)常備歩兵軍団であるイェニチェリ制の七層によって編成された（三橋冨治男一九六六）。

スルタンは、国家の元首であり、あらゆる支配の権限を行使することができた。しかしそれは、シャリーア（イスラーム法）にもとづくカヌーン（法令）・ニザム（法規）や慣例によって行使された。政治的意思決定は、中央政府を構成する大宰相・大臣・高級官僚などが出席する合議制会議ディワーン・ヒュマユーン（ディワーン）にかけられ、ここで到達した結論にもとづいて、スルタンが決定した。スルタンは、国事・政務に関してディワーンがくだす決定にしたがって命令を発することを慣例とした。

ベイレルベイとサンジャクベイは、地方騎士軍団を統括する軍司令官であり、スルタンからティマールと呼ぶ「徴税権付き分与地」を受領する軍人騎士層であった。ベイレルベイはベイのなかのベイでその最高統括者、サンジャクベイはその下層に位置し、カーザ（郡レベル）・ナーヒエ（行政村落レベル）・キョイ（自然村落レベル）に序列化され、各レベルの地方行政管理にも直接責任をもった。地方行政は、ティマール制を基礎に軍人騎士層が担ったのである。

つぎに、オスマン朝に特徴的な社会統合装置であるミレット制、デヴシルメ、イェニチェリ制をみることにしよう。

ミレットは、多宗教をオスマン朝社会の中に統合する独自の宗教共同体のしくみである。ミレットは、ユダヤ教、東方正教会、アルメニア教会など、信徒集団ごとに組織された。オスマン朝は、集団内部の紛争処理、毎年の租税徴収について、全面的に協力する責任を負う最高指導者ミレット・バシウを公認し、それぞれ独自の宗教儀式を実践し、独自の教育制度、司法制度をもち、慈善活動をおこなうことを許した。

ミレットは、人頭税を支払うかぎりにおいて認められるズィンミー（保護民）の共同体であり、保護と支配のためにもうけられ、なかば自治領として機能した。シェイヒュル・イスラーム（イスラームの長老）を最高指導者とするウンマも、支配者集団の宗教共同体ではあるが、同列に位置づけることができる。

デヴシルメを創設したのはバヤズィト一世である。デヴシルメは、君主直属の官僚と軍隊を持続的に再生産するしくみである。それは、ヨーロッパの領土からキリスト教徒（とくにギリシア正教徒）の子供を所定の手続きにもとづいて一定数徴発し、スルタンの宮廷にあつめて強制的に改宗させ、育てあげて成長したのちは、宮廷官僚またはオスマン宮廷奉仕者とし、究極的には大部分をイェニチェリ（常備歩兵軍団）に編入するしくみである。かれらはエリートではあるものの、身分的には奴隷身分（カプゥ・クル）であり、スルタンに人格的に直属する忠実な官僚と軍人層を構成した。

オスマン帝国　一四五三年、オスマン朝第七代スルタン・メフメト二世（在位一四四四・四五、一四五一〜一四八二）は、コンスタンティノープルを陥落し、ビザンツ国家を滅ぼした。この出来事は、オスマン朝を帝国と呼ぶべき段階に飛躍させた。

コンスタンティノープルは、すでに軍事的価値を喪失していた。オスマン朝は、コンスタンティノープルを迂回するかたちで、すでにヨーロッパ東部を支配下においていた。

ビザンツ国家の住民は、みずからをローマ人と称し、コンスタンティノープルを新しいローマとみなしていた。オリエントのテュルク・イスラームによる「ローマ」の併合は、地中海世界と西アジア世界にまたがる帝国支配の正当性を象徴し、ヨーロッパ世界とあらたな政治的交通関係を構築し、相互作用圏を拡大する政治的意味をもった。

このコンスタンティノープル陥落、イスタンブール遷都の直後から、メフメト二世のもとで、スルタン制が政治的制度として確立する。それまで行政上の実権はテュルク族名門のワズィール（大臣）やベイ（高級軍人）たちがにぎっていた。メフメト二世は、この名門の家系をおりにふれてのぞいていった。

名門出身の大宰相ハリル・パシャは、コンスタンティノープル攻略が、ヨーロッパ世界を結束させ、オスマン朝を対ヨーロッパ全面戦争にみちびく危険性があると諫言し、中止をもとめた。コンスタンティノープル陥落後、大宰相ハリル・パシャは失脚した。これを最後に、一切の名門家系がすがたをけした。

かわりに、それまですでに比重が大きくなりつつあったデヴシルメの経路による官僚が高官の地位をしめるようになった。デヴシルメ経路の人格的臣従関係の基礎の上にスルタン制度は確立したのである。

スルタン・カリフ制　一五一七年、第九代スルタン・セリム一世（在位一五一二～一五二〇）は、エジプトのマムルーク朝（一二五〇～一五一七）を滅ぼし、カイロを占領した。これによって、オスマン帝国は北アフリカの穀倉地帯を手にいれ、地中海はオスマンの内海となり、その支配と交易圏はアジア海域にもおよぶようになった。

このときセリム一世は、マムルーク朝の庇護下にあったアッバース朝カリフの後裔カリフ・ムタワッキールをイスタンブールに移し、カリフの称号を譲りうけ、みずからカリフを称した。世にいうスルタン・カリフ制である。

ただ、カリフが公的に使用されたのは、こののち二度だけである。スルタン・カリフ制が国制上に確たる位置をしめたことはない。

最初は、一七七四年、ロシア帝国に対し、黒海北岸のクリム・カン国の自立とロシア船の黒海自由航行権を認めた、キュチュク・カイナルジャ講和条約の締結のときである。条約締結のために派遣されたスルタン・ムスタファ三世（在位一七五七～一七七四）の代理がカリフ号を使用した。

最後は、一九世紀後半、スルタン・アブデュル・ハミト二世（在位一八七六～一九〇九）の時代である。かれは、汎イスラーム主義の政治運動をすすめる必要と、ヨーロッパ列強の勢力下にあるイスラーム教徒のうえにオスマン帝国の精神的な支配の継続を主張する口実としてカリフ号を用いた（三橋冨治男一九六六）。

スルタン・カリフ制は、アラブ・イスラームの王権のうえにテュルク・イスラームの王権を加上することによって、オスマン朝が歴史的伝統をふまえた全イスラーム圏の首長であることを示す称号となるはずであった。しかしそれは、その実体が実現不可能になったときに、はじめて玉座のうしろから探しだされたのである。

東西の位相転換

オスマン帝国の最盛期は、第一〇代スルタン・スレイマン一世（在位一五二〇～一五六六）の長い治世期であった。一六世紀世界の中で、最大最強の帝国であった。しかし、こののち対外関係は、しだいに守勢に立つようになった。海上においては、東地中海をめぐるヴェネチアとの四半世紀におよぶ戦争ののち、一五七一年、レパント沖海戦においてスペイン・ヴェネチア連合艦隊に大敗した。東西の勢力関係に急激な変動はなかったが、地中海はオスマンの内海ではなくなった。

陸上でも、ハンガリー全土の支配をねらうハプスブルグ家との戦い（一五年戦争　一五九三〜一六〇六）で、一時ドナウ以北の全領土を失う危機におちいった。スルタンははじめて、キリスト教君主を対等の主権者と認めるツィトバ・トロク講和条約に署名した。

一六六四年、オスマン帝国は、西ハンガリーのゴットハルトの戦いでオーストリアに大敗した。この敗北は、旧式「火薬帝国」が西方の軍事技術に対して決定的にたちおくれたことを証明した。

一六八三年、オスマン帝国は、クリミア汗国・両ドナウ公国・反ハプスブルグのハンガリー軍を含む一〇万の大軍をひきいて第二次ウィーン包囲を敢行した。ポーランド王ヤン三世の救援によって、オスマン朝はウィーンを抜くことができなかった。ウィーン包囲の失敗は、ヨーロッパからの後退の第一歩となった。

経済的にも一六世紀の中葉まで、オスマン帝国は、堅調に発展した。中部ヨーロッパからの移民も多くみられた。その後は初期資本主義のもとで急速に発展する西ヨーロッパ経済への従属がはじまる。

一五三五年、スルタンはフランス人に、帝国内での自由な通商・免税・領事裁判権の特権を認めるカピトゥラシオンをあたえた。この特権は、一五八三年にイギリス人・オランダ人にもあたえられた。フランス人・イギリス人・オランダ人は、イタリア商人にかわって東地中海の貿易を独占した。カピトゥラシオンは、三〜五パーセントの低率関税を規定していたので、オスマン帝国の工業製品は輸入品に圧倒された。こうしてオスマン帝国は、西ヨーロッパへの原料と食糧供給地に転じ、しだいに周辺化されていった（鳥山成人一九七八）。

東地中海世界における東西の位相転換は、一六世紀中葉から一七世紀中葉にかけてのほぼ一〇〇年のあいだに認めてよい。オリエンタリズムの基盤は、かくしてできあがったのである。

二、ユーラシア中央世界の「近世」

帝国連鎖の北側に位置するユーラシア中央世界に眼をむけよう。そこには、大元ウルスのような統一政体はなく、諸勢力分立の時代をむかえていた。海域アジアに面する四つの帝国連鎖と好対照を呈している。一五・一六世紀のユーラシア中央世界には、現代につながる主要な諸民族があらわれるようになった。

モンゴル帝国の崩壊とユーラシア中央世界の民族形成

チャガタイ・カン国　チャガタイ・カン国では、西部チャガタイのマーワラーアンナフルに定住した遊牧民諸部族は、みずからチャガタイ人とよび、カンの真正の軍隊であると考えた。チャガタイ人を構成するバルラス部族出身のティムール（一三三六〜一四〇五、在位一三七〇〜一四〇五）は、その軍事力に依拠し、敵対する諸部族を排除し、モンゴル帝国にならって、ひとつの支配部族の代表者のあいだで領土を分割する遊牧国制を復活した。これをティムール帝国（一三七〇〜一五〇七）という。

ティムールの死（一四〇五年）によって、明朝中国への遠征を含む軍事的行動は中断した。しかし、ペルシアのいくつかの地域とマーワラーアンナフルの統合は、その子孫の諸権力のもとに数十年つづいた。このティムール帝国の衰退後、西トルキスタンには遊牧帝国は成立しなくなった。

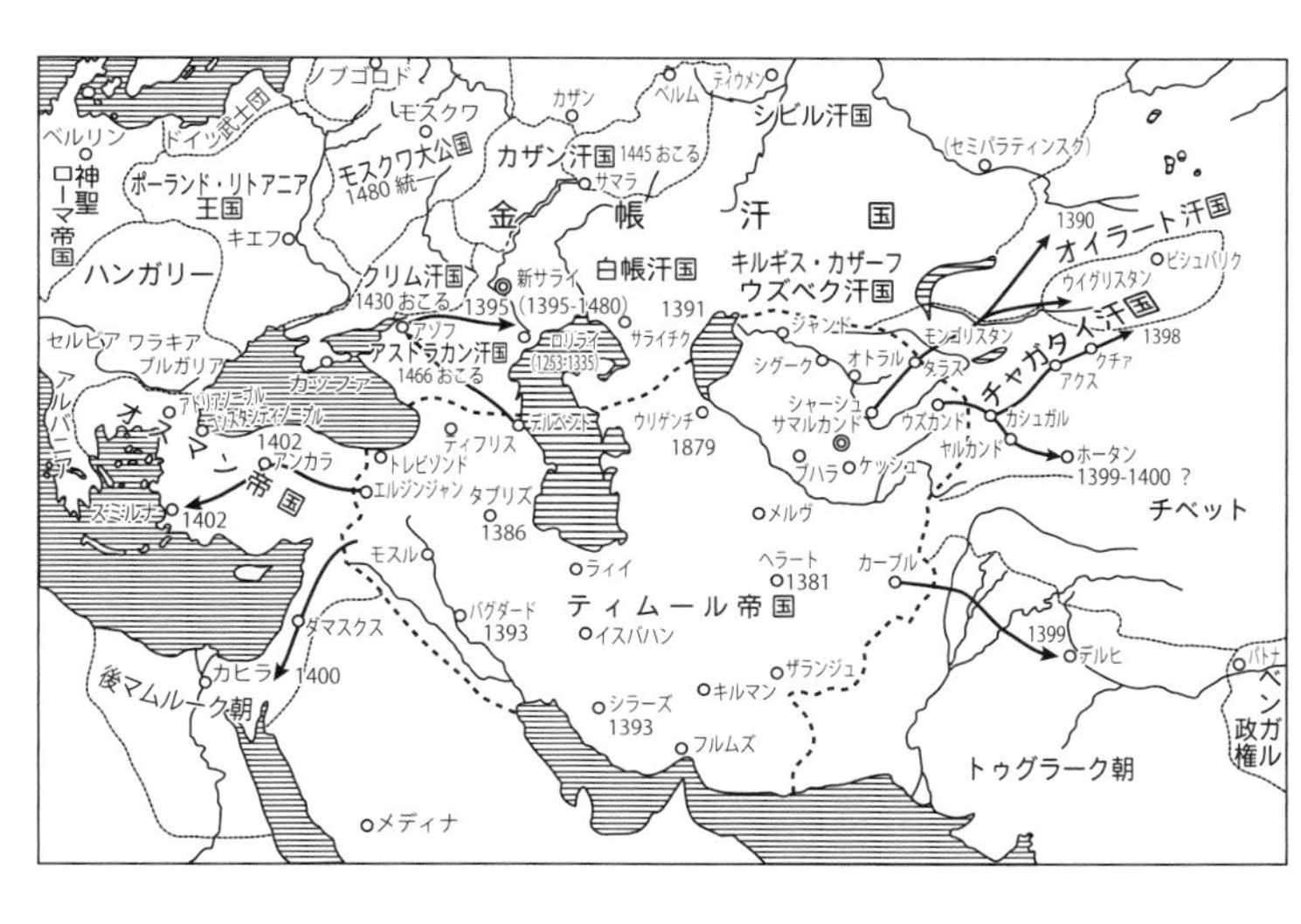

図 6-1　ティムール時代のトルキスタン（バルトリド 1966）

チャガタイ・カン国東部のモンゴル系戦士たちは、言葉はテュルク語、宗教はイスラーム化して、みずからをモグール族と呼び、一四世紀中葉にはモグーリスタン・カン国、さらに一六世紀中葉にはカシュガル・カン国をたてた。このモグール族が現在の新疆ウイグル族につながっていく。

また一六世紀ころには、正統カリフなどの子孫と称し、世襲の宗教的権威となっていたホージャがカンとならんで権力者の地位を確立した。ホージャは、ペルシア語で「高貴な人」「学者」を指し、いわばタリム盆地の法王の位置にあった。一七世紀までには、ホージャは、モグール族の子孫カシュガル・カン家にとってかわり、新疆オアシスの直接的支配権を継承した。

金帳カン国（ジュチウルス）　一四世紀中葉に金帳カン国の勢力が弱まりはじめると、その支配下にあったテュルク族やテュルク化したモンゴル族が抬頭してウズベクと自称するようになった。ウズベクは、金帳カン国第一〇代ウズベク・カン（在位一三一三～

一三四二）に由来する。かれらはしだいに東南に移動し、一五〇〇年にはティムール帝国をしりぞけ、ブハラに本拠を置いてシャイバーニー朝（一五〇〇～一五九九）をたてた。シャイバーニー朝は、隣りあうオスマン帝国、サファヴィー朝、ムガル朝と対立抗争した。

一五世紀中葉に、このウズベク族から分離し、東方へ移動した集団は、イルティシュ川流域から、バルハシ湖周辺にいたるカザフ草原にまでひろがり、カザフ（分離者）と呼ぶ遊牧民集団を形成した。これが現在のカザフ人の起源となった。一六世紀のはじめ、カシム・カン（在位一五一一～一五二三）がカザフ集団の支配権を掌握し、カザフ・カン国の始祖とみなされるようになった。

モンゴル高原　大元ウルス崩壊後も、南北モンゴリアの草原にはタタール部（東部モンゴル族）が活動し、西北モンゴリアにはモンゴル族の別種としてオイラート部があり、一五世紀初頭から強力な遊牧騎馬民族として活動した。たがいに北アジアの草原をめぐって覇をきそい、ときに長城線をこえて明朝中国に侵攻した。東部モンゴル族は、一五世紀後半に北元の子孫であるダヤン・カーンが南モンゴルを統一し、その支配下にあって、北モンゴルに進出したハルハ部とハルハ・モンゴル集団を形成した。このダヤン・カーンを盟主とする東モンゴル部族連合は、種族・言語・習俗の点でチンギス・カン家の伝統を維持した。かれらは、現在のモンゴル共和国と中国の内モンゴル自治区の住民の直接の祖先である。

オイラート部は、朝貢貿易にも力を入れ、一四四九年、朝貢貿易の拡大を要求して三方面から長城線に侵入した。これに対して英宗朱祁鎮（在位一四三五～一四四九、一四五七～一四六四）は、みずから軍をひきいて出撃した。しかし北京北方の土木堡で敗れ、捕虜になってしまった（土木の変）。これ以後明朝は周辺地域に対して消極的になり、永楽帝朱棣（しゅてい）（在位一四〇二～一四二四）以来の対外積極策は後退した。

オイラート部の子孫は一七世紀初頭から一八世紀中葉まで、ジュンガル王国をたて、東の清朝中国、西のロシア帝国と緊密な交通関係をきづき、東ヨーロッパ世界、ユーラシア中央世界、東アジア世界をまたぐ相互作用圏をつくっていた。草原のステップロードを経路とする国際交易は堅調であった（佐口透一九六六）。ジュンガル王国は、一七五五年、清朝の乾隆帝（在位一七三五～一七九六）によって征服され、六〇万のジュンガル部人はほとんど滅亡した。ジュンガル王国は、東方における最後の遊牧騎馬国家となった。

ユーラシア中央世界の構造変化

モンゴル帝国崩壊後、東ヨーロッパ世界にロシア帝国（モスクワ大公国（一三四〇～一五四七）、ロシア・ツァーリ国（一五四七～一七二一））が抬頭した。

一五世紀中葉に金帳カン国が分裂し、その後身となったカザン・カン国（一四四五～一五五二）、アストラ・カン国（一四六六～一五五六）は、それぞれ一五五二年、一五五六年に、近接するモスクワ国家の攻撃をうけて滅亡した。両カン国が征服されたのち、ヴォルガ川流域はロシア領となり、遊牧勢力は農耕地に介入する主導力をうしなった。西方の「中央ユーラシア型国家」はここに消滅した。

ロシアは、一五八〇年ころ、一二世紀からはじまっていたウラル以東、シベリア・森林世界の開発を本格的に開始した。一六世紀中葉になって、西ヨーロッパ世界のロシア毛皮、とくに黒貂（くろてん）に対する需要が非常にたかまり、ロシア人の東方進出を刺激する動因となった。かれらは、あらたな毛皮産地の発見と獲得のために、ウラル以東への交通路の探査にむかった。

一五八〇年ころ、イェルマクは、ロシア東方辺境のカマ河畔に広大な私領植民地を形成していた企業家ストロガノフ家の後援をうけ、ロシア人による本格的なシベリア開拓のさきがけとなった。かれは、四、五年の間に、コサックをひきいてウラルをこえ、トボル河・イルティシュ河の合流点付近にあった金帳カン国後裔のテュルク系シビル・カン国の首都イスケルを占領し、さらにステップ地帯までのタタール諸部族を征服し、これをイヴァン四世（雷帝　在位一五三三〜一五八四）に献上した。シベリアは、このシビル・カン国の名称に由来する。これ以後、わずか六〇年ほどのあいだに、ロシアは、アムール川（黒龍江）と太平洋岸に到達した。

一七世紀には、帝国ロシア（ロマノフ朝　一六一三〜一九一七）と大チングルン清朝（一六四四〜一九一二）がそれぞれに東方進出と西方進出を本格化させた。ユーラシア中央世界の諸国は、二つの帝国との交通関係を構築し、西トルキスタンはロシア帝国、モンゴル高原・東トルキスタンは大清帝国の勢力下にはいっていった（図5―1　一七七頁）。

この基本構造は、ソビエト連邦（一九一七〜一九九一）と中華民国・中華人民共和国（一九一一〜現在）にひきつがれ、かたちを多少かえながら、今日にいたっている。

今日につながる世界の歴史は、タタールの平和の崩壊と世界的な「近世化」の動きにはじまったのである。

〈注記〉

1、近世もしくはこれを動態的に表現する近世化の議論が注目をあつめるようになったのは、二一世紀初頭のことである。その背景について、岸本美緒（二〇二一）は、つぎのようにまとめている。「一つには、定向的な歴史観（古代・中世・近世・近代という継起的発展観　筆者）の衰退と表裏して、ヨーロッパ史上の「近世（初期近代）」すなわち一五世紀末から一八世紀末に至るほぼ三〇〇年間が、中世から後期近代へと向かう直線的な過程の一部としてではなく、むしろ「固有の構造とサイクルをもつ」独自の時代とみなされるようになったことが挙げられよう。さらにそのサイクルがヨーロッパ史のみならず「世界の構造化のサイクル」でもあるとされることによって、「近世」は、個々の地域の発展段階を示す用語でなく世界全体の時代区分用語としての意味を持つことになった［元引用省略］。一方、アジア史研究の側でも独自に、一五・一六世紀を境として商業化や新たな国家形成を特徴とする一つのサイクルを見出す立場から、「近世」の語に注目が集まってきていたといえる［元引用省略］」（岸本二〇二一、一四六頁）。

〈参照文献〉

足立啓二『専制国家史論――中国史から世界史へ』柏書房、一九九八年
足立啓二『明清中国の経済構造』汲古書院、二〇一二年
荒川正晴『ユーラシアの交通・交易と唐帝国』名古屋大学出版会、二〇一〇年
飯沼二郎『農業革命論』未来社、一九六七年
井筒俊彦『イスラーム文化』岩波書店、一九九一年
伊東俊太郎『一二世紀ルネサンス――西欧世界へのアラビア文明の影響』岩波書店、一九九三年
伊藤義教『古代ペルシア』岩波書店、一九七四年
井上浩一『ビザンツ帝国』岩波書店、一九八二年
岩尾一史・池田巧編『チベットの歴史と社会』上下、臨川書店、二〇二一年
梅原　郁『宋代官僚制度研究』同朋舎、一九八五年
ウラヂミルツォフ，B．『蒙古社会制度史』外務省調査部訳、生活社、一九四一年
『エリュトゥラー海案内記』村川堅太郎訳注、中央公論社、一九九三年（一九四八年原刊）
エンゲルス，F．『家族・私有財産・国家の起源』戸原四郎訳、岩波書店、一九六五年
応地利明『「世界地図」の誕生』日本経済新聞出版社、二〇〇七年
大澤正昭『陳旉農書の研究――一二世紀東アジアの稲作の到達点』農山漁村文化協会、一九九三年
大林太良編『東南アジアの民族と歴史』民族の世界史六　山川出版社、一九八四年
岡田　謙『未開社会における家族』弘文堂、一九六九年（一九四二年原刊）

織田武雄・末男至行・応地利明『西南アジアの農業と農村』同朋舎出版、一九六七年
川本正知『モンゴル帝国の軍隊と戦争』山川出版社、二〇一三年
岸本美緒『明末清初中国と東アジア近世』岩波書店、二〇二一年
北田英人「稲作の東アジア史」『岩波講座世界歴史9　中華の分裂と再生』岩波書店、一九九九年
桑原隲蔵『蒲寿庚の事蹟』岩波書店、一九三五年（一九二三年原刊）
甲元眞之『東北アジアの初期農耕文化と社会』同成社、二〇〇八年
後藤　明「モアイの「危機語り」――ラパヌイにおける危機学説形成」（『人類学研究所　研究論集』第三号、二〇一〇年）
小林登志子『古代メソポタミア全史　シュメル、バビロニアからサーサーン朝ペルシアまで』中央公論社、二〇二〇年
サイード，E.『オリエンタリズム』上下、今沢紀子訳、平凡社、一九九三年（一九七八年原刊）
佐口　透『ロシアとアジア草原』吉川弘文館、一九六六年
佐口　透編『モンゴル帝国と西洋』東西文明の交流4　平凡社、一九七〇年
佐藤洋一郎『食の人類史　ユーラシアの狩猟・採集、農耕、遊牧』中央公論社、二〇一六年
サザーン，R.『ヨーロッパとイスラム世界』鈴木利章訳、岩波書店、一九八〇年（一九六二年原刊）
サーヴィス，E.『文化進化論――理論と応用』松園万亀雄・小川正恭訳、社会思想社、一九七七年
サーヴィス，E.『未開の社会組織――進化論的考察』松園万亀雄訳、弘文堂、一九七九年
篠田謙一監修『ホモサピエンスの誕生と拡散』洋泉社、二〇一七年
島居一康「宋初の節鎮再編と府州軍監――唐宋時代の軍制と行政（Ⅵ）」『唐宋変革研究通訊』第一三輯、

二〇二二年
嶋田襄平編『イスラム帝国の遺産』東西文明の交流3 平凡社、一九七〇年
嶋田襄平『イスラムの国家と社会』岩波書店、一九七七年
シャルマ，R．『インドの古代史』山崎利男・山崎元一訳、山川出版社、一九八五年
杉 勇『古代オリエント学論集 中洋の歴史と文化』筑摩書房、一九九一年
杉山正明『モンゴル帝国と大元ウルス』京都大学学術出版会、二〇〇四年
鈴木靖民・金子修一・石見清裕・浜田久美子編『訳注 日本古代の外交文書』八木書店、二〇一四年
妹尾達彦『グローバルヒストリー』中央大学出版部、二〇一八年
セデス，G．『東南アジア文化史』山本智教訳、大蔵出版、一九八九年（一九四八年原刊）
宋応星『天工開物』三枝博音解説、十一組出版部、一九四三年
ターパル，R．『国家の起源と伝承 古代インド社会史論』山崎元一・成沢光訳、法政大学出版局、一九八六年
髙橋昌明『中世史の理論と方法——日本封建社会・身分制・社会史』校倉書房、一九九七年
チャンドラ，S．『中世インドの歴史』小名康之・長島弘訳、山川出版社、一九九九年
『中国とインドの諸情報』一・二、家島彦一訳、平凡社、二〇〇七年
張 学海「試論山東地区的龍山文化城」『文物』一九九六年一二期、一九九六年
筒井俊彦『イスラーム文化——その根底にあるもの』岩波文庫、一九九一年
トリッガー，B．『初期文明の比較考古学』川西宏幸訳、同成社、二〇〇一年
鳥山成人『ビザンツと東欧世界』世界の歴史一九 講談社、一九七八年
内藤湖南「概括的唐宋時代観」『歴史と地理』第九巻第五号、一九二二年、のち『内藤湖南全集』第八巻、筑摩

書房一九六九年に収録
内藤雅雄・中村平治編『南アジアの歴史　複合的社会の歴史と文化』有斐閣、二〇〇六年
内藤みどり「東ローマと突厥との交渉に関する史料――Menandri Protectoris Fragmenta 訳注」『西突厥史の研究』早稲田大学出版部、一九八八年
中村　哲『東アジア資本主義形成史論』汲古書院、二〇一九年
西嶋定生『中国古代国家と東アジア世界』東京大学出版会、一九八三年
林　俊雄『スキタイと匈奴　遊牧の文明』講談社、二〇一七年（二〇〇七年原刊）
原山　煌『モンゴルの神話・伝説』東方書店、一九九五年
バルトリド，V．『中央アジア史概説』長沢和俊訳　角川書店、一九六六年（一九二二年原刊）
ピレンヌ，H．他『古代から中世へ――ピレンヌ学説とその検討』佐々木克巳編訳、創文社、一九七五年
ピレンヌ，H．『ヨーロッパ世界の誕生――マホメットとシャルルマーニュ』中村　宏・佐々木克巳訳、創文社、一九六〇年（一九三七年原刊）
古島敏雄『土地に刻まれた歴史』岩波書店、一九六七年
古田元夫「地域区分論――つくられる地域、こわされる地域」『岩波講座世界歴史1　世界史へのアプローチ』岩波書店、一九九八年
古畑　徹『渤海国とは何か』吉川弘文館、二〇一八年
『プトレマイオス地理学』中務哲郎訳、織田武雄解説、東海大学出版会、一九八六年
ブロック，M．『フランス農村史の基本性格』河野健二・飯沼二郎訳、創文社、一九五九年
ヘーゲル，F．『歴史哲学（歴史哲学講義）』武市健人訳、岩波文庫、一九七一年

別所祐介「「いきもの」を通してみるチベット人の生活世界―牧畜と生業コミュニティー」岩尾一史・池田巧編『チベットの歴史と社会』上下、臨川書店、二〇二一年
ポランニー，K．『人間の経済――市場社会の虚構性』Ⅰ・Ⅱ、玉野井芳郎・栗本慎一郎訳、岩波書店、一九八〇年
前川和也「シュメールにおける都市国家と領域国家」前川和也・岡村秀典編『国家形成の比較研究』学生社、二〇〇五年
前嶋信次「十字軍と東西文明の交流」嶋田襄平編『イスラム帝国の遺産』東西文明の交流3　平凡社、一九七〇年
増田四郎『ヨーロッパとは何か』岩波書店、一九六七年
松田壽男『アジアの歴史』岩波書店、一九九二年（一九七一年原刊）
松田壽男・森鹿三編『アジア歴史地図』平凡社、一九六六年
三上次男『陶磁の道』岩波書店、一九六九年
三橋冨治男『オスマン＝トルコ史論』吉川弘文館、一九六六年
宮本一夫『中国古代北疆史の考古学的研究』中国書店、二〇〇〇年
村上正二『モンゴル帝国史研究』風間書房、一九九三年
桃木至朗『歴史世界としての東南アジア』山川出版社、一九九六年
桃木至朗編『海域アジア史研究入門』岩波書店、二〇〇八年
護　雅夫『古代トルコ民族史研究』Ⅰ、山川出版社、一九六七年

護　雅夫『古代遊牧帝国』中央公論社、一九七六年
森安孝夫『シルクロードと唐帝国』興亡の世界史五　講談社、二〇〇七年
家島彦一『イスラム世界の成立と国際商業――国際商業ネットワークの変動を中心に』岩波書店、一九九一年
家島彦一『海域から見た歴史』名古屋大学出版会、二〇〇六年
山田信夫編『ペルシアと唐』東西文明の交流2　平凡社、一九七一年
山田信夫『北アジア遊牧民族史研究』東京大学出版会、一九八九年
吉田　孝『日本の誕生』岩波書店、一九九七年
ラティモア，O．『アジアの焦点』中国研究所訳、弘文堂、一九五一年
レンフルー，C．『ことばの考古学』橋本槙矩訳、青土社、一九九三年
渡辺信一郎『中国古代の王権と天下秩序――日中比較史の視点から』校倉書房、二〇〇三年
渡辺信一郎『中華の成立　唐代まで』中国の歴史①　岩波書店、二〇一九年

渡辺 信一郎（わたなべ・しんいちろう）

京都府立大学名誉教授、中国古代史。京都大学大学院文学研究科博士課程単位修得退学。主な著作に『中国古代社会論』（青木書店、1986年）、『天空の玉座——中国古代帝国の朝政と儀礼』（柏書房、1996年）、『中国古代の財政と国家』（汲古書院、2010年）、『中国古代の楽制と国家——日本雅楽の源流』（文理閣、2013年）など。

さまざまな歴史世界——一七世紀以前の世界史 I
〈講座：わたしたちの歴史総合（世界史×日本史） 1〉

2023年2月25日　第1刷発行

著　者　ⓒ渡辺信一郎
発行者　竹村正治
発行所　株式会社　かもがわ出版
〒602-8119　京都市上京区堀川通出水西入
TEL 075-432-2868 FAX 075-432-2869
振替　01010-5-12436
ホームページ　http://www.kamogawa.co.jp
印刷所　シナノ書籍印刷株式会社

ISBN978-4-7803-1261-4　C0320

総合索引等は「わたしたちの歴史総合」シリーズ特設ページで
http://www.kamogawa.co.jp/campaign/tokusetu_rekishi.html